Toxic

Obésité, malbouffe, maladie :
enquête sur les vrais coupables

Retrouvez conseils, informations
sur les risques alimentaires et documents inédits :
www.toxicfood.org

William Reymond

Toxic

Obésité, malbouffe, maladie :
enquête sur les vrais coupables

Flammarion

Du même auteur

Documents

Dominici non coupable, les assassins retrouvés (préface d'Alain Dominici), Flammarion, 1997, nouvelle édition, Flammarion, 2003.
JFK, autopsie d'un crime d'État, Flammarion, 1998.
Mémoires de profs, Flammarion, 1999.
Mafia S.A., les secrets du crime organisé, Flammarion, 2001.
Bush Land (2000-2004), Flammarion, 2004.
Coca-Cola, l'enquête interdite, Flammarion, 2006.

Avec Alain Dominici : *Lettre ouverte pour la révision*, Flammarion, 2003.

Avec Billie Sol Estes : *JFK, le dernier témoin*, Flammarion, 2003.

Romans

Rouge lavande, Flammarion, 1999.
Les Cigales de Satan, Flammarion, 2000.

© Flammarion, 2007
ISBN : 978-2-0806-8763-0

« *La destinée des nations dépend*
de la façon dont elles se nourrissent. »

Anthelme Brillat-Savarin, *Physiologie du goût*, 1826.

Introduction

La scène est insupportable. Pourtant, personne n'a eu encore le courage de se pencher vers cette mère pour, d'une voix calme presque détachée, lui dire la terrible vérité. Personne n'a osé affronter son regard, aller au-delà de ses larmes, vers ce territoire encore vierge de drames mais qui, demain, deviendra à jamais son quotidien.

Il est toujours question d'espoir et des signes auxquels il faut, coûte que coûte, s'accrocher. En réalité, elle le sait, ceux-ci constituent ses derniers remparts contre la folie.

Mais voilà, à cet instant précis, la raison n'a plus aucun sens. La vérité vient de l'écraser. Froidement, implacablement, irrémédiablement. Là, sous ses yeux, son enfant, déformé par la douleur, est en train de mourir.

*

Kevin Kowalcyk n'aura jamais eu trois ans. Le 11 août 2001, à vingt heures vingt, ce petit corps a perdu le combat qui l'opposait depuis une dizaine de jours à la maladie. Les intestins rongés par la gangrène, les artères saturées, Kevin avait deux ans, huit mois et un jour.

*

Le cauchemar a débuté le 31 juillet précédent. Une semaine plus tôt, la famille Kowalcyk était revenue de vacances passées au bord de l'océan. Le dernier cliché de Kevin débordant de vie date d'alors. À quatre pattes sur le sable blanc, l'enfant fixe l'objectif. À posteriori, il serait facile de tenter de chercher les signes avant-coureurs du drame, mais l'exercice est aussi vain qu'inutile.

Sur cette ultime photographie, Kevin respire la vie. Ses joues sont roses et son sourire presque timide. Barbara, sa maman, aime d'ailleurs à dire que son fils était « un garçon attentionné qui pouvait se mettre à pleurer tout simplement parce qu'un autre enfant était en train de le faire[1] ».

Peut-être s'agit-il du cadre serein du cliché ou encore des circonstances terribles de sa mort, mais, à tout jamais, sur papier argentique, le visage de Kevin affiche cette sensibilité-là.

*

Le début de l'été s'était écoulé paisiblement, semblable à celui que vivent la plupart des enfants de cet âge. Les chaudes après-midi du Wisconsin s'oubliaient en barbotant dans l'eau fraîche de la « tortue », une piscine gonflable devenue le refuge préféré de Kevin et de sa sœur Megan. À cinq ans, l'aînée de la famille passait l'essentiel de son temps avec son petit frère, devenu un idéal et patient compagnon de jeu.

Il y avait eu aussi la sortie à la fête foraine, les feux d'artifice du 4 juillet et les visites des grands-parents. Enfin, chaque dimanche ou presque, Mike Kowalcyk s'était installé devant son barbecue et, pour le plus grand plaisir de

---

1. Entretien avec l'auteur.

sa famille, avait grillé de la viande hachée et préparé de délicieux hamburgers.

*

Mais le mardi 31 juillet 2001, Kevin se réveille avec une légère fièvre et de la diarrhée. Des symptômes bénins qui n'alarment pas Barbara outre mesure. Durant la journée, Kevin se montre grincheux mais sa température n'évolue pas. Ce n'est qu'au milieu de la nuit suivante que la situation se complique. Cette fois, la fièvre de Kevin augmente fortement et sa diarrhée est plus fréquente. Au petit matin, Barbara remarque même des traces de sang dans les selles de son enfant. Franchement inquiète, elle décide alors qu'il est temps de partir aux urgences.

*

L'attente à l'hôpital de Madison est rythmée par les visites régulières de Kevin aux toilettes. La présence de sang est désormais plus abondante. L'anxiété des Kowalcyk grandit.

Certes, les médecins se montrent rassurants. Il est fréquent à cet âge, disent-ils, qu'un état grippal s'accompagne de saignements. Néanmoins, afin d'en être certains, ils pratiquent des prélèvements qui sont envoyés au laboratoire pour être testés au plus vite. En attendant, Kevin peut rentrer chez lui. Ses parents doivent juste s'assurer qu'il boit suffisamment.

La nuit suivante est pénible. L'enfant est toujours fiévreux et la diarrhée ne ralentit pas. Et, surtout, le sang teinte en permanence l'eau des toilettes.

Barbara en est convaincue, cette couleur n'annonce rien de bon. Ce rouge aux accents noirâtres ne signifie qu'une chose : son fils est très malade. Et il faut agir. Vite.

*

Le 2 août, Kevin Kowalcyk quitte le cadre rassurant de sa chambre pour être de nouveau admis à l'hôpital. Où, après un transfert dans une unité pédiatrique de soins intensifs de l'hôpital pour enfants de l'université du Wisconsin, il va passer, dans des souffrances terribles, les derniers jours de sa courte vie.

Après avoir réglé la question de sa déshydratation importante, les vraies raisons de sa maladie apparaissent. Les nouvelles revenant du laboratoire sont mauvaises. Et le diagnostic sans appel : une bactérie, l'E.coli O157:H7 grouille dans les selles de Kevin. Ce nom étrange n'aide guère Barbara à comprendre la portée du mal qui atteint son fils mais, instinctivement, elle sent le danger derrière cette mystérieuse suite de signes, lettres et chiffres.

Le reste des informations communiquées par le médecin confirme ce sentiment. Sans forcément parler d'impuissance, le docteur énumère les différentes étapes devant marquer les prochains jours de Kevin.

Et il n'y a que deux options. Soit l'infection se stabilise, soit elle continue à évoluer. Or si c'était le cas, la science s'avère quasiment impuissante. Il faut donc attendre et aider l'enfant à combattre lui-même le monstre. Aucun traitement, aucune pilule ne peut en effet tuer cette bactérie. Seul Kevin est en mesure d'emporter cette bataille-là.

Les Kowalcyk sont effondrés. Des propos médicaux, Barbara ne retient qu'une chose, une phrase qui ne cesse de rebondir dans son crâne : « Cela va être pire avant, normalement, de s'améliorer ».

Plus que la perspective d'heures difficiles, Barbara n'aime pas le mot « normalement ». À lui seul, il résume la fragilité du fil qui retient son fils à la vie. Perdu au milieu du langage scientifique du corps médical, il introduit une incertitude difficilement supportable.

Le cerveau de Barbara va exploser. Normalement... Normalement... Ce terme signifie aussi qu'il existe une autre alternative, une terrible possibilité, une affreuse éventualité. Celle où la situation, ne faisant qu'empirer, débouche sur une vérité tellement intolérable que Barbara refuse d'en prononcer le nom.

*

Le 3 août, les reins de Kevin montrent des signes d'extrême faiblesse. La première option est désormais de l'histoire ancienne. La bactérie poursuit son œuvre de destruction et l'insuffisance rénale aiguë annonce le pire. Kevin est victime d'un syndrome hémolytique et urémique. Un état au taux de létalité important entraînant des complications neurologiques graves. « Nous l'avons presque perdu cette nuit-là. Il était froid, léthargique. Et il n'arrêtait pas de transpirer. »

*

Le lendemain matin, placé en soins intensifs, Kevin reçoit sa première dialyse. Une expérience douloureuse pour tous : « La procédure durait trois heures. Trois heures où il ne devait pas bouger. Le genre d'instruction impossible à suivre pour un enfant de l'âge de Kevin ». Aussi, refusant qu'on attache leur fils au lit d'hôpital, les Kowalcyk, aidés par deux amis, s'efforcent de maintenir eux-mêmes l'enfant immobile. « Nous lui tenions les jambes et les bras... Nous lui chantions des comptines, lui racontions des histoires pour le rassurer. »

Bientôt, hélas, la dialyse s'avère insuffisante. Le cœur de l'enfant dépasse les deux cents pulsations par minute. Les transfusions de sang laissent place à celles de plasma, mais rien n'y fait : son état général continue à se dégrader. « Il était misérable. Il rampait à l'agonie dans son lit et, dans son délire, réclamait que je l'aide. »

Privé de liquide, à l'exception de quelques morceaux de glaçons, Kevin ne cesse de réclamer à boire. Brûlant de fièvre, il implore ses parents de le ramener chez lui et de le laisser se glisser dans l'eau fraîche de la « tortue ». Ou, mieux encore, que tout le monde reparte ensemble vers les vagues vertes de l'océan.

Et puis, entre deux gémissements, Kevin vomit aussi une poisseuse bile noire. « On aurait dit un enfant souffrant de malnutrition. Son ventre était gonflé, les cernes sous ses yeux effrayants. »

Impuissants, les parents ne peuvent rien faire de plus que passer une éponge humide sur le corps de leur fils afin d'essayer de l'apaiser.

« Dès que l'éponge s'est approchée de son visage, il s'en est emparé et a mordu dedans pour avaler les quelques gouttes qu'elle contenait. Nous avons dû la lui arracher des mains. »

*

L'expérience traumatisante est loin d'être terminée. Le 7 août, Kevin est placé sous assistance respiratoire. Son état réclame une dialyse continue. Lourdement drogué afin de mieux supporter la douleur et d'éviter de se souvenir de l'épreuve, l'enfant sombre dans l'inconscience. « Lorsque l'effet des médicaments commençait à diminuer, Kevin revenait à lui et tentait d'arracher ses perfusions. Nous avons alors accepté qu'il soit attaché au lit », poursuit Barbara.

Complètement immobilisé, Kevin doit subir une autre intervention : des drains sont installés dans ses poumons afin de tenter d'évacuer le liquide qui s'y accumule.

« C'est là que j'ai su... Le personnel hospitalier se voulait optimiste, nous expliquant que l'état de Kevin évoluait comme chaque victime de la bactérie. Que chaque jour gagné était un pas de plus vers la guérison. Mais il y a des moments où une mère se retrouve comme connectée à son enfant. La scène était terrible. Mon fils était cloué sur ce lit d'hôpital, j'avais arrêté de compter le nombre de doses de sang qu'on lui avait transfusé. Ses poumons étaient percés, ses bras reliés à des machines. Et puis, il y avait cette odeur. Une odeur épouvantable. Une odeur que je n'oublierai jamais... Alors j'ai su... »

Et le 11 août, après avoir été ressuscité à deux reprises, alors que les médecins essaient de le brancher à une nouvelle machine, Kevin Kowalcyk perd le combat contre l'E.coli O157:H7.

« Ses intestins étaient gangrenés de milliers de trous. La bactérie avait rongé mon fils. Ses chances de survie étaient nulles. »

*

La mort d'un enfant est insupportable. Mais, malheureusement, le calvaire moral vécu par la famille Kowalcyk ne cesse pas une fois le calvaire vécu par leur fils achevé. « Il m'a fallu annoncer à Megan que son frère, son meilleur ami, ne rentrerait jamais de l'hôpital. Je n'oublierai jamais son regard. Je me souviens également du passage par les pompes funèbres. Et de l'épreuve que représente l'achat d'un cercueil pour son propre enfant. Je n'ai pas oublié non plus combien il fut difficile de choisir les vêtements que Kevin allait porter pour son enterrement. De monter dans sa chambre, d'éviter de croiser sa photo, de toucher ses jouets. Puis d'ouvrir son placard et, presque en apnée, de sélectionner sa dernière tenue. Il nous a fallu aussi marcher dans le cimetière afin de trouver l'endroit où notre bébé allait reposer pour l'éternité. Enfin, je n'oublierai jamais ce 16 août 2001. Ce jour-là nous n'avons pas seulement enterré Kevin. Ce 16 août nous avons mis sous terre une partie de nous-même. Notre famille ne sera plus jamais comme avant. »

*

Kevin Kowalcyk n'a pas succombé à l'attaque d'une bactérie exotique. D'un virus pour film d'horreur, rongeant peu à peu les organes vitaux de ses proies. L'E.coli O157:H7 est beaucoup plus banale et proche de nous : c'est une bactérie vivant dans l'intestin des animaux. Et qui, parfois, se retrouve dans l'eau que nous buvons, la viande ou les crudités que nous mangeons.

Kevin Kowalcyk n'est pas un cas isolé. Sa mort, dans ces conditions insoutenables, n'est en rien le fruit de circonstances exceptionnelles.

Empoisonné par la viande hachée d'un hamburger, il est une victime de plus. Celle d'une guerre invisible où, de bactéries mortelles en épidémie d'obésité, de cancers en crises de diabète, un danger nous attend à chaque instant, bien caché au fond de nos assiettes.

Là même où, désormais, menacée par un environnement toxique, notre espèce joue sa survie.

1. Océan

Mon rêve américain a d'abord eu l'attirance sucrée du Coca-Cola et le croustillant de tranches de bacon. Le caramélisé de la tarte aux noix de pécan et l'onctuosité de la glace à la vanille. La tendresse d'une côte de bœuf et le piquant d'ailes de poulet frites dans une sauce aigre-douce.

Mon rêve américain avait un avant-goût de paradis. Un éden démocratique où le ticket d'entrée ne coûtait pas grand-chose et où les portions étaient gargantuesques. Un confortable refuge où le concept de culpabilité n'existait pas.

Mieux encore, les États-Unis m'avaient décomplexé. Pour la première fois de mon existence, avec mes misérables kilos en trop, j'appartenais en fait au groupe des gens normaux. Les gros, ce n'était plus moi, mais les autres.

Cette nouvelle réalité m'avait sauté aux yeux dès l'aéroport. En fait, il faudrait effectuer une étude auprès des touristes européens débarquant sur le continent américain. Je suis persuadé que, comme moi, avant même de noter la taille des voitures ou le gigantisme architectural, ils remarquent surtout l'allure pachydermique de certains membres de la population locale.

Car ici, la norme est à l'excès. Le cliché est facile mais tellement juste. L'Américain est excessivement généreux. Ou compétitif. Ou insupportable. Quoi qu'il en soit, il ne fait jamais rien à moitié. Et donc plonge, s'abandonne, sans retenue et même avec un certain brio, dans un océan de bouffe.

*

Il faut très peu de temps pour s'habituer, aux États-Unis, au paysage saturé de l'obésité. Après quelques jours sur place, l'œil ne remarque même plus les corps déformés par l'excès de graisse. La société américaine semble d'ailleurs avoir totalement intégré cette notion-là. Et, comme s'il s'agissait de vendre un produit politiquement correct, a réussi à créer un univers positif autour du surpoids. Ainsi, par moments, la bedaine prend des accents de virilité. Les boutiques spécialisées en taille septuple XL ne sont pas des ghettos honteux mais affichent fièrement leurs couleurs : ici, on habille l'homme, le vrai ! Celui qui ne fait rien à moitié. Qui travaille dur et mange pour de vrai.

Mieux encore, le gras atteint parfois le sommet de la *cool attitude*. Le phénomène, lancé par des rappeurs obèses et des entrepreneurs malins, est à l'origine de la transformation d'un mot de la langue anglaise. Ainsi, victime d'une mutation économico-culturelle afin de mieux le commercialiser, *fat* devient *phat*. Si le vocable signifie toujours gros ou gras, il est désormais devenu un slogan branché et presque revendicatif pour vendre de coûteux vêtements particulièrement amples.

Et puisque nous parlons d'habillement, il faut bien évoquer un autre miracle américain. Celui qui, après un vol long courrier depuis l'Europe et quelques solides étapes culinaires, vous permet de vous glisser, malgré vos rondeurs superflues, dans un pantalon taillant plus étroit que sur le vieux continent. Un phénomène réjouissant se reproduisant du tee-shirt à la chemise. Aux États-Unis, victimes d'une folle valse vers le bas, les étiquettes convertissent un extra-large parisien en un surprenant médium américain.

*

Je me souviens parfaitement du jour où je me suis rendu compte pour la première fois de l'ampleur mondiale de cette épidémie d'obésité. Revenu en France, je marchais dans les rues de Paris quand mon regard a croisé celui d'une femme qui devait avoir une quarantaine d'années. J'ai immédiatement eu le sentiment de la connaître. En fait, c'était son allure qui m'était familière. Elle ressemblait à une des Américaines que je rencontre chaque jour au super-marché ou sur le parking d'un McDonald's. À celle qui gare son véhicule le plus près possible de l'entrée afin de s'économiser l'effort de la marche.

Pendant quelques secondes, je me suis même interrogé pour savoir s'il ne s'agissait pas d'une touriste. Et, allez savoir pourquoi, cette question m'a obsédé. Alors, je suis retourné sur mes pas, bien décidé à l'aborder sous le pré-texte fallacieux de demander mon chemin. Craintive mais aimable, ma promeneuse obèse, à bout de souffle, me ren-seigna. Aucun doute possible, son accent parisien me prouva instantanément qu'elle n'était en rien un produit exporté des États-Unis, mais bien une Française.

Inconsciemment, le livre que vous avez entre les mains est né de ce choc. Cette rencontre remonte à 2001 mais, depuis, mes escapades se ressemblent : je suis devenu un observateur des autres. Si vous marchez avec moi, ne croyez pas que je vous écoute. En réalité, je scrute, j'es-pionne, je cherche, je compare, j'estime, je pèse et soupèse. Et du nord au sud, d'est en ouest, mon constat est identique.

Sans vraiment crier gare, sans vraiment faire de bruit, nous avons changé.

Modelés par le rythme incessant des vagues venant de là-bas, nous sommes devenus comme eux. Des individus prêts à mourir noyés sous la masse de notre propre graisse.

2. Pandémie

« Il n'y a aucun État au monde où l'obésité n'est pas en augmentation. Jusqu'aux pays en voie de développement comme le Zimbabwe ou la Gambie que nous pensions pourtant immunisés. L'épidémie se propage à toute allure. Et, le plus effrayant, c'est que, jusqu'à présent, personne n'a réussi à la stopper. »

Le docteur Stephan Roessner n'est pas une Cassandre soucieuse de vendre quelques exemplaires de plus d'un livre de régime. Ce médecin suédois est le président de l'Association internationale pour l'étude de l'obésité. Et en dix ans, avec ses collègues, il a observé une tendance... lourde : l'accroissement de l'obésité et des pathologies liées à une mauvaise nutrition. Tous les experts sont d'accord ou presque : nous sommes désormais face à un véritable fléau.

Depuis 1998, sans que l'on saisisse totalement la portée de l'information, l'obésité est considérée *officiellement* comme une épidémie [2]. En vérité, le terme même d'obésité est réducteur. Il décrit un symptôme, celui le plus visible, alors que la réalité, liée à la surconsommation de nourriture, s'avère bien plus terrible.

---

2. Voir *Obesity : Preventing and managing the global Epidemic*, Organisation mondiale de la santé, Genève, Suisse, 1998.

En août 2006 se tenait à Sydney le dixième Congrès international sur l'obésité. Les 2 500 experts présents n'ont pas trouvé de mots assez forts pour résumer l'ampleur du mal. Ainsi, l'Australien Paul Zimmet, président de la conférence et l'un des plus grands spécialistes mondiaux du diabète, déclarait : « L'obésité est désormais reconnue par l'Organisation mondiale de la santé comme un tueur insidieux, et la cause principale de maladies qu'il est possible de prévenir, comme le diabète, les affections cardiaques ou certains cancers ».

Il ne s'agit donc plus de kilos en trop, de plis disgracieux, de difficultés à s'habiller et à se mouvoir mais bel et bien de risques mettant en péril l'existence d'une partie croissante de la population.

Sans oublier, non plus, l'ampleur des dégâts d'ordre psychologique. Le « gros » mal dans sa peau, ne supportant pas le regard de l'autre, ne constitue en rien une image d'Épinal. À Sydney, cet effet pervers et invisible du drame nutritionnel mondial fut l'un des thèmes principaux de la conférence. Avec, comme inquiétant cas d'étude, sa répercussion sur les femmes.

*

Berit Heitmann n'est pas une adepte de la langue de bois. Conseillère du gouvernement du Danemark sur les questions de médecine et de nutrition, elle vient de passer deux ans à étudier les effets de l'obésité sur les femmes. Et ses conclusions, preuves à l'appui, se révèlent implacables : « Être une femme et obèse est la pire chose qui soit. La discrimination commence dès l'enfance. Les études sur la petite enfance démontrent ainsi que les filles obèses sont rejetées par leurs camarades de jeux dès l'âge de trois ans ».

Un refus ne se résumant pas à leurs pairs. En présentant ses constatations à Sydney, ce chercheur a démontré que le phénomène se reproduit dans le cadre familial et médical, et même enseignant. Une nouvelle forme d'inégalité sexuelle, où la fillette obèse est plus ostracisée que son équivalent mâle, est apparue. Mettant en avant le cas danois, Berit Heitmann débusque ainsi cette disparité jusque dans la distribution des bourses scolaires : les étudiantes obèses sont moins aidées que les autres.

Bien évidemment, cette forme de rejet prend toute son ampleur à l'âge adulte : « L'apparence et la taille semblent liées à la possibilité de conserver ou pas emploi et salaire. Le bilan est donc terrifiant : les femmes obèses sont privées d'amis, de relations intimes, de liens sociaux, d'éducation, de salaires et de respect ».

*

Impossible, en découvrant ces propos, de ne pas repenser à « ma » promeneuse parisienne. À son regard, mélange de peur, de honte et d'agressivité, lorsque je m'étais décidé à lui parler. Impossible d'oublier sa surprise. Et le fait que l'obésité féminine est devenue une nouvelle tendance en France. Ainsi, d'après Marie-Aline Charles, épidémiologiste en charge de l'enquête Obepi 2006[3], alors que « l'on constatait une égalité presque parfaite » entre les deux sexes dans leur précédent rapport, « pour la première fois, la prévalence est plus importante chez les femmes. Cela est encore plus sensible chez les jeunes femmes de moins de quarante-cinq ans. [...] Aujourd'hui, les filles de vingt-cinq ans ont le même tour de taille que leurs mères[4] ». Ce contraste avec les évolutions constatées dans le passé a de quoi inquiéter.

Impossible non plus, à la lecture des lignes suivantes, d'oublier le souffle court et les inspirations bien trop profondes de « ma » Parisienne. Berit Heitmann ajoutait en

---

3. Enquête réalisée tous les trois ans en France sur la progression de l'obésité. Codirigée par Marie-Aline Charles et Arnaud Basdevant, l'étude, financée par la firme Roche, touche 23 747 adultes de quinze ans et plus.

4. *Libération*, 20 septembre 2006.

effet : « À masse corporelle égale, la femme est bien plus exposée à la maladie que l'homme. À titre d'exemple, le risque pour un homme de développer un diabète de type 2[5] est moitié moindre que pour une femme obèse ». Une règle angoissante que l'on peut également appliquer aux cas d'hypertension et de maladies cardio-vasculaires.

*

Autre effet secondaire et dramatique souligné durant la conférence de Sydney, les difficultés à tomber enceinte et les multiples risques encourus en tentant de mener une grossesse à terme.

Comme pour illustrer les propos de la conseillère danoise, le 30 août dernier, The British Fertility Society (BFS), association britannique regroupant les professionnels de la fertilité, publiait une série de recommandations alarmantes à ses membres : « Les femmes rentrant dans la catégorie " obésité sévère[6] " ne devraient pas être autorisées à accéder à un programme de traitement de l'infertilité, professait l'organisme. Celles souffrant de malnutrition et celles classées seulement comme obèses devraient être forcées de traiter leur problème de poids avant d'envisager un tel traitement[7] ».

---

5. Appelé également diabète gras ou de la maturité, le diabète non insulino-dépendant (DNID) est une maladie métabolique caractérisée par un excès chronique de sucre dans le sang (hyperglycémie). Voir http://www.doctissimo.fr/html/sante/encyclopedie/sa_1290_diab_02.htm

6. Le principal indicateur d'obésité est l'indice de masse corporelle (IMC). Même s'il n'est pas parfait, il tient compte de la morphologie de l'individu. L'IMC est égal à la masse en kilogrammes divisée par le carré de la taille exprimée en mètre. Un IMC entre 18,5 et 25 est considéré comme normal chez un adulte. Un résultat de 25 à 30 correspond à une surcharge pondérale. Au-delà de 30, il s'agit d'obésité. De 35 à 40, d'obésité sévère. Au-dessus, d'obésité dite morbide.

7. http://news.bbc.co.uk/2/hi/health/5296200.stm

Il ne faudrait pas croire que ces propos constituent de simples vœux pieux dictés par la volonté de réveiller les consciences ou d'alerter les spécialistes. Non, on n'en est plus là. Richard Kennedy, l'un des dirigeants de la BFS, l'a confirmé à la BBC : les recommandations de son association sont déjà en vigueur. Et d'assener : « Les femmes obèses ont moins de chances d'être enceintes et plus d'être exposées à des problèmes de santé. Il nous apparaît plus sensé de traiter d'abord l'obésité avant de chercher un traitement à l'infertilité. Nous ne souhaitons pas une interdiction totale, mais il faut admettre le problème. De son côté, le NHS[8] n'est-il pas déjà en train de refuser aux femmes obèses la possibilité de suivre un traitement contre l'infertilité ? »

L'effet papillon nous aurait-il échappé ? N'avions-nous rien constaté ? En tout cas le NHS, équivalent de la Sécurité sociale française, refuse en effet depuis deux ans – et cela sans aucune publicité –, de prendre financièrement en charge une partie du traitement contre l'infertilité lorsque la demande est effectuée par une femme atteinte de grave surpoids.

Or, on le comprend, même si les arguments de la BFS sont justifiés – les risques de développer de l'hypertension et du diabète gestationnel[9] sont importants –, une telle décision pose tout une série d'interrogations morales. Est-il légitime, normal, de sanctionner ainsi des personnes déjà fragilisées ? Pourquoi le droit à une aide médicale pour avoir un enfant se voit-il interdit à une femme obèse alors que, d'après le même document, il est offert aux familles reconstituées n'ayant pas d'enfant ensemble, aux couples homosexuels et aux femmes jusqu'à quarante ans ? Plus troublant encore si l'on néglige les facteurs sociaux pour se

---

8. Créé en 1948, le NHS est la plus grande organisation de santé européenne. Voir http://www.nhs.uk/England/AboutTheNhs/Default.cmsx

9. http://www.chu-rouen.fr/ssf/pathol/diabetegestationel.html

cantonner aux risques médicaux encourus par l'enfant et la future mère, est-il logique d'exclure les obèses alors que les « fumeuses », y compris celles considérées comme utilisatrices très importantes, bénéficient de cette assistance ? Dans ce cas précis, l'excuse de la responsabilité médicale ne peut même plus être mise en avant, démontrant que la « grosse » est devenue une citoyenne mise à l'écart.

*

À Sydney, Paul Zimmet fit sensation en indiquant qu'il ne fallait plus penser à l'obésité comme à un simple problème esthétique mais la considérer désormais comme une véritable menace sanitaire. Mieux – ou pis –, pour la première fois, il a employé le mot « pandémie ». Parce qu'à ses yeux de médecin, c'est le terme qui résume le plus précisément et justement l'ampleur de la crise.

Mot dérivé du grec, – *pan* (qui signifie tous) et *démos* (qui signifie le peuple) –, une pandémie est une épidémie s'étendant à la quasi-totalité de la planète.

Or, notre passé renferme quelques cas effrayants de pandémie, comme la peste noire bubonique apparue en Chine en 1334, qui ravagea l'Europe entre 1346 et 1350 et qui décima 7 millions de personnes en France – la population est tombée de 17 à 10 millions d'habitants – et 34 millions en Europe.

Autre exemple, la pandémie dite de la grippe espagnole en 1918. Qui fit 30, 40, 100 millions de victimes[10], selon des chiffres qui varient, mais traduisent l'ampleur phénoménale du mal.

Le sida est une autre pandémie. Depuis 1981, le syndrome d'immunodéficience acquise a en effet tué plus de

---

10. Voir http://fr.wikipedia.org/wiki/Grippe_espagnole

25 millions de personnes. Et, d'après l'ONU, 40 millions d'êtres humains sont aujourd'hui séropositifs[11].

Peste noire, grippe espagnole, sida... À cette mortelle accumulation de calamités, il faudrait donc ajouter la crise mondiale d'obésité. Finalement, nous étions loin, très loin même, de ma rencontre parisienne de 2001. Sydney avait en fait révélé combien nous étions aveugles. Car de deux choses l'une : soit Paul Zimmet exagérait en comparant l'obésité aux dizaines de millions de morts du sida et de la peste, soit l'expert australien avait raison. Et cette perspective était particulièrement terrifiante.

---

11. Rapport Onusida 2005. Les chiffres remontent à l'année 2004.

3. Paradoxes

Imaginez un pays peuplé comme la France. 60 millions d'habitants donc, qui auraient une seule particularité : celle d'être trop gros.

Cette entité géographique fictive existe. 60 millions d'obèses ? Bienvenue dans l'ex-Empire du milieu. Depuis novembre 2006, la Chine détient ce triste record. Alors que la population chinoise a été longtemps considérée comme ayant le mode alimentaire le plus équilibré de la planète, elle est désormais au bord de l'implosion. L'obésité et la surcharge pondérale touchent même un Chinois sur cinq. Le calcul fait tourner la tête... Il s'agit bien de 215 millions de personnes ! Parmi elles, 160 millions souffrent d'hypertension et 20 millions sont atteintes du diabète. Et là-bas, particularisme local, la pandémie touche plus particulièrement les garçons.

Selon une étude publiée le 19 août 2006 par le *British Medical Journal*, plus de 10 millions d'enfants chinois entre sept et dix-huit ans sont aujourd'hui obèses. En 2000, ils étaient « seulement » 4 millions !

Et encore, Yangfenf Wu, responsable de l'Académie des sciences médicales de Pékin, pense que ces données ne correspondent que partiellement à la situation réelle. Parce que, d'après lui, l'indicateur fourni par l'OMS afin de mesurer le taux d'obésité a été conçu pour la population occidentale. Aussi, inadapté au type asiatique, il ignorerait des dizaines d'autres millions de Chinois en situation de surpoids.

La Chine est donc passée à l'ère de l'obésité. Une information fâcheuse pour le gouvernement communiste qui, à la veille des Jeux olympiques de 2008, souhaite présenter ses citoyens comme les plus sportifs de la planète. Mais voilà, une promenade dans les rues de Pékin et de Shanghai dévoile une autre réalité. Celle où les cliniques pour enfants obèses se multiplient au rythme de l'élargissement du tour de taille de la population !

*

La Chine n'est en rien une exception. L'ensemble du bassin asiatique se voit frappé par la pandémie décrite par Paul Zimmet. Ainsi, depuis 2002, le Viêtnam doit faire face à une situation particulière loin d'être unique. Si à Hanoi une partie de la population souffre d'obésité, dans certaines campagnes la malnutrition demeure un grave problème. À côté, en Thaïlande, le taux d'obésité des cinq-douze ans est passé de 12,2 % à 15,6 % en... à peine deux ans !

Le Japon est également atteint. Depuis 1982, le nombre d'obèses a augmenté de 100 %. Là aussi, comme en Chine, les enfants et les adolescents sont les premières victimes. Situation identique aux Philippines où 5 % de la population est considérée comme obèse. Si l'on ajoute les personnes en situation de surcharge pondérale, c'est même un tiers de l'archipel qui est touché. On retrouve des proportions similaires en Nouvelle-Zélande et en Australie. Dans les villes mais aussi dans des endroits bien plus reculés puisque, pour la première fois en 2004, on relevait une augmentation importante des cas d'obésité au sein des tribus aborigènes. Reste que l'exemple le plus frappant de la zone pacifique concerne les îles Tonga. Là, en Polynésie, c'est plus de 60 % de la population qui endure la pandémie.

Et l'Inde, l'autre État-continent ? Alors que le pays peine à lutter contre les effets de la malnutrition en milieu rural, les grandes villes comme New Delhi comptent désormais un taux d'obésité dépassant les 10 % parmi les quatorze-vingt-quatre ans. Et l'hypertension entraîne une inquiétante augmentation de la fréquence des crises cardiaques chez les moins de cinquante ans.

*

Aussi surprenant que cela puisse paraître, l'Afrique n'est en rien épargnée par le mal. En Zambie, 20 % des enfants âgés de quatre ans sont obèses. Un pourcentage conséquent que l'on constate encore au Maroc et en Égypte, où il est même légèrement supérieur. D'une manière générale, au Moyen-Orient, de Beyrouth à Bagdad, c'est en fait un quart de la population qui se retrouve obèse ou en surpoids.

Mais le vrai drame se joue au sud, en Afrique noire, où ce fléau et son cortège de maladies font des ravages. Non, il ne s'agit pas d'une erreur. Je viens bien d'associer l'impossible : obésité et Afrique. Et il ne faut pas se méprendre, la pandémie sur le continent africain ne signifie en rien que les problèmes de malnutrition sont réglés. On continue à mourir de faim là-bas, mais, écœurante nouveauté, on y meurt également en mangeant trop ou mal ! L'information dérange notre mode de pensée mais certains pays du continent noir comptent trois fois plus d'obèses que d'individus souffrant de malnutrition. Et, comme ailleurs, la tendance n'est en rien prête à s'infléchir.

Car l'Afrique est maudite. Agonisant sous la faim, exsangue depuis la tragédie du sida, le continent est désormais victime d'une nouvelle « plaie ». En 2004, l'Organisation des nations unies pour l'alimentation et l'agriculture, plus communément connue sous le terme générique FAO, publiait un rapport dramatique[12] qui démontrait que les femmes enceintes souffrant de malnutrition accouchaient plus fréquemment d'enfants sûrs de devenir de futurs... obèses. Une incongruité ne provenant pas d'une étrangeté de la nature mais de notre héritage génétique. Parce que les bébés africains naissent avec un métabolisme programmé pour « stocker » le maximum de nourriture, alors que la malnutrition recule[13], cette sorte d'assurance survie glissée dans l'ADN se retourne contre son porteur en le condamnant à l'extrême contraire.

Des mères souffrant de faim donnant la vie à une prochaine génération de gros. Toute l'absurdité de notre monde est là... Toute l'absurdité et la douleur de l'Afrique aussi !

*

Bien évidemment, de Paris à Bruxelles, de Londres à Prague, de Berlin à Amsterdam, de Rome à Lausanne, de Madrid à Sofia, la pandémie est aussi solidement installée en Europe. En France, la dernière enquête Obepi confirme qu'en 2006 l'obésité continue de progresser. Et que, désormais, au-delà des enfants[14] et adolescents, c'est l'ensemble des générations qui sont atteintes. Une situation soulignée par Marie-Aline Charles : « C'est saisissant. Chaque génération a une prévalence supérieure à la précédente. Et ce, quelle que soit la génération. À chaque fois cela progresse : si on observe les générations nées en 1920, 1930, 1940, il y a déjà cette progression. Il faut absolument infléchir la

---

12. « Fighting Hunger today could help prevent Obesity tomorrow », FAO, 12 février 2004.

13. Un recul lent, certes, puisque selon les dernières données de la FAO, 824 millions d'humains continuent de souffrir de la faim.

14. En 2006, 1 enfant français sur 6 est en surpoids contre 1 sur 20 en 1980.

trajectoire, car autrement on va arriver au taux de 30 % que connaissent les États-Unis [15] ». Ironiquement, confirmant les propos de la directrice de recherches à l'Inserm, les vagues de canicules de 2005 et 2006 ont illustré cet effet. Parmi les victimes figuraient en effet un nombre conséquent de personnes âgées en fort surpoids.

Désormais, donc, 5,9 millions de citoyens français sont obèses. Afin de saisir l'aspect foudroyant de la pandémie, il faut retenir une donnée cruciale : voilà à peine neuf ans, on en comptait 2,9 millions de moins. Oui, au rythme de plus de 320 000 par an, le nombre d'obèses dans l'Hexagone a quasiment doublé entre 1997 et aujourd'hui !

En Italie, 8 % de la population est atteinte. En Allemagne, la proportion passe à 12 %. La Grande-Bretagne, quant à elle, se dispute la première place avec la Bulgarie. Le quart des habitants de ces deux États est désormais obèse. Si l'on ajoute les personnes en surpoids, on glisse vers une situation à l'américaine où celles proches de ce qu'on appelle leur « poids de forme » ne forment désormais plus qu'une minorité.

*

Asie, Pacifique, Afrique, Europe, il reste à jeter un œil sur l'Amérique. Pas celle où est née l'épidémie, mais le continent américain. Et ce en commençant par le sud. Où il n'y a pas de miracle. Confirmant les propos de l'Australien Paul Zimmet, l'ensemble du territoire sud-américain est touché. Le Brésil, par exemple, a vu la proportion d'habitants obèses ou en surpoids augmenter de 31 % en dix ans. Une vague touchant aussi bien les beaux quartiers de Rio que les *favelas* de São Paulo. Dans la même période, la

---

15. La prévalence est le nombre de cas enregistrés dans une population déterminée, à un moment donné. *Libération*, 2 septembre 2006.

Colombie a enregistré une progression de 43 %. Un quart des enfants péruviens, chiliens et mexicains sont eux aussi victimes du mal.

Nettement plus au nord, du côté du Canada, les statistiques se révèlent encore plus impressionnantes. D'après une enquête de 2004 sur la santé dans les collectivités canadiennes, 23 % de la population est obèse. Plus précisément encore, l'étude *Différences régionales en matière d'obésité* démontre que cette catégorie regroupe presque un tiers des Canadiens vivant en milieu rural, contre 20 % des résidents de grandes villes.

En Amérique du Nord, la pandémie n'épargne personne... n'oubliant pas, au passage, de « contaminer » jusqu'aux Eskimos d'Alaska.

*

« L'obésité est la clef de voûte de toutes les priorités sanitaires. Elle est la plus importante source de maladies chroniques dans le monde. »

Les propos du professeur Ian Caterson, autre congressiste spécialiste du sujet présent à Sydney, s'ajoutent à ceux de Paul Zimmet, Berit Heitmann et Marie-Aline Charles. De l'Australie au Danemark en passant par la France, ces experts disent tous la même chose : notre société est malade. Et si rien ne se fait, elle subira le sort vécu par les générations confrontées aux précédentes pandémies.

Il ne s'agit pas d'être alarmiste mais simplement réaliste. En 2006, l'Organisation mondiale pour la santé affirme que la planète compte plus d'habitants souffrant de surpoids que de malnutrition. Que si les victimes de la faim sont toujours plus de 800 millions, celles de la malbouffe dépassent le milliard. Et que dans ce chiffre record, 300 millions sont obèses.

Ce paradoxe en appelle un autre, bien plus effrayant s'il en est. Si choquant même qu'à lui seul il a justifié ce travail d'enquête et l'écriture de ce livre. En vingt ans, la pandémie d'obésité ne s'est pas satisfaite de son expansion statistique, plaçant la surnutrition au sommet des problèmes mondiaux. Ou, pour reprendre une expression du ministre français de la Santé Xavier Bertrand lors de ses vœux à la presse, ne s'est pas contentée de son statut de « défi majeur de la santé du XXIᵉ siècle [16] ». Elle a aussi – et c'est ce qui se produit aux États-Unis – remis en doute la marche en avant de l'évolution humaine.

De fait, si l'ensemble de ces données chiffrées, peut-être difficiles à digérer, n'a pas fini de vous convaincre de l'urgence des mesures liées à l'étendue du mal, l'information supplémentaire que voici devrait y parvenir. En effet, pour la première fois, malgré les progrès de la science et de la médecine, l'espérance de vie des enfants américains est plus courte que celle de leurs parents ! Et c'est bel et bien l'obésité qui s'avère responsable de cette régression unique dans l'histoire moderne.

Doit-on, en France, se dire que cette dérive ne nous concerne pas ? Évidemment non. Car on le sait, en 2020, l'Hexagone mais aussi l'Allemagne, la Belgique, les Pays-Bas, le Sénégal, l'Inde, la Chine, la Russie l'Australie... ressembleront aux États-Unis. Et seront des nations majoritairement obèses, dont les populations verront à leur tour leur espérance de vie cesser de croître avant de commencer à diminuer.

*

16. *Le Monde*, 20 janvier 2006. Le quotidien, commentant les propos du ministre de la Santé français lors de ses vœux à la presse, remarquait qu'il y a à peine cinq ans, le thème de l'obésité « ne figurait pas dans les discours ministériels ».

Paradoxes

Paul Zimmet avait raison. La crise mondiale d'obésité, venant rejoindre les tristes rangs formés par la peste noire, la grippe espagnole et le sida, est bel et bien une pandémie.

Mais avant de tenter de trouver les moyens de l'enrayer, il me semblait essentiel de remonter aux origines de ce foyer épidémique pour découvrir les raisons du mal. Cela tombait bien, voilà quelques années que je vivais en son cœur.

4. Friture

Impossible de la rater : la file d'attente était imposante. C'était même la plus longue de toute la State Fair.

Depuis 1886, chaque année, Dallas accueille une foire régionale inspirée par l'Exposition universelle. Là, pendant vingt-quatre jours, entre les concessionnaires de voitures, les manèges et les concours agricoles, des centaines de milliers de Texans se bousculent pour... manger. Or, avec un peu plus de deux cents stands, ce n'est pas le choix qui manque. L'attrait des Américains pour la nourriture est fascinant quand il ne vire pas au répulsif. Pour certains, manger – bâfrer pourrait-on écrire – est presque devenu une occupation à plein temps. Quel que soit le lieu – 19 % des repas sont consommés en voiture –, le moment – la presque totalité des chaînes de fast-food restent ouvertes 24 heures sur 24 –, l'Américain éprouve le besoin de satisfaire les exigences de son estomac. Et plus encore au Texas, là où on prétend que tout est plus grand qu'ailleurs.

*

Abel Gonzales a parfaitement saisi l'intérêt financier de l'obsession du remplissage de ses compatriotes. Ingénieur

36

informaticien, il prend ses vacances pendant la State Fair. Non pour venir la visiter mais pour y tenir un stand de beignets.

Pas n'importe lesquels toutefois. Habile commerçant, il a compris qu'afin de sortir du lot, il fallait innover. Aussi, en 2005, il obtient son premier gros succès avec des sandwiches au beurre de cacahuète... assez spéciaux. Agrémentés de confiture et de morceaux de banane, l'ensemble était frit. Sa création, à faire pâlir d'envie le fantôme goulu d'Elvis Presley, fut si remarquée que le succès vint au rendez-vous.

Mais l'enthousiasme resta sans commune mesure avec celui de l'édition 2006. Après des mois d'élaboration, Gonzales est en effet parvenu à marier deux péchés mignons de l'Amérique : la friture et le Coca-Cola. En soi, la recette est simple, mais, comme toute invention à succès, il fallait être le premier à y penser.

Gonzales prépare d'abord une pâte à frire aromatisée au Coca-Cola et à la fraise. Il jette ensuite les petits beignets dans l'huile bouillante. Une fois cuites, les boulettes sont copieusement arrosées de sirop de Coca-Cola, celui-là même utilisé dans les bars et restaurants où on le mélange à de l'eau gazeuse. Un peu de cannelle en poudre, de la crème chantilly et une cerise confite concluent la préparation !

En bouche, l'ensemble est agréable pour qui aime les beignets. Le tout est sucré et il faut même être un vrai connaisseur pour y déceler le goût du soda. Mais peu importe, l'idée plaît et fait des ravages. À tel point que Gonzales a remporté le prix de l'invention la plus innovante. Une confirmation du rôle avant-gardiste de la State Fair de Dallas puisqu'en 1942, c'était déjà ici qu'avait été mise au point l'une des trouvailles culinaires les plus populaires de l'Amérique : le *corn-dog*. Une saucisse enroulée dans une pâte au maïs, puis plantée sur un bâton avant d'être trempée dans de l'huile bouillante.

En vingt-quatre jours, Gonzales a vendu 35 000 portions de sa friture au Coca-Cola. À 4,50 dollars l'unité, il a empoché 157 500 dollars. Si on lui demande de confirmer le prix de revient, estimé à quelques cents, Gonzales, cet informaticien malin, se contente de sourire.

Au-delà des 6 500 dollars gagnés par jour, une autre question m'intéresse : celle du nombre de calories conte-nues dans son mélange dévoré en quelques minutes. Là encore, « l'inventeur » refuse de répondre. « Il est, dit-il, ici question de plaisir, d'enfance, de nostalgie, de rêve améri-cain. Pas de nutrition. » Peut-être a-t-il raison...

Reste que le tour de taille moyen de son public suscite le malaise. Le Coca-Cola frit fait le bonheur d'un public déjà largement obèse, où les enfants sont nombreux. À mon sens, l'invention de Gonzales dépasse au bas mot les 600 calories. Quand on sait que l'Agence française de sécurité sanitaire des aliments (AFSSA) recommande une consom-mation moyenne quotidienne de 2 500 calories pour un homme actif moyen et de 2 000 pour une femme, on mesure l'ampleur du problème. « Mes » beignets de la State Fair représentent donc au minimum 25 % des apports caloriques journaliers d'un homme et un tiers de ceux d'une femme.

*

En 2004, Dallas, Houston, San Antonio, Arlington et Fort Worth, des agglomérations situées au Texas, occupaient la tête du classement des dix villes les plus « grosses » des États-Unis. Le palmarès, établi par le magazine sportif *Men's Fitness*, compile différentes informations comme le nombre de crises cardiaques, de restaurants, de fast-foods, de voitures par habitant, de kilomètres de pistes cyclables, d'installation sportives publiques...

L'omniprésence du Texas ne constitue en rien une surprise. Dans l'État de George W. Bush, on estime que 25,8 % de la population est obèse. Et lorsque l'on ajoute les personnes en passe de le devenir, la statistique atteint la barrière phénoménale des deux tiers !

Le Coca-Cola frit d'Abel Gonzales ne pouvait que rencontrer une foule d'adeptes. Et son succès, se propageant au reste du pays comme un feu de forêt, était le point de départ idéal pour mon enquête.

Une fois de plus, après l'assassinat de JFK et les frontières en décomposition du Bush Land, le Texas allait me permettre de mieux comprendre les États-Unis. Et à travers ce pays, de parvenir à découvrir – ou du moins je l'espérais – les racines d'un mal, qui estomac après estomac, ronge la planète.

5. Pionnier

Le Texas ne constitue pas une exception. Du nord au sud, l'Amérique se laisse engloutir par des torrents de graisse. Si, globalement, le pays compte environ 30 % d'obèses, la proportion, comme au Texas, frôle les deux tiers quand on ajoute les citoyens en surcharge pondérale. Concrètement, ces ratios révèlent une réalité véritablement impressionnante. En 2006, 127 millions d'Américains étaient trop gros, 60 millions d'autres obèses et 9 millions entraient dans la catégorie de l'obésité dite sévère. À deux ou trois millions près, cela revient à imaginer que tous les Français soient obèses, et que la population de l'agglomération parisienne souffre d'obésité sévère... Pis encore, ces chiffres ont doublé en tout juste dix ans, et rien ne semble en mesure de stopper cette progression. En 2005, aucun des cinquante États n'a d'ailleurs réussi à faire retomber le taux d'obésité de sa population sous la barre des 15 %. Le Colorado, meilleur élève de la classe, atteignait 16,9 % [17].

Mais au-delà des statistiques et des études, la place croissante de l'obésité dans la société américaine se mesure

---

17. Le Mississippi occupait quant à lui la première place avec un taux de 29,5 % d'obèses. Neuf États du Sud figurent dans la liste des dix États les « plus gros » du pays.

d'une autre manière. Pour le meilleur et pour le pire, le « gros » est devenu une valeur sûre de l'économie intérieure. Un secteur en forte progression dont les retombées financières se mesurent en millions de dollars.

*

Bill Fabrey est un pionnier. De l'activisme et du génie des affaires. En 1968, il a créé une structure, The National Association to Advance Fat Acceptance, afin de lutter contre la discrimination frappant les obèses dans leur quotidien. Chaque année, Fabrey rejoint la conférence « Big As Texas » où il est l'un des intervenants vedettes. La convention, existant depuis 1995, propose des ateliers destinés à aider ses membres – qui viennent de plus de vingt États – à affronter la vie de tous les jours. Il y est autant question de la meilleure position susceptible d'éviter de s'étouffer dans son sommeil que de conseils pour permettre à son enfant de surmonter l'ostracisme de ses camarades de classe. On parle aussi du 6 mai, déclarée Journée internationale sans régime, où chacun peut, sans complexe ni problème de conscience, manger ce qui lui plaît.

Généralement, la convention héberge aussi un défilé de mode, où des mannequins taille XXXL paradent sur les podiums vêtus des dernières tendances du prêt-à-porter pour très gros. Un secteur qui a explosé ces dix dernières années avec une progression de 22 %. Un marché qui, représentant désormais un quart de l'habillement féminin, brasse annuellement 23 milliards de dollars.

Comme le démontre l'exemple de la marque Phat, les vêtements amples ne sont plus aujourd'hui l'apanage des magasins spécialisés [18]. Gap propose en effet des modèles pour femme

18. Même si leur nombre continue à progresser. Ainsi, l'enseigne Lane Bryant projette d'ouvrir 450 boutiques de plus dans les cinq prochaines années, portant son total à plus de 1 000. Catherine Plus Sizes, son principal concurrent, envisage de passer de 400 à 700 durant la même période. L'inves-

allant jusqu'à la taille 46. Une extension de gamme que l'on retrouve dans l'ensemble des boutiques, y compris Limited Too, chaîne réservée aux adolescentes. Sans compter l'effet parallèle de la valse des étiquettes constatée lors de mon premier séjour, transformant une grande taille française en médium aux États-Unis. Mieux, un 46 de 2006 n'a plus rien à voir avec son équivalent d'il y a quelques décennies. Une taille 44 des années 1950 revient à un 40 actuel [19].

*

Avant beaucoup d'autres, Bill Fabrey a en fait anticipé l'émergence de ce marché. Mais lui ne s'est pas lancé dans le prêt-à-porter. En créant *Ample Stuff*, un catalogue d'achat par correspondance disponible sur Internet, il s'est focalisé sur les désagréments hygiéniques endurés par les obèses. Son coup de génie ? Une éponge de bain montée sur un long manche en plastique permettant d'atteindre toutes les parties du corps.

L'offre de Fabrey ne s'arrête pas là. Il propose des manuels, véritables guides techniques expliquant comment faire face aux mauvaises odeurs, incitant à refuser la « dictature des calories » ou aidant à mieux s'accepter. Et vend aussi un ingénieux système pour parvenir à enfiler ses chaussures, voire de la lotion et du talc pour faire face aux irritations causées par le frottement des plis cutanés.

Si Fabrey et son service de vente couvrent tout ou presque, il y a un secteur qu'il a néanmoins négligé. Un nouveau marché pourtant – tristement – promis à des lendemains qui chantent : celui du bébé obèse.

---

tissement dans les chaînes de magasins de vêtements pour obèses est même une valeur conseillée par les experts financiers.

19. Cette valse des étiquettes est encore plus frappante dans les boutiques spécialisées. Ici pas de XXXXL parce que les tailles repartent à zéro, le XXXL étant l'indice de base. Une cliente achetant du 46 chez Gap se retrouvera avec une taille Small chez August Max, autre chaîne de vêtements pour obèses.

6. Husky

L'hôpital John Hopkins de Baltimore propose un service intelligent aux mamans. Des techniciens spécialisés se chargent d'installer leur nouveau-né pour la première fois dans un siège auto afin de démontrer aux parents la meilleure manière de s'y prendre et d'assurer sa sécurité.

L'opération a rencontré un tel succès que désormais le service est proposé, gratuitement, à n'importe quelle famille de Baltimore. En quelques minutes, un expert vérifie la conformité du siège auto, son installation et démontre comment y harnacher parfaitement un bambin.

Pourquoi évoquer cette démarche sensée ? Parce que Lara Trifiletti, chercheuse au centre des préventions des accidents du même centre hospitalier, n'a pas eu à regarder très loin afin de découvrir son nouveau sujet d'étude. En voyant les familles, elle a éprouvé un choc. « D'un côté, nous nous trouvions devant de plus en plus d'enfants obèses et de l'autre nos techniciens se plaignaient des difficultés à trouver des sièges auto appropriés à ces nouveaux gabarits. »

Curieuse de savoir s'il s'agissait d'une tendance nationale, Trifiletti se renseigna. Et ses conclusions, publiées en avril 2006 par le mensuel *Pediatrics*, sont affolantes. Désormais, plus d'un quart de million d'enfants âgés de un à six ans pèsent plus lourd que les proportions maximales préconisées par les marques de sièges auto. Et ce chiffre augmente avec l'âge. Lara Trifiletti a ainsi découvert que 190 000 Américains de trois ans pesaient au moins vingt kilos. Et donc, à moins d'être exceptionnellement grands, entraient dans la catégorie des obèses.

*

5 % de la classe américaine des trois ans est obèse ! Un chiffre monstrueux. Pourtant il faudrait ne pas s'inquiéter car la société Britax a déjà la réponse. Pour la « modique » somme de 250 dollars, cette compagnie spécialisée dans le siège auto propose un nouveau produit : le Husky, Rolls-Royce du siège pour bébé. Pesant cinq kilos de plus que le modèle normal, avec onze centimètres de largeur supplémentaires, le Husky affirme protéger les enfants pesant jusqu'à quarante kilos.

Britax est le premier fabriquant à s'infiltrer dans cette nouvelle brèche, mais son exclusivité ne devrait pas durer longtemps. Ses concurrents ont déjà annoncé de nouveaux produits. Mieux, selon toute vraisemblance, les travaux de Lara Trifiletti vont conduire l'organisme de régulation américain à modifier les normes des sièges auto pour intégrer automatiquement cette nouvelle donne.

*

Les exemples de l'adaptation de la société américaine à la pandémie peuvent être multipliés à l'infini. Il y a bien entendu les clubs de vacances spécialisés, où l'obèse pourra se mettre en maillot sans avoir à affronter le regard désapprobateur de l'autre. Ou la solution chirurgie esthétique, avec notamment la liposuccion, une véritable folie qui est désormais la pratique cosmétique chirurgicale la plus pratiquée du pays avec une croissance de 118 % entre 1997 et aujourd'hui. Ou encore l'élargissement des lunettes de toilettes, désormais adaptées et plus résistantes afin de répondre aux besoins du nouvel Américain.

Même le Fenway Park, le légendaire stade de base-ball de Boston, en a pris son parti, puisqu'en 1999 il a dû changer la totalité de ses sièges, une majorité des fans des Red Sox se plaignant qu'ils soient devenus trop étroits pour s'y asseoir confortablement.

Comment ne pas remarquer par ailleurs que la taille moyenne des cercueils a également évolué ? Désormais renforcées, les bières mesurent jusqu'à 71 centimètres de large contre seulement 60 voilà dix ans.

*

Mais revenons un instant au Husky et à sa capacité d'accueil des enfants de moins de cinq ans pesant jusqu'à quarante kilos. Si le siège est confortable, il apparaît toutefois comme un véritable casse-tête pour les parents. Son volume rend l'installation à l'arrière particulièrement pénible. À moins de posséder un véhicule encore plus spacieux et gourmand en essence. Ce qui augmente plus encore la dépendance américaine au pétrole, et la pollution de l'environnement.

Car voilà le hic, l'obésité n'est en rien un nouveau challenge pouvant se résoudre à coups d'éponges magiques, de vêtements amples et de publicités rassurant l'obèse sur ses qualités viriles.

Non, les États-Unis – et demain le monde – doivent affronter les véritables conséquences de la pandémie. Qui, au-delà du génie créatif de certains, relèvent ni plus ni moins de la crise à la fois économique et sanitaire.

7. Coûts

L'idée d'une famille obèse contrainte d'opter pour un véhicule plus spacieux, donc consommant plus d'essence, n'est en rien une vue de l'esprit. Il s'agit d'une réalité américaine.

L'obésité entraîne en effet chaque année la consommation de 4 milliards de litres d'essence supplémentaires. Partant du principe qu'une voiture plus lourde est moins économique, Sheldon Jacobson et Laura McLay ont été les premiers à évaluer précisément cette répercussion inattendue de la pandémie. Leurs travaux, vérifiés par The American Society of Engineering Education et The Institute of Industrial Engineers, établissent, comme l'explique Jacobson, un troublant parallèle entre « notre appétit pour la nourriture et celui pour le pétrole. Ils ne sont pas indépendants l'un de l'autre. Il existe une relation précise entre les deux. Si une personne réduit le poids dans sa voiture, y compris en perdant du poids, elle constatera une diminution de sa consommation d'essence [20] ».

L'équation de Jacobson et de McLay est fondée sur le poids moyen du citoyen américain, sa progression depuis 1960, ses

---

20. http://www.msnbc.msn.com/id/15415446

46

habitudes de transport et un parc automobile s'élevant désormais à 223 millions de véhicules. En 2006, les États-Unis comptent plus de voitures que de conducteurs. Et le taux d'achat de voitures spacieuses a augmenté six fois plus vite que la progression démographique de la population américaine.

Au total, en quarante ans, le surpoids des Américains a coûté la quantité de carburant nécessaire à 2 millions de véhicules durant un an !

*

Les conglomérats pétroliers et les fabricants d'automobiles ne sont pas les seuls à avoir constaté cette consommation d'essence nouvelle. Les passagers attentifs aux explications des compagnies aériennes savent également que l'obésité pèse désormais sur le prix de leur voyage.

Les récentes augmentations du prix des billets ne sont pas uniquement liées à la flambée du kérosène. Alors que les compagnies se sont engagées dans une course à l'allégement afin d'économiser du carburant, une récente étude des Centers for Disease Control (CDC) a estimé pour la première fois les répercussions de l'obésité dans ce domaine [21].

Les CDC, dont le quartier général est situé à Atlanta, forment un ensemble chargé de la santé publique et de la sécurité du public américain. Depuis les années 1990, ils ne cessent de s'alarmer de la croissance exponentielle du tour de taille moyen. Pour la première fois en 2005, l'agence a poussé ses investigations en s'intéressant, en plus des questions sanitaires, aux conséquences économiques. Avec comme exemple concret, le coût de l'obésité sur les transports aériens. Résultat ? En 2000, le surpoids des passagers a contraint les compagnies américaines à brûler 1,325 *milliard* de litres de kérosène supplémentaire. Un surcoût de

---

21. http://www.livescience.com/humanbiology/obesity_airlines_041105.html

275 millions de dollars absorbé pour une partie par les passagers, pour une autre par l'ensemble des contribuables sous la forme des aides gouvernementales versées aux compagnies. Le rapport des CDC dévoile un autre effet de la pandémie : les dégâts écologiques entraînés par la transformation de ce kérosène en dioxine de carbone. D'après l'agence, 3,8 millions de tonnes se voient, annuellement, lâchées en plus dans l'environnement, contribuant directement au réchauffement climatique.

*

Depuis 2004, Eric Finkelstein, économiste de la santé au sein du RTI Institute, une ONG installée en Caroline du Nord, étudie un autre dommage collatéral de la pandémie. En collaboration avec les CDC, il a tenté d'établir le coût économique de la crise sanitaire américaine. Sa première découverte, la plus simple à mettre au jour, concerne la facture médicale. Chaque année, 117 milliards de dollars sont dépensés pour couvrir les coûts directs de l'obésité. Une somme qui représente à elle seule 9 % de la totalité des frais de santé aux États-Unis. Avec 4 milliards annuels, le Texas occupe une fois encore la première place.

Pour Finkelstein, le principal inconvénient de ces dépenses en hausse constante, c'est qu'elles sont en grande partie supportées par le système social et donc l'ensemble des contribuables. À cela une raison : les ennuis physiques liés à l'obésité apparaissent généralement assez tard dans la vie, au moment où un employé, qui en moyenne reste quatre ans et demi dans une entreprise, a déjà quitté sa structure initiale, voire déjà atteint l'âge de la retraite. Dès lors, les dépenses de santé reviennent à Medicare, l'équivalent américain de la Sécurité sociale française[22]. La solution

---

22. En 2002, 22,5 % des bénéficiaires de Medicare étaient obèses. Cinq ans plus tôt, ce chiffre n'était que de 11,7 %. Désormais, les soins liés à l'obésité représentent un tiers du budget de l'organisation.

préconisée par Finkelstein consisterait à contraindre les entreprises d'investir dans la détection et la prévention des problèmes liés à l'obésité, mais ce chercheur n'a guère d'espoir : « Les personnes obèses coûtent énormément d'argent, mais les jeunes obèses pas vraiment. Pourquoi alors un employeur investirait-il dans la prévention afin de permettre en bout de course à Medicare de faire des économies ? »

Conséquence, chaque année, près de 45 milliards de dollars de frais médicaux directement liés à cette crise d'obésité doivent être absorbés par le gouvernement américain. Et donc, forcément, sous forme d'impôts, par l'ensemble des citoyens. Eric Finkelstein estime qu'en moyenne chaque contribuable verse annuellement 180 dollars pour ce poste nouveau. Un phénomène en hausse que cet expert considère comme la principale menace pesant sur les pays à système social développé. « Comment la France, l'Allemagne, la Suède vont-elles faire face à cette explosion des dépenses liées à l'obésité lorsque ces États auront atteint le même taux que chez nous ? », demande-t-il[23].

Finkelstein – et d'autres – craint même que ce tsunami financier en devenir porte en lui les germes d'une crise morale. Jusqu'où et jusqu'à quand les personnes en bonne santé accepteront-elles de régler les dépenses nécessaires aux soins des obèses alors que, très souvent – à tort ou à raison, nous le verrons –, le surpoids est assimilé à une question de volonté et de discipline personnelles ?

Les travaux d'Eric Finskelstein ne s'arrêtent pas là. L'économiste a calculé aussi le coût de l'obésité pour les entreprises américaines. À l'en croire, une firme d'au moins mille employés aura à verser 285 000 dollars pour assumer la partie de prise en charge des frais médicaux de ses employés en surpoids et répondre à leur taux d'absentéisme.

Ce qui pose une nouvelle fois la question de l'importation de cette tendance dans nos sociétés. S'il est difficile

---

23. Entretien avec l'auteur.

d'adapter la facture médicale américaine à nos systèmes européens, on peut en revanche penser que cette dernière donnée est plus aisément « convertible ». En moyenne, le salarié américain rate trois jours de travail par an pour raisons de santé. Mais un obèse s'absente deux fois plus. Et lorsqu'il s'agit d'une femme en surcharge pondérale, ce sont huit journées qui sont perdues. On devine d'emblée ce que ces chiffres, appliqués sur le vieux continent, induisent. Moralité ? Nous entrons dans la dérive et le cercle vicieux décrits à la conférence de Sydney : l'obèse court de plus en plus le risque de se retrouver en rupture sociale, le monde du travail préférant limiter ses coûts en embauchant des candidats d'apparente bonne santé.

*

Lorsque l'on pense à la peste noire, à la grippe espagnole et au sida, viennent d'abord à l'esprit les millions de victimes de ces pandémies. Des masses terrifiantes qui font oublier qu'une crise a des effets multiples. Il était donc important de débuter mon voyage au cœur du Fat Land pour tenter de mesurer l'impact économique de l'obésité. Pourquoi ? Parce que, in fine, ses conséquences financières nous concernent tous. Que nous soyons obèses ou pas.

La pandémie actuelle a déjà, et continuera à avoir, des répercussions que l'on refuse de comprendre aujourd'hui. La crise n'est pas uniquement sanitaire, esthétique et psychologique. Une fois qu'elle sera propagée au reste de la planète avec la même ampleur qu'aux USA, nous devrons tous en assumer et gérer les dégâts. Et, alors, la mise en garde d'Eric Finkelstein prendra tout son sens : « Les coûts économiques de l'obésité sont énormes et, de fait, au-delà de ses citoyens, compromettent la santé même des États-Unis »

8. Terrorisme

Jamais personne n'avait osé une telle comparaison. Dans une Amérique traumatisée par les attaques du 11 septembre 2001, son propos semblait relever du tabou. Mais voilà, à trois mois de la fin de son mandat, il ne risquait plus grand-chose. Richard Carmona s'approcha du micro. Une dernière fois, son regard balaya l'auditoire. La salle de l'université de Caroline du Sud était bondée. Mais du Viêtnam aux coulisses du pouvoir, le vice-amiral avait connu bien pire. Lui, le dix-septième Surgeon General[24] de l'histoire des États-Unis, savait qu'il était en train de perdre cette bataille.

« Lorsque nous nous penchons sur notre futur et regardons où en sera le taux d'obésité dans vingt ans, les questions qui apparaissent sont alarmantes. D'où viendront nos soldats, nos marins et nos pilotes ? D'où viendront nos policiers et nos pompiers alors que notre jeunesse suit une trajectoire qui fera d'elle une génération d'obèses, écrasée par des problèmes cardio-vasculaires, rongée par le cancer et une multitude d'autres maladies une fois qu'elle aura atteint l'âge adulte ? »

------

24. L'équivalent français du ministre de la Santé. Le Surgeon General a un mandat non renouvelable de quatre ans à la tête du United States Public Health Service.

Le moment d'assener sa conclusion iconoclaste arriva :

« Cette vérité-là nous menace tout autant que le danger terroriste que nous connaissons aujourd'hui... L'obésité est une attaque terroriste nous dévastant de l'intérieur ».

Un murmure parcourut l'assistance. Carmona s'interrompit un court instant. Il savait que le plus dur venait.

« Et si nous ne faisons rien, la magnitude des conséquences de cette menace dépassera largement le 11 Septembre ou toute autre attaque terroriste. »

Si les propos de Richard Carmona sont forts, surtout au sein d'une administration qui préfère utiliser le vocable « terroriste » à des fins politiques, ils ne correspondent toutefois pas à la réalité. Ou, pour être plus précis – et c'est d'autant plus angoissant –, le Surgeon General a vingt ans de retard. Environ 3 000 personnes, dont 2 752 rien qu'à New York, sont décédées durant les attentats du 11 septembre 2001. La même année, 400 000 Américains mouraient, victimes de la pandémie d'obésité. Soit l'équivalent de 145 fois la chute des tours du World Trade Center.

*

2001 est à vrai dire une année clé dans la jeune histoire de la pandémie. Pour la première fois aux États-Unis, le nombre de décès lié à une mauvaise alimentation et au manque d'activité physique dépassa celui dû au tabac. Et prit la première place de ce pénible palmarès. Une tendance qui, là encore, n'est pas prête à ralentir. En réalité, une étude entreprise par Ali Mokdad, chercheur des CDC, et publiée par le prestigieux *Journal of the American Medical Association*, prouve qu'avec le vieillissement de la population, la mortalité directement liée aux problèmes de poids devrait atteindre des proportions considérables dans les dix années à venir.

L'obésité est donc la première cause de décès aux États-Unis. L'information s'avère d'autant plus étonnante qu'elle semble avoir été complètement ignorée par le radar de nos émotions et absente des critères de sélection médiatiques. Les morts par accident de voiture occupent une place bien plus importante dans nos peurs et préoccupations collectives alors qu'en 2000 la route faisait dix fois moins de victimes.

Prenez une autre obsession américaine : les armes. Tandis que 400 000 Américains décédaient sous les effets de la graisse, « seulement » 29 000 autres tombaient sous les balles.

Dernier exemple, terriblement ancré dans la liste des maux de ces trente dernières années. 17 000 Américains meurent tous les ans d'overdoses. La drogue, pourtant installée si haut dans le panthéon de nos phobies, fait donc figure de naine face aux ravages de l'obésité.

En réalité comme le démontre Mokdad, deux tiers des décès américains sont désormais directement et indirectement liés à la pandémie.

Imaginons donc un instant que plus de la moitié des morts d'une nation résultent d'une série d'assauts terroristes. Porté par une réaction populaire justifiée, le gouvernement de Washington déclarerait immédiatement la guerre à ce mortel ennemi. Mais là, rien. Ou si peu. Alors, la parabole utilisée par Richard Carmona est-elle outrancière et son parallèle choquant ? Même pas. Car la vérité s'avère bien pire.

9. Marathon

D'abord, il y avait ces marches qui n'en finissaient pas. Et puis, après ce que lui sembla être une éternité, lui, arrivé en haut, le souffle court, la tête qui tourne. Les caméras et les micros. Lui encore. Incapable de parler, d'articuler une phrase cohérente. Et les rires arrivent. Qui ne s'arrêtent plus. Qui se moquent de lui. Il veut fuir mais, ralenti par ses pans de graisse, il ne peut bouger. Alors, plié en deux sous le poids des kilos, de l'affliction et de la honte, il commence à étouffer.

Pendant quatre ans, les nuits de Mike Huckabee, gouverneur républicain de l'Arkansas, ont été hantées par ce cauchemar. Et ses débuts de journées rythmés par l'appréhension de voir réaliser ce mauvais rêve. Huckabee a vécu avec la peur de se retrouver coincé par les journalistes juste après ce qu'il nomme son « ascension » : les escaliers du Capitole de Little Rock.

En novembre dernier, malgré une douleur lancinante aux genoux, Mike Huckabee a couru les 42,195 km du marathon de New York. Certes, le gouverneur auquel on prête des aspirations présidentielles a mis plus de cinq heures pour aller de Staten Island à Central Park, mais peu importe. Il y est parvenu.

*

En 2003, alors que son drame virait à l'obsession, Huckabee avait été diagnostiqué diabétique de type 2. Ses médecins ne lui avaient du reste pas caché la vérité : s'il ne
perdait pas rapidement énormément de poids, son espérance
de vie se limitait à dix ans. Au grand maximum.

Comme le gouverneur approchait de son quarante-hui-
tième anniversaire et ne souhaitait évidemment pas mourir,
il se résolut à prendre le taureau par les cornes.

Du jour au lendemain, aidé par sa femme et par un programme diététique mis au point par l'université de l'Arkansas, Huckabee bouleversa son mode de vie. En mars 2005,
moins de deux ans après l'ultimatum de ses docteurs, le
gouverneur terminait son premier marathon à Little Rock.

*

Le parcours exemplaire d'Huckabee aurait pu figurer
plus tard dans ce livre. Histoire de démontrer que la pandémie d'obésité n'est en rien une fatalité. J'aurais raconté
alors comment Huckabee avait décidé d'user de son pouvoir
politique pour combattre un mal rongeant férocement le sud
des États-Unis. J'aurais expliqué comment le gouverneur
avait fait passer une loi supprimant la pause cigarette au
profit de vingt minutes d'exercice physique quotidien.
Comment, grâce à lui, dans les écoles de l'Arkansas, le taux
d'obésité de chaque élève est mesuré trois fois par an. Et
comment, dès les premiers signes d'un glissement vers la
surcharge pondérale, les parents sont prévenus et rencon-
trent une diététicienne. J'aurais décrit enfin comment, parmi
les projets laissés à son successeur – son deuxième et dernier mandat s'est terminé en novembre dernier – celui de

s'attaquer à l'obésité chez les plus pauvres le touchait au plus haut point.

Mais voilà, cela aurait offert une *happy end* à un sujet qui n'en connaît pas. Car Mike Huckabee, son dossard numéro 110[25], son nouvel appétit pour la vie et la course à pied, sont pour moi l'occasion d'aborder par l'absurde le vrai visage de la pandémie. Un univers parsemé de souffrance et de morts. Un monde dont la permanence tient, selon Huckabee, à un mensonge. « Les personnes qui sont obèses ou ont des kilos en trop le savent, dit-il. Ce n'est pas du refus de se voir gros dont elles sont victimes. Nous ne nions pas la situation. Non, en vérité, nous nions le fait que celle-ci puisse nous affecter. »

Si l'obèse est un condamné en sursis ignorant la date de son exécution, c'est l'ensemble de notre société qui refuse d'aller au-delà du miroir et d'en admettre les dramatiques conséquences humaines.

---

25. Mike Huckabee a perdu 110 pounds soit presque 50 kilogrammes depuis 2003.

10. Cœur

La jeune Amérique a longtemps été habituée à la première place. Au début du siècle dernier, nouvelle puissance
industrielle à peine débarrassée des oripeaux de la conquête
de l'Ouest, les États-Unis s'enorgueilliront d'être le pays
aux citoyens ayant la meilleure santé. Un siècle plus tard,
l'OMS a remis les pendules à l'heure. Dépassée par le
Japon, la Suède, le Canada, la France, l'Australie et cinq
autres encore, l'Amérique figure désormais au douzième
rang, laissant d'un cheveu la place de cancre à l'Allemagne.
   La pandémie d'obésité est la raison majeure de cette
dégringolade. Et plus particulièrement son effet sur les
cœurs américains.

                              *

L'équation est connue. Hypertension, présence importante de graisse dans le sang et cholestérol. Trois coupables
présents massivement dans l'organisme de l'obèse. Trois
tueurs nés dans l'abondance de nourriture. En 2005, plus
d'un Américain sur quatre souffrait de complications cardiaques. En millions, cela représente presque la population
de la France. Résultat ? Les problèmes cardiaques sont la

première raison de décès des Américains en surcharge pondérale. À un rythme effarant. Même si les raisons sont multiples, toutes les trente-cinq secondes un habitant de la première puissance mondiale meurt d'une complication cardiaque. Oui, le temps de relire ce paragraphe et la pandémie d'obésité, majoritaire parmi d'autres facteurs, a fait une nouvelle victime.

Et ceux qui n'en meurent pas vivent avec le risque d'une attaque qui, limitant l'apport d'oxygène et de sang au cerveau, entraîne une paralysie. Sans oublier les autres, ces 2 740 personnes qui, chaque jour, n'ont d'autre option que de subir un pontage coronarien. Une opération qui rajoute 15,6 milliards de dollars à la facture santé supportée par le pays.

*

Si tous ces chiffres vous paraissent encore trop abstraits, alors il vous faut assister à l'une des conférences données par le docteur Mehmet Oz, un cardiologue qui vient prêcher la bonne parole dans les collèges de New York. Le résumé fait par Eric Schlosser dans son livre de mise en garde destiné aux enfants intitulé *Chew on this* [26] est édifiant.

Quand son auditoire est suffisamment âgé, Oz utilise en effet des organes prélevés durant des autopsies afin de démontrer sans ambiguïté les ravages de la pandémie sur le corps humain. « La première aorte était celle d'un homme en bonne santé, explique-t-il souvent. Elle est foncée et souple. Au toucher, elle ressemble à un gros élastique. Or, la seconde est toute fripée et ratatinée. Elle est couverte d'épaisses taches jaunâtres. Au toucher, on dirait un morceau de plastique dur Eh bien, la seconde aorte a été prélevée sur un patient souffrant d'athérosclérose [27], une maladie

---

26. *Chew on this, Everything you don't want to know about Fast-Food*, Eric Schlosser et Charles Wilson, Houghton Mifflin, 2006.

27. Voir http://www.medecineetsante.com/maladiesexplications/athero sclerose.html

cardiaque entraînant une raideur des vaisseaux sanguins. À mesure que l'artère durcit, des morceaux de graisse (appelés plaque) s'y attachent. Si un gros morceau de plaque se détache plus tard, il peut bloquer le flux sanguin et entraîner une crise cardiaque. » Comme le raconte Eric Schlosser, le docteur Oz puise ensuite dans un seau blanc et en sort deux cœurs : « Celui en bonne santé est rond et marron rosé. Il semble flexible au toucher. L'autre était bien plus gros. Il était plus foncé, sa couleur plus proche du noir que du rose. Il était plus oblong que rond, comme un petit ballon de rugby dégonflé [28] ».

Les méthodes de Methmet Oz ne sont pas choquantes. En confrontant des adolescents aux organes détruits par la pandémie, il procure une réalité à un risque jusqu'ici abstrait mais qui les concerne directement. « Je leur parle de ce qu'ils mangent, de la nécessité de faire du sport et comment tout cela affecte la santé de leurs cœurs. Les maladies cardiaques ne sont plus réservées à leurs parents et grands-parents. Ce que je leur montre, c'est exactement ce qui est peut-être en train de se produire dans leurs corps [29]. »

En 2000, près d'un tiers des adolescents américains étaient considérés à risques. Une étude chinoise parue quatre ans plus tard évoquait de son côté le cas d'enfants obèses âgés de dix ans dont les cœurs portaient les mêmes stigmates que ceux d'hommes de quarante-cinq ans, fumeurs réguliers depuis dix ans ! Le mal s'étend. La preuve, confinant à l'absurde, on a vu apparaître des crises cardiaques chez des adolescents de seize à dix-huit ans.

La tendance est si alarmante qu'elle conduit les plus grands centres de traitement des maladies cardiaques à ouvrir une section consacrée aux enfants et adolescents. Ainsi, le prestigieux Texas Heart Institut de Houston, l'un

---

28. *Chew on this*, *op.cit.*
29 *Ibid.*

des premiers hôpitaux au monde réservé aux problèmes de cœur, vient d'ouvrir sur Internet une page de prévention afin de prévenir ce risque[30].

*

Le cœur n'est pas le seul organe touché par la pandémie. La démonstration de Metmeth Oz s'étend encore au cerveau, aux os et au foie, confirmant les dangers évoqués lors de la conférence de Sydney. Et puisque rien ne semble échapper à l'appétit destructeur de cette nouvelle menace, il n'est pas étonnant de découvrir... le cancer parmi ses ravages.

---

30. http://www.texasheartinstitute.org/HIC/Topics/HSmart/children_risk_factors.cfm

11. Machine

Le cancer constitue la principale source de préoccupation sanitaire des Français, dépassant la crainte de maladies cardiaques[31]. Or, cela ne va pas aller en s'améliorant puisque le monde suit un modèle de développement à l'américaine. Où cette maladie progresse. Où, d'ici cinq ans, le cancer devrait dépasser les ennuis cardio-vasculaires comme cause majeure de décès. À l'heure actuelle, l'avenir d'un Américain ressemble donc à une cruelle loterie puisque quatre personnes sur dix seront atteintes d'une forme de cancer à un moment ou à un autre de leur vie.

*

Les Américains ont un point commun avec le reste de la planète : ils croient majoritairement que des facteurs génétiques sont responsables de l'apparition du cancer. Mais il n'en est rien. On estime en effet que seuls 5 à 10 % des cancers les plus fréquents sont liés à notre ADN. Mais quelle est la principale cause ? Un malade aux poumons

---

31. 51 % des Français interrogés désignent le cancer, 40 % les maladies cardiaques. In *Regards croisés sur le cancer*, IFOP pour AstraZeneca, novembre 2006.

atteints évoquera la cigarette. Quid alors des cancers du côlon, de l'œsophage, du sein, du pancréas, de l'utérus, des reins... ? Si, là, on n'a pas mis à jour de coupable unique, on constate que, de plus en plus souvent, la pandémie d'obésité joue un rôle prépondérant.

En 2004, l'American Cancer Society a ainsi révélé que plus de 20 % des décès par cancer chez les femmes relevaient directement d'une surcharge pondérale. Chez l'homme, le chiffre tombe à 14 %, mais la proportion augmente franchement lorsque l'on combine une mauvaise alimentation et une absence d'exercice physique. Une catégorie d'individus qui compte à elle seule pour un tiers des décès. Pour résumer, selon l'American Cancer Society, près de « six cancers sur dix pourraient être évités grâce à une bonne hygiène de vie. Des habitudes à acquérir dès l'enfance. Les enfants et les jeunes doivent ainsi devenir une cible importante de toute politique de prévention[32] ».

Il faut l'asséner à nouveau : 60 % des cancers – la crainte principale de beaucoup d'entre nous – seraient liés à notre mode de vie et plus particulièrement à nos – mauvaises – habitudes alimentaires[33] !

L'information mérite d'être martelée. Et pourtant elle est largement ignorée. Depuis Nixon, l'Amérique est en guerre contre le cancer. Comme elle est en guerre contre la drogue ou le terrorisme. De grandes déclarations pour, in fine, pas grand-chose, à part le bonheur financier de quelques compagnies bien placées. Dans le domaine de l'obésité, le schéma est identique. Parce que sauver des vies en insistant sur la nécessité de modifier sa façon de manger ne rapporte rien[34]. Ni aux laboratoires ni aux hommes politiques dont

---

32. http://cme.amcancersoc.org

33. 60 % pour l'American Cancer Society et 70 % pour le professeur Richard Doll de l'université d'Oxford. Doll est l'un des plus éminents spécialistes du cancer en Grande-Bretagne.

34. Une autre statistique méconnue et négligée a des conséquences terribles. Si les États-Unis diminuaient de seulement 1 % leur consommation de

maintes campagnes sont financées par les contributions de l'industrie pharmaceutique.

Alors, en attendant la mise au point d'une pilule miracle, le nombre de sacrifiés sur l'autel du cancer continue à augmenter. Depuis 1973, et le lancement officiel du combat de l'Amérique contre ce mal, le taux de la maladie a progressé de 40 %. Et même si l'on ignore encore les raisons entraînant un accroissement des risques de cancer en cas d'obésité[35], les faits sont là et têtus : du côlon au sein, du pancréas à l'œsophage, la pandémie de surpoids est une machine à fabriquer de la maladie. Des maladies même.

lipides, 30 000 personnes seraient sauvées chaque année. In *Food Politics*, Marion Nestle, University of California Press, 2002.

35. Une des théories est que les cellules de graisse empêcheraient la croissance de la totalité des cellules du corps humain.

12. Caduque

Un jour peut-être, les historiens de la pandémie d'obésité réussiront à mettre le doigt sur une date précise. Sur ce jour où, au milieu des années 1980, aux États-Unis, il devint évident que notre manière de penser la maladie devenait caduque. Le jour où, d'Atlanta à Memphis, de Dallas à Nashville, les médecins comprirent qu'ils étaient confrontés au même phénomène : des patients atteints du diabète de l'âge mûr[36] de plus en plus jeunes.

*

Jusque-là, les victimes du diabète non-insulinodépendant avaient au moins cinquante ans. Et puis, un jour, les cabinets et les hôpitaux durent gérer un afflux de malades entre vingt et trente ans. Suivis ensuite par des adolescents. Et en 2006, on constate même des cas d'enfants de dix et onze ans. Au Texas, le département en charge de la santé des habitants estime même que 45 % des nouveaux cas diagnostiqués de diabète de type 2 concernent des enfants de moins de seize ans[37] !

---

36. Voir http://fr.wikipedia.org/wiki/Diabète_de_type_2
37. http://www.dshs.state.tx.us/diabetes/PDF/splan05.pdf

Le point commun de cette nouvelle génération de diabétiques est flagrant : tous sont obèses.

En somme, l'expression « diabète de l'âge mûr », ou
adult onset en anglais, est obsolète. Cette terminologie ne
correspond plus à la réalité. Comment même user de ce
terme pour un patient qui n'a pas encore entamé sa
puberté ?

Quelque part entre la fin des années 1980 et le début des
années 1990, la maladie est donc devenue uniquement un
diabète de type 2. Une démocratisation pour le pire.

*

Techniquement, le diabète de type 2 ressemble à ceci :
« Les cellules du corps deviennent résistantes à l'insuline.
Normalement, cette hormone agit comme une clé qui permet aux sucres d'entrer dans les cellules, ce qui est essentiel
à leur bon fonctionnement. Lorsque les cellules font de la
résistance, le pancréas doit redoubler d'efforts pour produire davantage d'insuline et forcer le passage du sucre
dans la cellule. Avec le temps, le pancréas s'essouffle. Le
taux de sucre augmente dans le sang. Le diabète de type 2
apparaît [38] ».

Au quotidien, ce mal s'avère intenable dans ses formes
sévères. La maladie ronge le système nerveux du patient, le
détruisant chaque jour un peu plus. Celui-ci endure un état
de douleur permanent que rien ne vient soulager. Puis,
comme c'est le cas avec le sida, le système immunitaire se
fragilise et apparaît déficient, mettant le malade à la merci
de la moindre infection. Une simple grippe peut se transformer en maladie mortelle.

Les conséquences ne s'arrêtent pas là. Au risque élevé
de crise cardiaque, d'attaque cérébrale, il convient d'ajouter

[38]. http://www.radiocanada.ca/actualite/decouverte/dossiers/67_diabete/
index.html

celui de perte de la vue. Ainsi, aux États-Unis, chaque année, près de 24 000 diabétiques deviennent aveugles[39]. Quasiment le double se retrouvent privés de l'usage de leurs reins et deviennent tributaires, un jour sur deux, de plusieurs heures passées « reliés » à une machine à dialyse.

Mais il y a pire encore. Le diabète de type 2 peut entraîner de graves difficultés de la circulation sanguine, obligeant à l'amputation des extrémités. Or, ne croyez pas qu'il s'agisse d'une minorité des malades. En 2004, 82 000 Américains ont été amputés d'un pied, d'une partie de la jambe ou de la main. Et 80 % des diabétiques de type 2 sont obèses. Huit patients sur dix sont donc atteints d'une maladie évitable.

*

Ici, au Fat Land, le diabète de type 2 est désormais en quelque sorte la maladie officielle de la pandémie d'obésité. Si la France compte « seulement » 2 millions de cas, leur nombre dépasse 21 millions aux États-Unis[40]. Plus grave, 54 millions d'Américains sont considérés comme prédiabétiques. Ce qui signifie que le taux de sucre dans leur sang est déjà au-dessus de la moyenne et leur pancréas prêt à céder. D'ici 2050, le CDC avance que le nombre de malades franchira la barre des 60 millions. Avec un tiers d'adolescents et d'enfants.

Bien évidemment, la prolifération de cette maladie et le coût colossal de son traitement vont mettre en péril le système économique américain. Comme cela arrivera ailleurs aussi puisque la tendance est comparable dans le monde

---

39. Un chiffre permettant au diabète de type 2 de devenir la première cause de cécité aux USA.
40. Dont 800 000 rien que pour la ville de New York et 1,5 million pour le Texas où le diabète de type 2 est désormais la sixième cause de mortalité.

entier[41]. Interrogé en 2002 par Radio Canada, le docteur Patrice Perron se refusait à toute ambiguïté : « Si rien n'est fait, disait-il, on s'en va vers une épidémie parce que l'obésité est en augmentation flagrante. Notre système de santé, qui est déjà à la limite, je crois, va exploser. Au cours des prochaines années, il y aura deux à quatre fois plus d'hospitalisations pour des problèmes cardiaques chez les diabétiques, le nombre des patients en hémodialyse doublera et on verra trois fois plus d'amputations reliées au diabète. Notre système de santé sera incapable d'assumer tout ça[42] ».

*

Le Texas Children Hospital de Dallas est un hôpital modèle. Année après année, il figure dans le classement des meilleurs centres de soins des États-Unis. Sa section consacrée aux diabétiques de type 2 est l'une des plus vastes du pays. Sa clinique traite en permanence 300 patients. Et, là encore, la tendance est à la hausse. Lors d'une visite, au printemps 2006, j'ai constaté que cet établissement avait « enrôlé » 75 nouveaux patients. Dont le plus âgé avait treize ans.

Ici, les médecins, qui préfèrent se définir eux-mêmes comme des « détectives » cherchant les indices pouvant mener à la racine d'une maladie, se retrouvent devant une situation paradoxale.

D'un côté – et ils en conviennent sous couvert d'anonymat –, l'aspect financier de cette nouvelle crise n'est pas forcément pour eux une mauvaise nouvelle. Puisque le centre

41. Même si, pour l'instant, les États-Unis occupent une place de solide leader. Ainsi, une étude publiée en mai 2006 dans le *Journal of the American Medical Association (JAMA)* démontrait que les cinquante-cinq/soixante-quatre ans américains avaient une incidence au diabète nettement plus élevée que les Anglais de la même tranche d'âge.

42. http://www.radiocanada.ca/actualite/decouverte/dossiers/67_diabete/index.html

propose des diététiciens, des soins adaptés aux enfants et à leurs familles et même, chaque été, une colonie de vacances pour petits diabétiques, l'argent rentre sans problème.

Mais de l'autre, tous savent que la « saloperie », comme ils l'appellent, est directement liée à la pandémie d'obésité. Donc que ce qu'ils constatent est évitable.

Mais voilà, la prévention ne rapporte rien. Et combattre en amont l'apparition du diabète de type 2 ne génère pas de prescription de médicaments coûteux.

Le Texas Children Hospital de Dallas symbolise parfaitement la secrète ambiguïté que j'ai découverte tout au long de mon enquête : dans un monde où seul le marché compte, il n'y a aucun bénéfice financier à tirer du fait de garder les citoyens en bonne santé. Alors que ceux poussant à les soigner sont en revanche énormes. La preuve : en 1999, le fabricant pharmaceutique Eli Lilly and Company inaugurait sa nouvelle usine. Sept ans plus tard, il s'agit encore du centre de production le plus important au monde dédié à un seul produit. Eli Lilly and Company, porté par un taux de croissance annuel de 24 %, y fabrique de l'insuline destinée à traiter les malades atteints du diabète de type 2.

*

Pour tout dire, cette idée me trottait dans la tête depuis un moment, même si elle me semblait par moments extrémiste. Certains n'avaient-ils pas intérêt à ne pas tout faire pour enrayer le fléau ? Je tournai et retournai la question, refusant d'y croire tant cela me semblait outrancier, quand une chose me frappa. Quittant l'étage où des enfants risquaient une amputation pour cause de trop de malbouffe, j'ai reconnu une odeur à la fois écœurante et familière. Au rez-de-chaussée du Texas Children Hospital de Dallas, là sur ma droite, brillaient les lettres dorées de l'enseigne d'un McDonalds[43].

---

43. Le géant du fast-food n'est pas seul : Starbucks, Subway, Pizza Hut et Chick-fil-A sont également représentés à l'hôpital pour enfants de Dallas.

13. Intégration

Les problèmes cardio-vasculaires, le cancer et le diabète de type 2 représentent donc les trois cavaliers de l'apocalypse promise par la pandémie. Malheureusement, ils ne sont pas les seuls.

Avec plus de la moitié de sa population en surcharge pondérale ou obèse, l'Amérique s'impose comme une nation souffrante. Du retour de la goutte [44] à la montée en puissance de l'arthrose, des troubles du sommeil à ceux des cycles menstruels chez les femmes, des problèmes d'érection aux problèmes dentaires, le fléau n'épargne personne. Raul Uppot, un radiologiste du Massachusetts General Hospital, a même découvert une autre conséquence inattendue en analysant des dizaines de milliers de dossiers de patients : la multiplication des clichés de radiographies illisibles. Et pas à cause d'erreurs des techniciens. « Nous avons noté au cours des dernières années que l'obésité devenait un facteur de notre aptitude à lire clairement ou non une radiographie [45]. » Le phénomène serait particulièrement marqué lorsqu'il s'agit d'une radio de la poitrine ou d'une échographie de l'estomac. Au-delà de ces difficultés

---

44. http://www.doctissimo.fr/html/sante/encyclopedie/sa_4741_goutte.htm
45. http://radiology.rsnajnls.org

pratiques, auxquelles certaines entreprises de matériel médical répondent déjà en commercialisant des appareils plus puissants et plus larges, Raul Uppot préfère insister sur des conséquences plus dommageables : « Ce problème affecte les radiologues sur l'ensemble du pays, explique-t-il. Et c'est un énorme problème car, sans que nous puissions le voir, le patient peut avoir une inflammation ou une appendicite. Oui, sans que nous ayons le moyen de nous en rendre compte, le patient peut avoir une tumeur [46] ».

*

J'avais bien en tête une poignée de suspects mais encore aucune certitude quant aux origines du mal. Je savais désormais les États-Unis bien plus atteints que je le craignais. Mais à quoi cela tenait-il ?

Avant d'entamer cette enquête, je n'avais jamais poussé la réflexion. Pour moi, l'obésité relevait d'abord d'un problème personnel. Ses conséquences économiques, ses enjeux sanitaires et les souffrances qu'elle faisait endurer m'avaient à peine effleuré. Dorénavant, je me sentais concerné. Parce que, sain ou malade, personne n'échappe aux dégâts dus à une pandémie. Parce que je savais que l'Europe avait mis très longtemps à se remettre des ravages de la peste noire. Que plus de quatre-vingts ans après, nous parlons encore de la grippe espagnole. Et que le sida a profondément changé notre rapport au monde. Dès lors, croire que la situation américaine ne nous concerne pas parce qu'un océan nous sépare s'avère une illusion particulièrement dangereuse. Que nous le voulions ou non, ce processus-là, si propice à la propagation de la pandémie, arrive chez nous. Or, nous en connaissons d'avance les conséquences.

---

46. *Idem.*

Nous savons même que notre organisme réagira de la même manière que celui d'un Américain.

En 1997, des médecins japonais ont publié le fruit de leur travail. Durant plusieurs années, ils ont scruté l'évolution sanitaire d'une centaine de leurs compatriotes installés aux États-Unis. Et ont constaté que le risque de développer des problèmes cardio-vasculaires avait été chez eux multiplié par deux, celui d'avoir une attaque par trois. En somme, l'obésité avait été un outil d'intégration. Un redoutable outil. Or, c'est lui que l'Amérique est en train d'exporter dans le monde entier. Dès lors, en découvrir l'origine relevait d'une urgente priorité.

14. Omniprésence

Aux États-Unis tout commence et tout s'achève par une prière. La réunion des Overaters Anonymous ne pouvait déroger à la règle. Le groupe fondé à Hollywood en 1960 se veut pourtant libre de toute influence religieuse. Mais, comme chez les Alcooliques anonymes, son modèle, on remercie Dieu pour sa bénédiction et on invoque son soutien dans l'épreuve.

La séance dépasse rarement les deux heures. Après une introduction de l'hôte, chaque « invité » partage son histoire, cherchant, in fine, main dans la main, le soutien des présents. Et, malgré leurs différences, tous révèlent des vies passées à essayer de combattre la nourriture.

Elle, la quarantaine élégante, n'est pas réellement obèse. Quelques kilos en trop, c'est vrai, mais rien d'extraordinaire. Depuis toujours, elle lutte contre son corps, hantée par un idéal façonné par tant d'années à jouer avec sa Barbie. Forcément, son drame, car c'est de cela qu'il s'agit, parle à tous : un tiers des fillettes du cours primaire préféreraient être plus fines. Oui, une enfant sur trois, âgée de six et sept ans, est déjà complexée par une apparence qui ne correspond pas aux prétendus canons de la beauté.

Puis c'est son tour. Les traits de son visage sont mangés par la graisse. Comme souvent dans ces cas-là, il est impossible d'estimer son âge. Peut-être a-t-il trente ans, peut-être moins. Il parle de nourriture comme d'autres de drogue ou de jeu. C'est un bouffeur compulsif. Un accro. Il sait, il le confie, que ses jours sont comptés. Mais il mange pour oublier.

Son parcours, accumulation d'orgies alimentaires, émeut l'assemblée. La discussion s'engage. Et ce soir-là, comme fréquemment chez les Gros Mangeurs anonymes, tous aboutissent à la même conclusion : la vie est un piège auquel il est impossible d'échapper.

*

L'Amérique croule sous la nourriture. Et cette omniprésence a deux corollaires. L'un qui paraît, nous allons le voir, constituer un vecteur essentiel de la crise d'obésité. L'autre qui crée un paradoxe de plus.

Alors que plus de 60 % de la population est en surpoids, certains Américains connaissent encore la faim. Le rapport 2006 de l'USDA, l'équivalent outre-Atlantique du ministère de l'Agriculture, estime à environ 35 millions les Américains qui se sont retrouvés au moins une fois l'an passé dans l'impossibilité de manger. Même si ces chiffres sont à prendre avec des pincettes – l'USDA est avant tout un outil destiné à promouvoir la production agricole –, il éclaire la situation d'une lumière particulière. Une situation folle où presque deux tiers des habitants seraient victimes de l'omniprésence de la nourriture tandis que 12 % souffriraient de son absence [47].

---

47. http://www.washingtonpost.com/wpdyn/content/article/2006/11/15/ AR2006111501621.html ?nav=rss_email/components

*

C'est peut-être la force de l'habitude. Mais avant d'avoir fait l'effort de regarder ceux qui m'entouraient aux États-Unis, je n'avais jamais remarqué combien la « bouffe » est partout. Tout le temps. Ici, manger, n'importe quand, n'importe comment et n'importe quoi, constitue la donnée majeure de l'environnement américain.

Pour tout dire, j'étais en train de satisfaire un besoin naturel lorsque j'ai pris conscience pour la première fois de ce bombardement permanent, de ce matraquage incessant. À dix centimètres de mon nez, à hauteur parfaite pour que l'on ne puisse pas y échapper, au-dessus de l'urinoir, une publicité vantait des barres protéinées, saveur forêt-noire. Et, même en cet instant particulier, le cliché du gâteau à la crème saupoudré de chocolat s'avérait appétissant. Oui, vous lisez bien : j'étais dans mon club de sport et, jusque dans les toilettes, l'appel à « plus manger » me poursuivait.

Si le cocasse de la situation me fit d'abord sourire, je réalisai vite ce que cela signifiait et combien l'incitation à avaler, dans les deux sens du verbe, tout et n'importe quoi, prenait des proportions cauchemardesques que n'aurait pas reniées Kafka.

*

Prenons donc Lifetime, la salle où je me rends cinq à six fois par semaine afin de tenter de rééquilibrer la balance entre ce que je mange et les calories que mon corps brûle. La majorité des 3 000 membres du club viennent ici pour les mêmes raisons. Le lieu devrait donc être un temple dédié à la forme. Mais voilà, ces murs ont depuis longtemps été souillés par des publicités alimentaires. En plus des toilettes, le vestiaire aussi reçoit son lot d'affiches. Certes, toutes vantent des produits dits sportifs. Mais comme ils sont souvent riches en sucres, leur surconsommation se révèle aussi néfaste que celle de n'importe quel autre aliment. Or, l'habileté de ces pubs, c'est l'illusion créée par les agences de marketing. Car qui lit sportif pense positif pour son corps. C'est faux mais ça marche. J'ai ainsi un jour assisté à une scène incroyable, voyant, effaré, un obèse, après une séance légère d'exercices cardio-musculaires, se précipiter sur un demi-litre de Gatorade et une barre aux protéines, engouffrant en somme cinq fois plus de calories que celles qu'il venait péniblement de dépenser.

Dans l'établissement, les tentations sont partout. Il y a les distributeurs de boissons de The Coca-Cola Company, installés aux emplacements stratégiques et sur les lieux de passage. Mais aussi le café situé à la sortie. Avec sa connexion sans fil à Internet, ses sandwichs équilibrés et.. son offre spéciale pour l'achat de deux paquets de M&Ms !

Et encore, mon Lifetime est un lieu protégé. Certains clubs de sport se sont en effet associés à la chaîne Starbucks, enseigne de Seattle qui propose des cafés enrichis à la crème et au sucre, « oubliant » de préciser que certains dépassent les 500 calories soit, dans une tasse, un quart de l'apport journalier d'un adulte !

*

Mais le véritable choc se situe à l'extérieur. Sur le trajet de dix minutes en voiture me séparant de mon domicile, j'ai compté 37 enseignes vendant de la nourriture. Or, vivant dans un quartier résidentiel, il convient de considérer ce chiffre comme faisant partie de la fourchette basse. Dès que l'on approche des grands lieux d'échanges, des principaux axes routiers, les tentations pour manger à bas prix, là et tout de suite, se multiplient dans d'incroyables proportions.

Aujourd'hui, l'Amérique compte plus de 925 000 restaurants. D'après un document de The National Restaurant Association, ce nombre aura dépassé le million d'ici 2010. Le groupement d'intérêts de la restauration annonce même fièrement être devenu l'un des fondements du moteur économique américain. Il faut dire que la consommation en restaurant représente désormais 4 % du PNB des États-Unis. Traduit en dollars, le résultat est faramineux : chaque jour, plus de 1,4 milliard de dollars sont dépensés dans ces établissements[48].

Aux restaurants, il faut ajouter les points de vente des chaînes de fast-foods. Il en existe 186 000 à travers le pays, dont 14 000 sont des McDonald's. En 1970, la restauration rapide représentait 3 % des calories consommées quotidiennement par les Américains. Désormais, le pourcentage est quatre fois plus élevé.

Échapper à la nourriture est ici impossible. Aux endroits où on la consomme, il faut encore ajouter ceux où on la vend. Le territoire est quadrillé par plus de 48 000 supermarchés et 130 000 épiceries. Sans oublier les 21 000 stations-service où le commerce d'essence est devenu une activité accessoire, puisque c'est la vente de boissons et de snacks qui dégage les meilleures marges. En 2005, la Snack Food Association se félicitait que les 800 compagnies la constituant aient vendu pour 35 milliards de dollars de « grignotages » à emporter.

Cette prolifération de « dealers » ouverts vingt-quatre heures sur vingt-quatre, sept jours sur sept, est assurément un vecteur de la pandémie d'obésité. Ne serait-ce que parce que, selon l'USDA, plus d'un tiers des calories consommées par les Américains le sont hors domicile. En outre, d'après la même enquête, à portion égale, les repas pris à

---

48. Cornestone Ambassador-Talking Points, National Restaurant Association 2006.

l'extérieur comptent, en moyenne, 200 calories de plus que l'équivalent préparé dans sa propre cuisine.

La nourriture servie dans les restaurants et les fast-foods est en effet généralement plus grasse, plus riche et plus pauvre en qualité nutritionnelle que celle cuisinée à la maison. Par contre, elle a souvent meilleur goût.

Une incidence qui joue un rôle important dans la pandémie et qui ne doit rien au hasard.

15. Dilemme

Et si, pour comprendre les maux actuels, il fallait retourner cent mille ans en arrière ? Le voyage nous mènerait dans une vallée de la Rhénanie, en Allemagne. Là, nous pourrions observer l'homme de Neandertal. Depuis l'apparition des grands singes, 45 millions d'années se sont écoulées. L'évolution a été phénoménale. Notre ancêtre est capable de tailler le silex et de l'utiliser comme outil. Il est aussi le premier membre de notre espèce qui, au terme d'un rituel, enterre ses morts. Le Neandertal appartient à la famille des Homo Sapiens, littéralement l'homme qui pense. Et, il y a cent mille ans de cela, ce chasseur ne pense qu'à une chose : se nourrir afin de survivre.

Sa journée est une succession de choix. Il doit déterminer quelle pièce de viande est bonne à la consommation. De la même manière, confronté à nombre de baies et champignons, il doit ne pas se tromper. Son quotidien se résume à une exigence simple : bien choisir pour ne pas mourir.

Le dilemme de notre ancêtre est caractéristique de notre espèce. L'omnivore balance en permanence entre son attrait pour la nouveauté et sa crainte de s'empoisonner. Ce combat entre néophilie et néophobie a bien souvent un arbitre : notre goût inné pour le sucré. Un concept au cœur du « dilemme de l'omnivore » et de la crise d'obésité.

*

L'homme est prédisposé au goût sucré. Tout simplement parce que celui-ci a été fréquemment synonyme de survie. Les aliments suaves sont non seulement riches en glucides pourvoyeurs d'énergie mais également, la plupart du temps, ceux dont la consommation n'est en rien dangereuse. Au contraire, la nourriture amère est principalement associée aux substances toxiques, donc mortelles. Bien sûr, certains aliments comme le café, le thé ou le chocolat, très appréciés malgré leur amertume, paraissent s'opposer à cette théorie. En réalité, ils mettent en jeu notre néophilie. L'être humain, par nature, est curieux et guidé en permanence par l'attrait de la nouveauté. Certains scientifiques pensent d'ailleurs que la consommation d'aliments amers est une victoire de l'homme sur son environnement. Une manière de démontrer sa supériorité. La nôtre. Autre effet intéressant, la dégustation de chocolat, par exemple, déclenche une montée d'endorphine. Exactement comme si notre cerveau, reconnaissant l'amertume et son danger, plaçait le reste du corps en alerte.

Quoi qu'il en soit, préférant le doux et évitant le reste, l'homme a traversé le temps. Mais, au plus profond de ses gènes, il reste habité par le dilemme de l'omnivore[49]

*

---

49. Les nouveau-nés et les nourrissons sont les meilleurs exemples de l'existence du dilemme de l'omnivore comme l'explique un article disponible à l'adresse : http://www.institutdanone.org/comprendre/publications/objectif_nutrition/objectif_nutrition_special/dossier1.php

L'homme a évidemment depuis fort longtemps cessé de cueillir des baies au hasard. Il chasse encore occasionnelle-ment mais rarement afin de survivre. Les calories qu'il accumule ne servent plus à le protéger contre les intempé-ries et les périodes de famine. Pourtant, d'une certaine manière, sa situation n'a guère changé. Il continue toujours à naviguer entre différents aliments. Certes l'environnement n'est plus le même. Les supermarchés, les restaurants et les chaînes de fast-foods sont les nouveaux territoires où, désormais, il déniche sa nourriture. Où, guidé par un ins-tinct remontant à la nuit des temps, préférant le goût sucré, il choisit. Et c'est ainsi que, sans vraiment le savoir, hanté par son dilemme et trahi par son passé, il joue à nouveau sa survie.

16. Glouton

L'industrie agroalimentaire a parfaitement compris l'intérêt du dilemme de l'omnivore.

Transformant un sens inné en argument commercial, les fabricants de nourriture ont opté pour le gras et le sucré. Il n'y a pas là de dessein machiavélique, de conspiration orchestrée afin de faire disparaître le genre humain, mais simplement une logique entrepreneuriale au credo basique : il est toujours plus aisé de vendre ce qui correspond au goût de son public. Si les préférences de l'homme le conduisaient naturellement vers une nourriture plus saine, Mars, McDonald's ou Coca-Cola répondraient à cette attente. Certes, on pourrait arguer que face à la pandémie actuelle d'obésité, ces entreprises devraient effectuer des choix citoyens. Mais ne nous leurrons pas : fondamentalement, elles estiment ne pas être là pour ça et, quand elles avancent sur ce terrain, c'est seulement dans la perspective de retombées financières.

Il existe en revanche, et plus particulièrement aux États-Unis, une autre tendance, toujours pilotée par l'exploitation commerciale de nos gènes, qui s'avère bien plus condamnable et semble être une cause importante de la crise d'obésité : le *bigness* [50].

---

50. Contraction de *big* et de *business*.

*

En 2000, l'industrie automobile américaine a annoncé en fanfare un changement majeur sur l'ensemble de ses modèles. Il n'était pas ici question de sécurité, de pollution ou de confort, mais de la taille des porte-boissons. Embrassant l'ère du *bigness*, General Motors, Ford et consorts se sont mis au goût du jour, en permettant désormais de caler en toute sécurité et à portée de main un « gobelet » – un petit seau, plutôt – pouvant contenir plus d'un litre de soda.

Aux États-Unis, le *supersizing* cher à Morgan Spurlock [51] est un véritable phénomène de société dépassant le seul cas de la nourriture. Ici tout est plus grand. Les voitures, les routes, les maisons, les vêtements. La tendance n'a pas échappé aux spécialistes du marketing. Dans *USA Today*, Irma Zall, experte en marketing destiné aux adolescents, confiait ainsi que « la notion de *bigness* fonctionne aussi bien parce qu'elle tourne autour du concept de pouvoir. [...] Cette impression de pouvoir qu'elle offre à ceux qui choisissent plus grand [52] ».

Si le *bigness* atteint désormais différentes strates de l'économie américaine, le concept est, à son origine, lié à la nourriture. Et, sans surprise, il est né dans l'État qui affiche son gigantisme comme une raison d'être.

*

Autrefois, David Wallerstein avait en charge l'expansion de la chaîne de cinéma Balaban & Katz au Texas. Sa mission, au milieu des années 1960, était simple à définir :

---

51. Il a réalisé le documentaire *Supersize me* où, sous l'œil d'une caméra, il se nourrissait exclusivement de nourriture provenant de chez McDonald's pendant un mois.
52. Cité par Greg Crister, *Fat Land*, Mariner Books, 2003.

augmenter les profits des salles obscures. Or, l'économie de l'exploitation cinématographique tourne autour d'une idée étonnante : la vente de tickets, aux marges limitées, ne compte que pour une fraction dans les bénéfices du gérant. Les profits les plus solides proviennent de la commercialisation de pop-corn et de soda. En réalité, le film relève du produit d'appel, assurant la présence de consommateurs captifs avant et pendant la durée de la projection.

La mission texane de Wallerstein consistait donc à convaincre les clients des cinémas Balaban & Katz d'ingurgiter plus de pop-corn arrosé de Coca-Cola. Mais voilà, sa tâche semblait herculéenne car les recettes traditionnelles de vente ne fonctionnaient pas : Wallerstein avait beau multiplier les offres type « deux pour le prix d'un » ou accorder 20 % de réduction pour la première séance de la journée, rien n'y faisait. Cet échec l'obsédait. Car au fond de lui, après avoir passé des heures à observer ses consommateurs, il était convaincu qu'un rien les inciterait à consommer plus. Et, pour preuve, après chaque séance, Wallerstein exhumait les emballages abandonnés par les spectateurs vidés de leur contenu jusqu'à la dernière miette.

Les clients de Wallerstein voulaient davantage mais, pour une raison qu'il ignorait, n'osaient pas. Et si, justement, l'idée résidait dans cette hésitation ? Et si les spectateurs, craignant le regard des autres et freinés par une éducation religieuse plaçant la gourmandise au rang des péchés capitaux, n'osaient tout simplement pas acheter un deuxième Coke ou un autre gobelet de pop-corn ? L'équation venait d'évoluer. Si l'intuition de Wallerstein s'avérait juste, la solution était enfantine. Pour vendre plus, il suffisait d'accroître la taille des portions.

De la théorie à la pratique, il franchit le pas. Et le succès fut immédiat. Rapidement, la vente des portions élargies dépassa celle des parts traditionnelles. Plus important encore, le coût supplémentaire de production d'un grand pop-corn ou d'un Coca-Cola géant était minime. Ce qui incita les cinémas Balaban & Katz à vendre leurs nouveaux contenants à peine plus chers que la taille originale. Sans vraiment s'en apercevoir, le client, décomplexé et conforté par le sentiment de réaliser une économie, consommait donc plus. Beaucoup plus.

Le principe du glouton était prêt à conquérir l'Amérique.

*

Le coup de génie texan de Wallerstein, conforme à la philosophie du « *everything is bigger here* [53] », le propulsa à la tête de la compagnie, au sein de la maison mère située à Chicago.

Mais en 1968, il quitta Balaban & Katz pour entrer dans une autre compagnie de l'Illinois qui cherchait à accroître ses ventes. Ray Kroc s'était lui-même chargé de convaincre ce prodige des salles obscures à le rejoindre. Il attendait maintenant qu'il répète le miracle texan en multipliant le chiffre d'affaires de sa société. Son nom ? McDonald's.

*

La transition ne fut pas aussi évidente que prévu. Notamment parce que Kroc n'était pas convaincu par le « principe du glouton ». Malgré l'insistance de Wallerstein, il ne souhaitait pas se lancer dans la production de portions de différentes tailles. Pour Kroc, le concept était simple : si le client voulait manger plus, il n'avait qu'à commander un second hamburger, une autre portion de frites ou un Coca-Cola supplémentaire.

David Wallerstein savait qu'il lui faudrait plus que des mots et des statistiques pour convaincre le fondateur de

---

53. *Tout est plus grand ici*, le slogan du Texas.

McDonald's. Aussi eut-il une idée aussi simple que révolutionnaire : installer une caméra de surveillance dans l'un des restaurants de Chicago pour filmer les consommateurs.

Les images parlèrent d'elles-mêmes. La plupart des clients de McDonald's voulaient plus. Il fallait les voir retourner leur petit sac de frites pour récupérer le moindre bout de pomme de terre, même carbonisé. Ou se tordre la nuque en arrière afin de gober la dernière goutte de leur Coca-Cola.

En découvrant le film, Ray Kroc fut sidéré. David Wallerstein avait donc gagné. Nous étions en 1968 et le principe du glouton put entrer dans sa deuxième phase : se préparer à dévorer et à contaminer l'Amérique.

*

La vague initiée par David Wallerstein a tout dévasté sur son passage. Après les cinémas et l'industrie du fast-food, les restaurants ont adopté à leur tour ce principe. Et si personne n'ignore qu'une taille normale de frites aujourd'hui était une grande portion voilà trente ans, ses ravages dans la cuisine plus classique sont impressionnants. Ainsi, selon le National Heart, Lung and Blood Institute[54], entre 1985 et 2005, la taille moyenne d'un café-crème a doublé. Pis, ses calories sont passées de 45 à 350 ! Même tendance pour la pizza. Voilà trente ans, deux parts de pizza aux pepperoni représentaient 500 calories. Aujourd'hui, elles en contiennent 850. Hommage direct à Wallerstein, la taille normale du pop-corn vendu en cinéma a été multipliée par trois depuis 1985. Et par six depuis le début des années 1970 et l'âge d'or de la chaîne Balaban & Katz.

Le succès du principe du glouton est fondé sur différents mécanismes. Celui de la honte tel que défini par Wallerstein

---

54. http://www.nhlbi.nih.gov/

est évidemment primordial. Le message inconscient reçu par un homme dévorant deux portions de frites et celui d'un autre engouffrant la même quantité mais dans un seul contenant est complètemet différent. Comme l'expliquait Irma Zall, le *bigness* offre une illusion de pouvoir. Et les vendeurs de bouffe l'ont compris, qui se sont précipités dans une surenchère « virile ». Ainsi, la chaîne Del Taco, spécialiste de la cuisine rapide tex-mex, a commercialisé en 2000 le Macho Meal. Un plat pesant plus de deux kilos. Le phénomène a atteint son paroxysme l'année dernière avec le lancement du Monster Thickburger chez Hardee's. Le « monstre » en question « pèse » ni plus ni moins 1 420 calories et « offre » 107 grammes de lipides. Il se vend le plus souvent accompagné de sa frite moyenne et d'un Coke. Résultat ? Un menu dépassant les 2 300 calories. Un chiffre qui dépasse l'apport calorique quotidien recommandé chez l'adulte !

Le Macho Meal, le Thickburger ou encore le Triple Whooper spécial King-Kong de chez Burger King figurent évidemment parmi les premiers suspects de la pandémie. Pour certains médecins et responsables d'associations luttant contre l'obésité, ces nouveaux concepts de hamburgers géants s'apparentent à du *food porn*, de la nourriture à caractère pornographique. L'étiquette pourrait gêner l'Amérique puritaine, mais elle génère au contraire une certaine publicité non reniée par les fabricants eux-mêmes. Hardee's affirme ainsi que « la mauvaise publicité autour du Thickburger a entraîné une augmentation des ventes de 8 %[55] ». Pis, Andrew Puzder affiche clairement, et avec provocation, la position de la compagnie dont il est le P-DG : « Ce n'est pas un burger pour tapette. C'est un hamburger pour des mecs jeunes et affamés qui veulent un bon gros et décadent hamburger juteux. Que les autres continuent à faire de la

---

55. http://www.msnbc.msn.com/id/6498304

promotion pour leurs produits bons pour la santé. De notre côté on va continuer à faire de la publicité pour nos gros hamburgers si délicieux [56] ».

*

La bravade affichée par le patron de Hardee's n'est en rien isolée. En ces temps de pandémie, on affiche une certaine fierté à affirmer son attachement à manger gros et gras. Un peu comme ceux qui, en plein cœur de l'épidémie de sida, défendent avec la même inconscience des rapports sexuels non protégés.

Cette attitude est parfaitement illustrée par l'explosion médiatique dont l'IFOCE, la Fédération internationale des mangeurs de compétition, a fait l'objet ces deux dernières années. Elle organise dans l'ensemble du pays des épreuves « sportives » de dégustation. À Dallas, il s'agit d'avaler le plus de piments possibles afin de remporter 4 000 dollars. À Atlantic City, pour 1 000 dollars de plus, ce sont des boulettes de viande qu'il faut ingurgiter. Il y a aussi les côtes de porc à Las Vegas, les saucisses italiennes dans l'Utah, les pattes et les cuisses de dinde à New York. Mais le grand prix, sponsorisé par Krystal, une chaîne commercialisant des hamburgers carrés, s'élève, au bout d'un véritable championnat, à 30 000 dollars. Pour remporter cette somme, il faudra dévorer plus de... 97 hamburgers en huit minutes chrono ! C'est en tout cas le record détenu par Takeru Kobayashi, un Japonais spécialiste aussi de la descente de hot-dogs (53 3/4 en douze minutes), de saucisses (58 en tout juste dix minutes), de cervelles de vache (un quart d'heure pour 57 exemplaires). Kobayashi est une légende vivante parmi les membres de l'IFOCE. Il figure d'ailleurs en bonne place dans la liste des records validés

---

56. *Ibid.*

par la fédération[57]. Un classement où l'on peut noter aussi la présence de Sonya Thomas. En dix minutes, cette Américaine a réussi l'incroyable exploit d'engouffrer 7 Thickburgers de chez Hardee's !

Depuis 2005, les compétitions présentées par la fédération ont droit à l'attention des médias. ESPN, la chaîne sportive, ne saisissant apparemment pas l'ironie de la situation, diffuse même chaque année plusieurs de ces épreuves.

Même David Wallerstein aurait du mal à le croire. En 2006, alors que l'Amérique étouffe sous sa graisse, le principe du glouton est devenu une compétition passant en prime-time à la télévision.

---

57. http://www.ifoce.com/records.php

17. Inconscient

Le dilemme de l'omnivore et le principe du glouton éclairent d'une lumière fascinante l'interaction entre la nourriture et l'homme. En fait, pour tout dire, malgré des millénaires d'évolution, l'espèce humaine reste habitée par ses origines animales. Aussi, notre vie se voit-elle guidée par deux facteurs incontournables : le sexe et la nourriture. Le premier assure notre reproduction. Le second, notre existence. Ensemble, ils garantissent la survie et la transmission de nos gènes.

La surabondance d'aliments dans les assiettes américaines repose sur les mêmes principes. Pour Eric Asimov, critique culinaire au *New York Times*, l'explosion de la taille des portions suscite chez les consommateurs la pulsion de plus manger et répond à une recommandation enfantine bien connue : « Les gens ont le sentiment de désobéir à leur mère s'ils ne finissent pas leurs plats[58] ». L'idée est amusante et, à l'instar de la peur du regard des autres chère à Wallertsein, doit certainement jouer. Mais au-delà de l'autorité maternelle, certains chercheurs sont persuadés que notre vocation à terminer une assiette est, une fois de

---

58. Morgan Spurlock, *Don't eat this Book*, Berkley Publishing Group, 2005.

plus, inscrite dans nos gènes. Brian Wansink, de l'université de Cornell, affirme ainsi que les grosses portions de nourriture agissent sur notre inconscient en dégageant un message qu'il résume par un très clair « Mange moi ! ». Un ordre si puissant qu'il annihile tout appel à la raison[59].

Barbara Rolls fait, elle, partie de ces universitaires convaincus que cette attirance relève d'un réflexe vieux comme nos origines. Habitué à craindre les périodes de famine, l'homme serait programmé pour emmagasiner de la nourriture lorsqu'elle est disponible.

Afin de prouver sa théorie, cette chercheuse conduit depuis plusieurs années une série de travaux au sein de l'université de Pennsylvanie. Qui attestent que, systématiquement, ses « cobayes » mangent plus lorsqu'ils sont confrontés à de plus grosses portions. Elle estime même que cette surconsommation suit une règle précise puisque, en moyenne, les sujets confrontés à des assiettes plus grandes mangent 30 % de nourriture supplémentaire.

*

L'industrie agroalimentaire rejette en bloc toute idée de responsabilité dans la pandémie d'obésité. Et considère sans fondement les travaux de Rolls. La vocation de ces entreprises étant de satisfaire le consommateur, comme c'est lui qui réclame plus, elles le satisfont. C'est, en quelque sorte, une version moderne du paradoxe de l'œuf et de la poule.

Wansink, rebondissant sur l'axe de défense des restaurateurs et des fabricants de nourriture, a de son côté poursuivi ses recherches, s'intéressant cette fois-ci non plus au contenu mais au contenant. Ses découvertes sont simples à

---

59. Voir l'article de Brian Wansink, « Bottomless Bowls : Why visual Cues of Portion Size may influence Intake », *Obesity Research*, issue 13, 2005.

résumer : plus ce dernier est important, plus l'être humain mange. Qu'il s'agisse du volume d'un paquet de chips, de la circonférence d'une assiette ou de la profondeur d'un plat, l'appétit s'adapte. L'exemple le plus parlant est celui des M&M's. Confronté à un sac de 500 grammes de ces bonbons pas franchement diététiques, un « cobaye » de Wansink en avale 80 dans un laps de temps limité imposé par le chercheur. Plus tard, quand on lui présente un paquet d'un kilo, c'est 112 M&M's qu'il ingurgite dans le même délai !

Il ne fait donc aucun doute que la taille des portions contribue à l'étendue de la pandémie. Ce que confirme l'American Institute for Cancer Research, lorsqu'il estime que 67 % des Américains terminent leur assiette quel que soit le volume de nourriture servi. En continuant, pourrait ajouter Eric Asimov, à faire plaisir à leur maman !

*

Autre certitude, l'explosion des portions fausse la perception du consommateur, qui ignore désormais ce que recouvre une quantité raisonnable. L'USDA – le ministère de l'Agriculture américain – précise par exemple que des menus de taille dite normale dans certaines chaînes de fast-foods sont en fait jusqu'à trois fois plus caloriques que ce que préconisent les normes diététiques. Cette absence de repères communs crée même une sorte d'incompréhension internationale, comme l'a constaté Eric Asimov : « Je ne compte plus le nombre de personnes qui viennent me voir pour se plaindre de la taille des portions lorsqu'elles voyagent en France ou au Japon. Ces gens ont moins de nourriture que ce qu'ils ont l'habitude de recevoir et éprouvent, à l'étranger, le sentiment de se faire arnaquer[60] ».

---

60. *Don't eat this Book, op.cit.*

La comparaison, intéressante, pourrait expliquer pourquoi le reste de la planète n'atteint pas encore les taux d'obésité constatés aux États-Unis. Ainsi, en 2003, Paul Rozin a mené une étude mesurant les portions en France et en Amérique du Nord[61]. Les conclusions de ce chercheur en nutrition donnent le tournis. Dans les restaurants américains, la quantité de nourriture servie est au moins supérieure de 25 % à ce que l'on constate dans l'Hexagone.

Pour les établissements yankees, cette surenchère est d'autant plus facile à pratiquer que la part alimentaire ne compte que dans un cinquième des frais de fonctionnement de la restauration aux États-Unis. Les prix bas d'achat de nourriture permettent aux restaurateurs d'en servir plus, tout en continuant à présenter des tarifs compétitifs.

Autre découverte de Rozin, cette fois dans les allées des supermarchés : les plats individuels s'avèrent en moyenne 37 % plus grands aux États-Unis.

Le plus étonnant, à mon avis, reste toutefois une dernière trouvaille de l'universitaire : comparant les mêmes livres de recettes dans les deux pays, il s'est rendu compte que, pour le même plat, l'édition américaine recommandait systématiquement une plus grande quantité d'ingrédients !

*

L'explosion de la taille des portions pourrait apparaître comme un phénomène purement américain, au diapason du gigantisme du pays. En réalité, il n'en est rien. Ainsi, dans l'édition 2006-2007 de leur guide *Savoir manger* [62], les nutritionnistes Jean-Michel Cohen et Patrick Serog ont constaté l'émergence de ce phénomène en France. Pis, ils

---

61. http://www.sciencedaily.com/releases/2003/08/030825073029.htm
62. Dr Jean-Michel Cohen et Dr Patrick Serog, *Savoir manger, le Guide des aliments 2006*-2007, Flammarion, 2006.

ont révélé une tendance inquiétante : « À l'heure actuelle, la valeur nutritive des aliments ne cesse d'augmenter. Ainsi on peut constater que la valeur moyenne de l'ensemble des yaourts, qui était il y a quelques années de 70 kcal aux 100 g, atteint aujourd'hui 80 kcal. Que celle des pains, qui étaient à 250 kcal, est désormais à 275... »

Portions plus grandes, aliments plus riches en sucres et en graisses, le dilemme de l'omnivore et le principe du glouton ne sont donc plus des exceptions américaines. En traversant l'Atlantique et en s'imposant dans nos assiettes, ils mettent aussi en péril notre avenir.

18. Spectateurs

Une fois de plus, Bill Clinton avait trouvé la formule qui fait mouche. C'était au début d'un discours en 1998. « Lorsque ma fille a commencé l'école, on lui a souvent demandé quel était le métier de son père. Sa réponse ? Que je travaillais chez McDonald's[63]. »

Six ans plus tard, l'ancien président des États-Unis était admis aux urgences et subissait un quadruple pontage coronarien. Le coupable ? Une alimentation trop grasse et sucrée. Depuis, devenu adepte d'une nourriture saine et d'une activité physique régulière, Clinton s'est associé avec Mike Huckabee pour tenter d'éviter l'obésité à leurs petits compatriotes.

Oubliée donc, aujourd'hui, son ancienne réponse à des écoliers lui demandant de montrer l'exemple en évitant les fast-foods. Président en exercice, il avait en effet répondu qu'il ne considérait pas McDonald's comme un temple de la malbouffe. Et qu'au contraire, ses visites dans les fast-foods lui permettaient de mieux comprendre le pays. Des étapes si fréquentes qu'en 1992, le magazine spécialisé *Advertising Age* affirmait que la « loyauté affichée par le

---

63. Cité par le *New York Times*, 12 septembre 2004.

nouveau président a offert à McDonald's des millions de dollars de publicité gratuite [64] ».

Rappeler cette anecdote n'a pas pour objectif de faire le procès de Bill Clinton – qui, pour la petite histoire, se faisait apporter clandestinement [65] dans le Bureau Ovale des pizzas de chez Domino's par une stagiaire nommée Monica Lewinsky –, mais d'illustrer un changement sociétal profond.

*

Si la pandémie d'obésité est multifactorielle, deux raisons principales semblent expliquer son origine comme son essor. La première, nous venons de l'observer, est la surconsommation de nourriture. Qu'il s'agisse de la multiplication des snacks, des repas pris à l'extérieur ou de l'augmentation de la taille des portions, l'ensemble de ces facteurs constituent la moitié de ce « Big Two », le gros deux, comme le surnomment les chercheurs américains.

La seconde part englobe une série d'évolutions vécues et souvent déclenchées par notre société, un vaste ensemble dans lequel les propos de Bill Clinton ont leur place. En se transformant malgré lui en porte-parole d'un des représentants les plus emblématiques de la malbouffe, le président américain normalise la consommation de celle-ci. En refusant d'en évoquer les dangers, et ce malgré les questions d'un groupe d'élèves, il perpétue l'idée – fausse – que ce qu'on avale dans un fast-food est aussi sain qu'ailleurs. Or, la seconde moitié du « Big Two » ne tourne pas exclusivement autour de la portée des paroles et

---

64. *Advertising Age*, 14 décembre 1992. De leur côté, les directeurs de la société assuraient au *Washington Post* que les visites présidentielles les rendaient « heureux, mais que McDonald's n'avait pas l'intention de les exploiter dans une campagne publicitaire ».

65. Clandestinement parce que le Secret Service en charge de la protection du président interdit toute consommation de nourriture non préparée par le chef de la Maison-Blanche.

des actes de l'ex-président des États-Unis. Réunie sous la généreuse appellation de « sédentarité », elle regroupe de nombreux éléments auxquels il faut s'intéresser.

*

La Maison-Blanche n'a pas toujours défendu le droit des Américains aux hamburgers et au Coca-Cola. Bien avant Bill Clinton, John F. Kennedy avait alerté ses compatriotes sur les risques qu'encourait un pays en train de s'endormir. C'était en mars 1961 et JFK, face aux défis du monde et plus particulièrement de la guerre froide, avait insisté sur la nécessité de créer des générations d'adolescents en pleine forme. « Nous ne voulons pas que nos enfants deviennent une nation de spectateurs, proférait-il. À la place, nous souhaitons que chacun d'eux mène une existence vigoureuse [66]. »

Avec 25 millions d'enfants obèses ou en passe de le devenir, la crainte de JFK est hélas une réalité. Et on le constate plus encore si l'on considère le travail de James Hill, directeur du Centre de recherches sur la nutrition de l'université du Colorado. Celui-ci estime en effet que les chiffres avancés actuellement sont bien en dessous de la réalité. « Le gouvernement américain se refuse à utiliser le terme " obèse " pour certains enfants : leur condition n'est pas définitive, argue-t-il, mais en réalité, c'est triste à dire, très peu s'en sortiront. Alors, notre administration préfère employer le terme plus correct " d'enfants à risques ". Mais quand on ajoute les enfants en surcharge pondérale à cette dernière et nouvelle catégorie, on arrive à 60 % de la jeunesse américaine. Avec un tiers d'enfants qui, quoique prétendent nos gouvernants, sont déjà obèses [67] ! »

Pour lui, le concept kennedyien d'une nation de spectateurs est malheureusement dépassé. Le chercheur estime

---

66. *Fitness in Action*, cité dans *Fat Land*, *op.cit.*
67. Entretien avec l'auteur.

qu'il en va désormais du futur du pays. Pour lui comme pour d'autres, les coupables sont connus depuis longtemps. Ils peuplent les dossiers spéciaux de l'ensemble des supports médiatiques. Dans le désordre, il pointe alors la télévision, l'Internet, les consoles de jeux, la modernisation, les femmes au travail, la voiture, l'insécurité...

*

Commençons donc par la grande fautive, celle qui est montrée du doigt en permanence sans vraiment que cela change quoi que ce soit. Aux États-Unis, la télévision est allumée en moyenne près de huit heures par jour. Et, sans surprise, ce sont les enfants qui y passent le plus de temps. Sans limite d'âge. Les moins de six ans restent collés à l'écran plus de deux heures. Le ministère de la Santé a beau calculer qu'un enfant et un adolescent en pleine croissance ont besoin d'au moins soixante minutes d'activité physique quotidienne, la télévision – à laquelle est de plus en plus souvent raccordée une console de jeux – absorbe tout ce temps. Résultat ? 15 % des plus de douze ans confessent ne pratiquer aucun sport.

Ce temps gaspillé devant le petit écran a forcément des conséquences physiques. L'université de Harvard a établi que les risques d'être touché par le diabète de type 2 sont multipliés en proportion des heures dévouées à un écran, qu'il soit d'ordinateur ou de télévision. D'après ce rapport publié en 1999, la probabilité est même doublée lorsqu'on consacre plus de vingt et une heures par semaines à ces appareils. La même étude démontre en outre que le risque d'obésité chez l'enfant est accru de 31 % s'il possède un téléviseur dans sa chambre.

*

La télévision aux États-Unis n'a rien de comparable à ce que l'on voit en Europe. Et la regarder confine à entamer une aventure qui donne tout son sens aux propos tenus voilà quelque temps par Patrick Le Lay.

En 2004, le président-directeur général de TF1 avait suscité la polémique en expliquant sa conception de la télévision dans le livre *Les Dirigeants face au changement* en ces termes : « Il y a beaucoup de façons de parler de la télévision. Mais dans une perspective " business ", soyons réalistes : à la base, le métier de TF1, c'est d'aider Coca-Cola, par exemple, à vendre son produit. [...] Or, pour qu'un message publicitaire soit perçu, il faut que le cerveau du téléspectateur soit disponible. Nos émissions ont pour vocation de le rendre disponible : c'est-à-dire de le divertir, de le détendre pour le préparer entre deux messages. Ce que nous vendons à Coca-Cola, c'est du temps de cerveau humain disponible [68] ».

Pour tout dire, j'avais trouvé la tempête soulevée par ces phrases disproportionnée. Les dirigeants, qu'ils soient politiques ou d'entreprises, sont des habitués de la langue de bois. Et là, pour une fois, avec une honnêteté peut-être trop abrupte, l'un d'entre eux osait briser le tabou. Entendons-nous bien, il ne s'agit pas chez moi d'émettre un jugement de valeur sur le fondement des paroles du grand patron de TF1. Non, je trouve simplement sa déclaration proche de la vérité. En tout cas, de ma vérité américaine. Passer ici quelques heures devant le petit écran donne tout son sens au « métier » de TF1 tel que Patrick Le Lay l'évoque. Car la publicité est omniprésente et les programmes de toute évidence formatés autour d'elle.

Les trois plus gros acheteurs d'espaces publicitaires télévisuels sont les constructeurs automobiles, les marques de

---

68. *Les Dirigeants face au changement*, Éditions du Huitième Jour, 2004.

bière et la restauration[69]. L'Américain moyen arrivé à soixante-cinq ans en 2006 a déjà ingurgité plus de 2 millions de spots. Mais on estime que les enfants, eux, en voient près de 400 000 par an ! Un chiffre phénoménal, porteur d'un véritable enjeu. Et qui soulève une interrogation inévitable. Plus que le fait de regarder la télévision, la publicité serait-elle responsable d'une part non négligeable de la pandémie d'obésité ?

---

69. En Australie, la publicité pour la nourriture représente un tiers de la totalité des spots. Et, dans cette catégorie, 81 % mettent en avant les produits des chaînes de fast-food. Or 25 à 30 % des enfants sont obèses ou en surpoids. In Cancer Council of New South Wales, *Health Promotion International*, juillet 2006.

19. Hérésie

Le 29 septembre 2006, l'Union fédérale des consomma-teurs-Que Choisir partait en guerre contre les « fabricants d'obésité [70] ». Les propos d'Alain Bazot, son président, étaient sans équivoque : « Les publicités télévisées pour enfants influent sur les comportements alimentaires des enfants. [...] Nous ne pouvons plus admettre le discours de l'industrie agroalimentaire qui a tendance à botter en touche, se dégageant de ses responsabilités en prônant plus de sport pour les enfants ou bien en culpabilisant les familles qui laissent les enfants regarder la télévision [71] ».

Et pour étayer sa déclaration, Bazot citait les résultats d'une enquête réalisée par l'association de consommateurs. « Sur les 217 spots alimentaires ciblant les enfants, relevés pendant quinze jours sur les plus grandes chaînes de télévi-sion à l'heure des émissions enfantines, 89 % concernent des produits très sucrés ou gras ! » Et d'ajouter : « Globale-ment, les publicités participent activement à la construction de " l'idéal alimentaire " des enfants. Entre les repas, 60 % d'entre eux sollicitent viennoiseries, confiseries,

---

70. Titre du communiqué de presse de l'UFC-Que Choisir, 29 septembre 2006. Voir : http://www.quechoisir.org
71. Dépêche AFP, 29 septembre 2006.

gâteaux gras ou sucrés, et au petit déjeuner, 64 % réclament des céréales très sucrées, des viennoiseries, gâteaux et confiseries, produits qui font l'objet de l'investissement publicitaire le plus massif[72] ». Des déclarations vigoureuses suivies d'une conclusion de l'UFC-Que Choisir des plus intéressantes : « En concentrant sa puissance de feu publicitaire destinée aux enfants sur des produits manifestement déséquilibrés, l'industrie agroalimentaire participe à l'augmentation alarmante de l'obésité infantile[73] ».

*

La conférence de presse d'Alain Bazot était à peine terminée que déjà tombait une dépêche AFP reproduisant la réponse des publicitaires. Forcément, ils étaient outrés. « Dire que la publicité est à l'origine de l'obésité est totalement faux », protestait Régis Lefèbvre, directeur associé de Publicis Conseil. Réfutant les propos de l'UFC, il soulignait plutôt « une corrélation très forte entre la pauvreté et l'obésité », citant une enquête Obepi 2006 publiée une semaine auparavant, et selon laquelle la fréquence de l'obésité restait inversement proportionnelle aux revenus. Seuls les produits de marque font de la publicité, assurait en outre M. Lefèbvre, assénant : « Ce sont les personnes à faibles revenus qui achètent des produits premiers prix, souvent plus gras, plus sucrés, et qui sont obèses. La publicité n'est donc en rien responsable de la progression de l'obésité[74] ».

*

Dans son roman pamphlet consacré à la publicité, Frédéric Beigbeder a de nombreuses formules virulentes

---

72. Communiqué de presse UFC-Que Choisir, *op.cit.*
73. *Ibid.*
74. Dépêche AFP, 29 septembre 2006.

lorsqu'il s'agit de décrire son ancien métier. Parmi celles-ci, j'en retiens une : « Pour réduire l'humanité en esclavage, la publicité a choisi le profil bas, la souplesse, la persuasion[75] ». Les mots de Beigbeder s'avèrent en dessous de la vérité. Nier l'influence de la publicité dans la pandémie d'obésité est une hérésie. Comme de prétendre qu'il s'agit seulement d'un problème de classe. Certes, en France comme aux États-Unis, les premiers touchés sont les plus pauvres. Mais, *a contrario*, voit-on le pouvoir d'achat épargner les autres ? Évidemment non. Si le terme pandémie a été utilisé durant la conférence de Sydney, c'est bien parce que justement toutes les tranches d'âges et de classes sont confrontées à ce mal. Si les plus pauvres sont les plus atteints, c'est parce que leur accès à une nourriture plus saine et à des infrastructures sportives est limité.

En vérité, la publicité conditionne le consommateur à se tourner vers des familles de produits. Et son achat se voit ensuite lié à l'épaisseur de son porte-monnaie : s'il n'a pas les moyens d'acquérir le produit vanté par un spot, il optera pour son équivalent portant le label d'une marque de distribution.

Au lieu d'affirmer que ces produits-là sont plus mauvais pour la santé que ceux arborant un label connu (et donc un budget publicitaire), Régis Lefèbvre aurait dû s'inspirer des remarques de Jean-Michel Cohen et Patrick Serog et se révolter face à l'injustice qu'ils décrivent : « Accepter qu'un produit vendu moins cher, coûtant donc moins cher à fabriquer, soit d'une moins bonne valeur nutritionnelle relève de l'inadmissible. [...] Conclure que quelqu'un qui n'a pas d'argent mange moins bien que quelqu'un qui en a demeure plus que troublant. Cependant, un constat choquant est là : on ne vend pas à quelqu'un qui dépense peu une aussi bonne alimentation qu'à quelqu'un qui dépense beaucoup[76] ».

---

75. Frédéric Beigbeder, *99 francs (14,99 euros)*, Grasset, 2000.
76. In *Savoir manger*, *op.cit.*

*

Pour tout dire, la position du directeur associé de Publicis Conseil ne m'étonne guère. L'un des avantages lié au fait de vivre aux États-Unis est d'être souvent confronté à certains phénomènes avant qu'ils ne débarquent ailleurs. Et comme l'Amérique est le foyer original de la crise d'obésité, cela fait déjà quelque temps que les effets néfastes de la publicité sur les comportements des enfants y sont dénoncés. Des accusations balayées d'un revers de la main par les représentants du métier. Face au même type de reproches que ceux vilipendant les « écrans plats pour ventres ronds [77] », se sont élevées les mêmes voix scandalisées des professionnels de la pub. Tout aussi agacés par ce type d'assaut que les publicitaires français, leurs réponses furent néanmoins plus élaborées. En 1997, les publicitaires définirent en effet leur mission comme un travail d'éducation de la jeunesse : « Faire de la publicité en direction des enfants [...] n'est rien d'autre que de l'éducation primaire dans un environnement commercial [...] Un passeport pour une forme de sagesse utile. Au lieu d'être restreinte, comme certains le suggèrent, cette véritable leçon éducative devrait recevoir un plus grand soutien, être encouragée et élargie [78] ». La parade était habile : essayer de se substituer aux services officiels et aux familles pour « vendre », il fallait quand même oser.

Un peu plus tard, changement de fusil d'épaule. Le registre de la publicité comme source de savoir n'ayant pas marché, les génies de la « pub » font machine arrière. Ils en viennent, cette fois, à mettre en doute les vertus de leur « art ». À les en croire, celui-ci serait loin de fonctionner et

---

77. Communiqué de presse UFC-Que Choisir, 29 septembre 2006.
78. In *Food Politics, op.cit.*

de conditionner les consciences comme d'aucuns l'affirment : « En réalité, il n'existe pas de preuve que la publicité soit une source d'influence majeure sur les choix alimentaires des enfants. [Il] existe même plutôt des preuves substantielles du contraire. Que ce sont d'autres facteurs, notamment les préférences en termes de goût et l'autorité parentale, qui sont les sources d'influence principales [79] ».

La litanie des postures destinées à désamorcer les critiques n'a pas cessé depuis. Tour à tour, on a entendu les instances corporatives affirmer que la publicité des groupes agroalimentaires à destination des enfants était l'expression d'un droit fondamental à la liberté d'expression, puis un moteur essentiel de l'économie, mais aussi un divertissement sans conséquence, et même une manière d'exprimer sa confiance envers l'aptitude à prendre des décisions intelligentes de la jeunesse du pays.

Ce dernier argument a le don de faire exploser certains nutritionnistes américains. « D'un côté, notre société reconnaît que les enfants ne sont pas assez mûrs pour effectuer des choix raisonnables et donc, nous contrôlons la promotion de l'alcool, des armes à feux et du tabac, rappelle l'un d'eux, Walter Willett. Mais de l'autre, nous considérerions que ces mêmes jeunes enfants pourraient faire des choix rationnels concernant la nourriture. Or ces décisions ont des conséquences sanitaires graves. Et nous les exposons à un intense marketing en faveur de produits largement privés de valeur nutritionnelle et saturés de calories [80] ».

Mais avant de condamner, il faut au moins accorder le bénéfice du doute. Et répondre rapidement à deux questions majeures : la publicité pour les enfants a-t-elle vraiment une influence sur eux ? Et si oui, a-t-elle sa part de responsabilité dans la pandémie d'obésité ?

---

79. *Ibid.*
80. Walter Willett, *Science*, 2002.

*

Qui serait prêt à consacrer 15 milliards de dollars par an, année après année, à une expérience sans succès ni retour sur investissement ? Évidemment personne. Or c'est le budget de la publicité à destination des enfants aux États-Unis. À lui seul, ce chiffre démontre l'efficacité des spots. Autre preuve de leur impact, les publications consacrées à ce secteur en pleine croissance se multiplient et ont des titres sans équivoque. N'existe-t-il pas une revue intitulée *Selling to Kids*, « vendre aux gamins » ?

Le genre a même un vocabulaire spécifique, codifié et théorisé en 1992 par James McNeal, professeur de marketing à l'université Texas A&M[81]. Où il est question du « pouvoir des petites pestes » et du *nag factor*, autrement dit de l'« élément caprice ». McNeal, reprenant les règles du métier, décortique précisément les différents types de pression qu'un enfant peut exercer sur ses parents. Et liste les cibles préférées des gourous du marketing. À savoir les parents divorcés, plus aisément sujets à la culpabilité, et ceux d'enfants en bas âge dont les cris et les pleurs constituent les meilleurs arguments d'achat. Selon l'universitaire texan, la loyauté d'un enfant envers une marque s'établit vers l'âge de deux ans. Le vecteur de choix afin d'arriver à une telle mainmise ? La télévision, évidemment, et ses spots publicitaires. D'où le conseil, suivi à la lettre par les groupes de l'agroalimentaire, d'investir massivement dans la publicité diffusée au moment où le petit tyran se trouve devant son petit écran.

L'enjeu est d'importance. En 2004, les enfants et adolescents contrôlaient un pouvoir d'achat s'élevant à

---

81. James McNeal, *Kids as Customers : a Handbook of Marketing to Children*, New York, Lexington Books, 1992.

600 milliards de dollars. Finalement, les 15 milliards investis en publicité paraissent être une bonne affaire !

*

« La publicité ne marche pas », prétendent certains de ses pontes. D'accord, alors comment expliquer que sur les 600 milliards évoqués, la jeunesse américaine achète surtout des produits estampillés « vus à la télé » ? Et comment justifier que, *comme par hasard*, ce soit cette même industrie qui en récupère la plus grosse part ? En 1997, les adolescents ont dépensé pas moins de 58 milliards de dollars dans l'achat de snacks ! Un chiffre auquel il faut ajouter les 3 milliards des six-douze ans. Sur lesquels se greffent encore les 9 milliards directement liés à la consommation de sodas.

Directement ? Oui, car la martingale du *nag factor* ne se satisfait pas du marché des enfants ; elle déborde sur les achats des parents. Ainsi 60 % des plats préparés achetés pour la consommation de la famille l'ont été suite à un « choix » de l'enfant. Cette prescription concerne aussi 50 % des céréales, 25 % des snacks et 40 % des pizzas surgelées. L'enfant est devenu prescripteur pour l'ensemble des acquisitions familiales, d'où l'obligation pour les publicitaires et les industriels de le séduire le plus tôt possible.

*

Malgré les dénégations des géants du secteur, la publicité en direction des enfants fonctionne, on le voit. Mais, *quid* de sa responsabilité dans l'explosion de l'obésité ?

Là encore, le fait que la jeunesse américaine consacre une part essentielle de son pouvoir d'achat et de prescription à l'acquisition de snacks, sodas et autres sucreries devrait suffire à établir le lien entre pub et obésité. Mais pas à un publicitaire, dont la survie économique dépend de sa capacité à « vendre » une histoire. Confronté à cet argument, il trouve toujours la même parade : même sans spot, les enfants privilégieraient les produits sucrés et gras.

Sauf que tout est question d'éducation. Le message d'un parent ne peut résister à un raz-de-marée d'arguments publicitaires. C'est pour cela, d'ailleurs qu'un enfant ne parvient pas à faire la différence entre la réalité et un discours commercial. En fait, de nombreuses études prouvent que, jusqu'à huit ans, celui-ci ne comprend même pas que le but d'une publicité est de lui vendre un produit. Or, comme le dévoilait James McNeal, sa loyauté envers une marque s'est alors déjà fixée depuis... six ans.

Ce brouillage n'est pas récent. En 1978 déjà, une étude citée par une publication consacrée au marketing démontrait que 70 % des enfants de six à huit ans pensaient que la nourriture des fast-foods était plus saine que celle qu'ils mangeaient chez eux[82].

Plus de deux tiers des enfants considéreraient donc qu'un menu choisi chez un vendeur de hamburgers est meilleur pour la santé qu'un repas préparé par leurs parents. Face à ce constat, il est difficile de ne pas songer à l'accord signé entre McDonald's et Disney. Nous allons voir pourquoi.

*

La synergie entre les deux compagnies mériterait en vérité un ouvrage entier. D'autant que Walt Disney et Ray Kroc partagent une histoire commune : les deux hommes, originaires du même État, se sont en effet rencontrés pour la première fois en 1917 en... France, où ils faisaient partie du même corps expéditionnaire engagé dans la Première Guerre mondiale.

82. Cité in *Food Fight*, Kelly Brownell, McGraw Hill, 2004.

Si l'empire Disney a été le premier à se construire, Kroc et ses Big Macs ont vite appliqué les mêmes recettes, dont l'une en particulier, imparable : afin de faire ouvrir le porte-monnaie des parents, il est plus facile de séduire les enfants.

Une vérité qu'il était encore bon de répéter voilà peu, comme l'attestent des mémorandums confidentiels publiés par Eric Schlosser dans son livre de référence, *Fast Food Nation*. Dans l'un de ces documents, Ray Bergold, inquiet de la mauvaise image de sa marque, écrivait : « Le challenge de la prochaine campagne publicitaire est de faire croire aux consommateurs que McDonald's est un " ami de confiance " ». Puis, évoquant l'alliance avec Disney, le responsable du marketing du fabricant de hamburgers poursuivait : « Cette union est notre outil le plus important car il améliore l'image de la marque McDonald's ». Un lien d'autant plus nécessaire qu'il justifie qu'un parent amène son enfant dans un McDonald's : « Un parent veut que ses enfants l'aiment [...] Venir chez McDonald's lui permet d'avoir le sentiment d'être un bon parent[83] ».

Les liens entre les deux enseignes se sont formalisés en 1996, quand Disney et McDonald's ont signé un contrat exclusif de dix ans. L'accord, estimé à 1 milliard de dollars de revenus pour Disney, prévoyait que McDonald's verse 100 millions de dollars rien que pour l'usage de la marque Disney. Dans le même document, la chaîne de fast-food s'engageait à mettre sur pied onze campagnes promotionnelles annuelles en faveur de produits Disney. Essentiellement sous la forme de jouets offerts dans les menus enfants. Des menus estimés à 670 calories, comportant plus de 30 grammes de graisse. Et dont les ventes triplèrent à chaque promotion offrant un jouet Disney. De son côté, Disney ouvrait ses parcs d'attraction au géant de l'hamburger-frites, permettant aux

---

83. Ces extraits proviennent de l'ouvrage d'Eric Schlosser, *Fast Food Nation*, Houghton Mifflin Company, 2000.

enfants de profiter de la magie des manèges et des spectacles avec un hamburger et un soda en main.

Mais voilà, en 2006, Disney a vécu une révolution interne. Steve Jobs, le président d'Apple, est devenu, via l'acquisition de Pixar, l'actionnaire principal du groupe. Sa première décision ? Mettre fin à l'accord unissant les deux géants. Pour Jobs, même si l'alliance avait une « valeur économique, elle renfermait d'autres préoccupations à mesure que notre société devient de plus en plus consciente des implications [sur la santé] des fast-foods [84] ».

Traduction en langage plus direct, provenant d'une source haut placée chez Disney et citée par le *New York Times* : « La société veut prendre ses distances avec l'industrie du fast-food à cause de ses liens avec l'épidémie d'obésité frappant les enfants [85] ».

*

Voilà qui, venant d'où on ne l'attendait pas, réduit à néant les assertions de certaines chaînes de restauration rapide et de leurs publicitaires quant à l'inefficacité de leurs messages commerciaux et l'innocuité des repas qu'ils vendent. Si cela ne suffisait pas, une étude publiée en 2005 par le National Bureau of Economic Research (NBER [86]) pourrait peut-être convaincre définitivement les derniers sceptiques. Chou Shin-Yi et Inas Rashad ont en effet quantifié *mathématiquement* les liens entre la publicité et la crise d'obésité chez les enfants. Selon eux, si, demain, la diffusion de spots consacrés à la malbouffe cessait, le nombre d'enfants en surcharge pondérale âgés de trois à douze ans diminuerait de 10 % ! Cette proportion grimperait même à 12 % chez les adolescents, là où la prochaine bataille contre l'obésité est en train de se jouer.

---

84. *New York Times*, 8 mai 2006.
85. *Ibid.*
86. http://www.nber.org/

20. Intégrale

Pour l'industrie agroalimentaire et les faiseurs de pub, l'enjeu des enfants est en fait bien plus important que quelques milliers de spots télévisés. Carol Herman, vice-présidente de l'agence publicitaire Grey Advertising, a sincèrement défini son ampleur : « Ce n'est pas suffisant de faire de la publicité à la télévision. Pour réussir, vous devez atteindre les enfants tout au long de la journée. À l'école, alors qu'ils font des courses au centre commercial, lorsqu'ils vont au cinéma... Pour gagner, vous devez devenir une part intégrale de la construction de leurs vies [87] ».

Ces propos sont d'autant plus terrifiants qu'ils ne relèvent pas de la science-fiction mais de la réalité actuelle. Prenez Internet. Eh bien, il est devenu le nouvel eldorado des vendeurs de hamburgers, de sodas et de sucreries. Là, ils échappent aux réglementations américaines sur la publicité. Mieux encore, comme le raconte Vicky Rideout, auteur d'une étude sur les sites Internet de l'industrie agroalimentaire conçus pour les enfants, « ceux-ci sont des outils marketing bien plus puissants que ce que la télévision a toujours rêvé d'être. Les sites des marques alimentaires sont conçus

---

87 www.igc.org

110

pour impliquer l'enfant sur une longue période. Les opportunités pour le jeune visiteur d'interagir dans un environnement ludique avec des barres chocolatées, des céréales ou des snacks sont permanentes [88] ». Les recherches de Rideout se sont focalisées sur 77 sites chargés de promouvoir des produits alimentaires dont la plupart sont sans grande vertu nutritionnelle. Ses choix ont uniquement été fondés sur le pouvoir d'attraction des sites en question. Au total, durant les trois mois qu'a duré son enquête, son panel a enregistré les visites de 12,2 millions d'enfants entre deux et onze ans.

Si tous les sites optent pour le jeu afin d'attirer le jeune chaland, certains poussent la formule à son paroxysme. Ainsi, 64 % d'entre eux utilisaient le marketing viral, encourageant les enfants à devenir, malgré eux, les ambassadeurs des produits proposés sur le site. Pis, plus d'un tiers des sites auscultés par Rideout proposaient des jeux bonus dont l'accès était rendu uniquement possible en indiquant des codes relevés sur les emballages. Comme l'écrit le chercheur, il s'agissait « d'inciter l'enfant à acheter ou à faire acheter certains produits et à le récompenser par un accès privilégié au site ».

*

Internet n'est pas le seul nouveau territoire que l'industrie agroalimentaire tente de conquérir. Et les États-Unis ne sont pas le seul pays visé par cette course à la part de marché « jeune ».

Actuellement, en Allemagne, The Coca-Cola Company teste un nouveau type de distributeurs de boissons conçu pour attirer la clientèle adolescente. La machine « intelligente » utilise un écran interactif afin d'arriver à ses fins.

---

88. Dépêche Associated Press, 19 juillet 2006.

Le consommateur peut regarder de courtes publicités qu'il lui est loisible de personnaliser. Et l'achat d'un Coke lui donne accès, via le distributeur, à la possibilité de télécharger sur son téléphone portable des jeux, des fonds d'écran et des sonneries.

*

Coca-Cola, décidément, est un nom qui revient souvent lorsqu'on se penche sur le problème de la pandémie d'obésité... De fait, ce livre n'est pas né uniquement au lendemain d'une rencontre sur un trottoir de Paris : il a commencé à mûrir lors de ma précédente enquête consacrée à cette marque [89].

Au-delà du rôle joué par Coke dans l'obésité mondiale, une incroyable histoire me ramenait invariablement sur le campus de l'université d'Emory, là même où j'avais trouvé les dernières pièces du puzzle formant le plus grand secret de la Compagnie.

---

89. *Coca-Cola, l'enquête interdite*, Flammarion, 2006.

21. Cerveau

L'université d'Emory n'a pas changé depuis ma précédente visite. C'était en mars 2005 et j'écrivais alors « qu'ici plus qu'ailleurs, Coca-Cola est partout. [...] Ici, l'histoire de Coca-Cola est inscrite dans les murs. Là, sur la gauche, il y a la Candler[90] School of Theology. Et, plus bas, la Roberto C. Goizueta[91] Business School[92] ».

Mais ce ne sont pas les archives de Robert Woodruff, le mythique patron de la Compagnie, qui m'attirent cette fois sur ce campus situé à une quinzaine de minutes d'Atlanta. Il ne s'agit plus de voyage dans le passé. Car ici, depuis 2001, se dessine discrètement le futur de la publicité. Et cet avenir-là est effrayant.

*

Joey Reiman et Brian Harkin sont deux vétérans de la publicité. Le premier, à la tête de l'agence BrightHouse,

---

90. La famille Candler, avec à sa tête Asa, a fondé The Coca-Cola Company.

91. Président de The Coca-Cola Company durant les années d'or boursières de la marque, au début de la décennie 1980.

92. *Coca-Cola, l'enquête interdite, op.cit.*

invente des spots depuis plus de vingt ans. L'autre, après un passage sur l'Internet, est un spécialiste de la valorisation des marques, le « branding ». En 2001, Brian Harkin est même devenu président d'une branche de BrightHouse appelée Thought Science, « la science de la pensée [93] ».

À Atlanta, la compagnie a deux adresses. La première se situe à l'ouest de la ville, dans une ancienne usine à savon devenue une suite de bureaux branchés. L'autre, moins connue, à Emory. Plus précisément à l'école de médecine, incorporée au sein de l'hôpital universitaire.

Là, BrightHouse est en train de se transformer en discret leader du neuro-marketing. L'idée est d'une simplicité déconcertante : il s'agit de placer des volontaires dans un scanner et d'observer les réactions de leurs cerveaux lorsqu'on les soumet à certains stimuli. Le but à de quoi surprendre. Selon les responsables du programme cités dans un article de *The Atlanta Journal-Constitution*, il s'agit de « donner aux consommateurs le pouvoir d'influencer les compagnies [94] ».

Qu'est-ce que cela signifie précisément ? Je n'en sais pas plus que vous. D'autant que, poursuivant dans un langage abstrait, ils ajoutent : « Nous non plus, nous n'en pouvons plus de la saturation de la publicité ».

Voilà qui laisse sceptique... Mais Joe Reiman et Brian Harkin ne s'arrêtent pas là. Le premier offre en effet une autre explication lumineuse : « Nous essayons de comprendre ce qui fait réagir les gens. [...] Est-ce que je porte ces pantalons parce qu'ils me vont ou parce qu'ils vont avec la vie que je mène ? » Toujours pas clair ? Qu'à cela ne tienne. Brian Harkin assène un argument massue : « Nos méthodes pourraient permettre de comprendre pourquoi les campagnes antidrogue ne fonctionnent pas auprès de notre jeunesse ».

---

93. Depuis sa création, la branche a changé de nom. Elle s'appelle désormais BrightHouse Neurostrategies Group.
94. *The Atlanta Journal-Constitution*, 1er février 2004.

*

Défense du consommateur, port du pantalon, campagne de prévention... voilà qui paraît bien embrouillé. Et le pire, c'est que c'est normal. Car les responsables de BrightHouse le sont aussi. Du moins publiquement. Mais pourrait-il en être autrement quand on réalise que leur travail consiste à trouver quelle émotion cérébrale se transforme en intention d'achat ? Le neuro-marketing consiste ni plus ni moins à dénicher, enfoui dans le cerveau, l'emplacement du fameux bouton qui indique « achète-moi » pour parvenir à l'actionner à notre insu. Une démarche délicate à assumer au grand jour.

De la science-fiction que tout cela ? De l'activisme anti-consumériste ? Même pas. Le 3 juin 2002, avant de changer de nom et de le faire disparaître de son site Internet, Thought Science publiait un communiqué de presse triomphant. Dont le contenu, que j'ai pu me procurer, est bien plus limpide et éclairant que les propos confus du président de la compagnie. En voici quelques extraits choisis...

« Pour la première fois, il sera possible aux agences publicitaires de comprendre les raisons dictant le comportement de leurs consommateurs. Imaginez que vous pouvez observer et quantifier la véritable réponse d'un consommateur [face à un nouveau produit]. [...] Le neuro-marketing est la vague du futur. Les compagnies utilisent la science pour prendre l'avantage. Celles qui se refusent à le faire seront laissées en arrière. [...] Pour la première fois, nous fournirons à nos clients les raisons qui poussent le consommateur à agir. »

C'est tout de suite plus clair, n'est-ce pas ?

Mais le meilleur reste pour la fin : « Le neuro-marketing permet d'avoir une vue de ce qui se produit dans les pensées du consommateur. Et, à terme, permettra d'augmenter les ventes des produits, la préférence pour une marque ou encore de s'assurer que le consommateur agit de la manière dont on souhaite qu'il agisse ».

S'assurer que le consommateur, vous et moi donc, se comporte comme les agences de publicité et leurs clients l'auront décidé, voilà donc, dans toute sa crudité, ce que l'on concocte dans les salles de recherche de l'université d'Emory. Jouant aux apprentis sorciers, des scientifiques dont l'âme est clairement du côté des affaires tentent de percer les secrets du cerveau afin de nous forcer la main.

*

L'utilisation de matériel médical dans un tel but pose des questions d'éthique. Pourtant, la direction d'Emory refuse de s'en offusquer. Le discours officiel résonne des mêmes excuses hasardeuses avancées par BrightHouse. Il est dans un premier temps question d'avancée scientifique, de publications à venir. Pour finalement convenir, presque blasé, de la réalité : « Il est évident que si vous parvenez à comprendre comment les gens prennent les décisions, vous allez utiliser ce savoir à des fins commerciales. Je ne vois rien de condamnable à cela [95] ».

La position d'Emory n'est pas réellement une surprise lorsque l'on connaît les liens des universités américaines avec le monde des affaires : de fait, aux États-Unis, la recherche est essentiellement financée par des dons privés. En plus du prêt de ses locaux et de scanners à résonance magnétique, l'université d'Emory s'est directement associée au projet de BrightHouse. Ainsi, l'organigramme de la compagnie révèle que Clinton Kilts est responsable de l'ensemble de la partie scientifique. Lequel Kilts est également professeur à Emory, où il dirige le département de

---

95. Docteur Robert Rich, doyen de Emory School of Medecine. *The Atlanta Journal-Constitution*, 1er février 2004.

recherche en psychiatrie et en sciences du comportement. Sa spécialité ? Les mécanismes cérébraux de l'addiction. Simple hasard ?

*

Quoi qu'il en soit, cette information est une fois encore inquiétante. Car, si l'on récapitule, on constate qu'au sein d'une des plus prestigieuses universités américaines, une compagnie privée tente d'élucider et de briser les mécanismes du cerveau pour arriver à influer sur les impulsions d'achat. Et aussi qu'à la tête de ce programme figure un scientifique dont la spécialité est l'addiction. La vérité dépasse toujours la fiction.

Reste à savoir si les expériences conduites par BrightHouse ont été couronnées de succès et quelle peut être alors leur utilisation commerciale. Ce questionnement a de quoi faire frémir quant à l'évolution de la pandémie d'obésité.

*

Officiellement, le cerveau n'est pas aussi simple que d'aucuns le prétendent. « Ce n'est pas comme si les consommateurs allaient se mettre à courir comme des automates pour acheter un produit, et ce quelle que soit la manière dont ils pensent », explique Justine Meaux. Scientifique travaillant pour BrightHouse, elle se veut rassurante tout en admettant, lors de conférences, l'avancée du projet.

En fait, selon différentes sources proches des recherches, BrightHouse aurait fait des progrès considérables depuis 2004. Des séries de tests ont permis d'identifier l'emplacement du cortex qui réagit à la vue d'un produit ou à l'évocation d'un sentiment. Pour aboutir à ces conclusions, les scientifiques d'Emory ont toujours pratiqué de la même manière. Un volontaire, payé une cinquantaine de dollars, s'est glissé pendant une demi-heure dans un scanner. Là, il a été soumis à une série d'images. Et, pendant ce temps, les réactions de son cerveau ont été enregistrées.

La découverte de la zone censée renfermer le fameux « interrupteur » poussant à l'achat est de taille. Mieux, elle est confirmée par une étude indépendante et parallèle menée cette fois à l'université Baylor de Houston. Dans ce laboratoire, une équipe menée par Read Montague a mis au jour les mécanismes incitant un consommateur à préférer un... Coca-Cola plutôt qu'un Pepsi[96].

Si, à l'aveugle, le goût plus sucré de Pepsi-Cola l'emporte fréquemment, l'identification du soda comme étant un Coke déclenche une forte activité sur le cortex. Et finalement, l'emportant sur le goût, pousse à l'achat. Montague en est convaincu, la préférence pour Coke est d'abord liée à son image positive, ancrée dans les inconscients par cent vingt ans de publicité. Ce qui confirme, comme je l'écrivais dans mon précédent livre, qu'il s'agit bien là du premier capital de la marque. Ce qui, on s'en doute, devrait faire que Coca-Cola soit l'un des premiers intéressés par les travaux menés à Emory. Mais est-ce le cas ?

*

D'emblée on pourrait pointer quelques coïncidences. Déjà, Atlanta et Emory sont deux bastions de Coca-Cola. Mais ce n'est pas tout. Prenez Brian Harkin, par exemple. Le président du projet BrightHouse Thought Science, spécialiste du *branding*, a une histoire en commun avec la Compagnie. Il a en effet travaillé en son sein au développement de nouvelles marques. C'est lui qui a, entre autres,

---

96. « Neural Correlates of behavorial Preference for culturally familiar Drinks », *Neuron*, 14 octobre 2004.

géré l'extension des labels Mello Yello et Barqs, deux produits de The Coca-Cola Company. Mieux, comme l'indiquait une biographie qui a malencontreusement disparu du site Internet de Thought Science, Harkin a développé « le positionnement de la marque, de la formule et du design [...] de Dasani », l'eau minérale en bouteille commercialisée par Coke.

Autre donnée intéressante, le témoignage de Peter Graser, l'un des cobayes ayant accepté de se glisser dans un scanner pour une trentaine de minutes. Il a raconté que parmi les images observées se trouvaient à la fois « Madonna, du brocoli, des sushis, un truck Ford, un chien, Bill Clinton et Coca-Cola ».

BrightHouse ne souhaite évidemment pas confirmer si Coca-Cola figure parmi ses clients, mais de solides indices le laissent présager. Au-delà de ses recherches en neuromarketing, la société mène par exemple des activités plus classiques d'agence de publicité. Or, parmi la clientèle dont elle assure la promotion, à côté d'entreprises comme Home Depot, une enseigne de bricolage et de décoration, ou Pepperidge Farm, un fabricant de biscuits, on retrouve... Coca-Cola.

Faut-il poursuivre la litanie des points en commun ou des zones de rapprochement ? Oui. Alors continuons. BrightHouse admet par ailleurs mener une série de recherches pour un gros client figurant dans le classement annuel des entreprises établi par le magazine *Forbes*. En soi, la précision n'est pas étonnante, puisqu'il en coûte au minimum 250 000 dollars pour accéder à ses découvertes. Le plus intéressant est que, utilisant l'indice fourni par BrightHouse, seules quatre sociétés figurant dans sa liste de clients sont conformes à la description : Delta Airlines, une compagnie aérienne ; MetLife, une compagnie d'assurances ; Georgia-Pacific, un géant de l'emballage industriel et... The Coca-Cola Company.

Aucune de mes sources chez le fabricant de sodas ne m'a directement confirmé l'usage des recherches menées sur le cerveau humain. Au mieux, on a admis que la Compagnie suivait « tout cela de très près, parce que, dans un univers ultra-compétitif, aucune direction ne devait être laissée de côté ». L'un de mes informateurs, recourant au conditionnel de rigueur, s'est toutefois laissé aller à une confidence de poids : « Si c'était le cas, nous pourrions apprendre comment une marque parvient à s'imposer dans l'inconscient humain et y rester. Nous pourrions apprendre, par exemple, que, concernant les enfants, il est plus efficace de répéter, encore et encore, le même spot publicitaire afin de créer une fidélité à vie ».

*

Un autre élément s'avère pour le moins troublant. En 2004 se tenait à Singapour un forum réservé aux professionnels du marketing à destination des enfants. Et Karen Tan, représentante de Coca-Cola, expliqua comment s'imposer en tant que marque dans leur esprit. Comme ma source anonyme, elle avait évoqué le même exemple. Celui de l'intérêt de la répétition du même message publicitaire[97]. Une théorie qui, j'en suis convaincu, est née dans une des salles de recherche de l'université d'Emory.

*

Le neuro-marketing a, ou aura, des conséquences sur la pandémie d'obésité. Une fois que l'industrie agroalimentaire parviendra à briser les dernières barrières de notre cerveau, rien n'empêchera la profusion de messages publicitaires incitant à la consommation de produits

_____

97. Voir *Chew this*, *op.cit.*

néfastes à la santé. Et il ne faut pas croire que je parle ici d'un avenir hypothétique et lointain. Si Emory est le centre mondial des recherches en la matière, il n'est pas le seul. En Europe, à Barcelone, le même style d'expériences est mené. Pis, toujours à Singapour, Jens Rasmussen, représentant du fabricant de sucettes Chupa Chups, a révélé que sa compagnie sponsorisait une campagne de recherches européenne du même type. Afin de trouver comment « créer des consommateurs fidèles[98] ».

---

98. *Ibid*. La France n'est pas epargnée non plus. Selon Nathalie Sapena, une société nommée Impact Mémoire mène également des recherches sur le cerveau et les messages publicitaires à Lyon. Voir *L'Enfant jackpot*, Flammarion, 2005.

22. Facteurs

La télévision et la publicité, qu'elles agissent sous une forme classique ou de manière beaucoup plus perverse et redoutable comme semblent l'indiquer les recherches menées à Emory, sont bien des facteurs majeurs de la pandémie. On les regroupe d'ailleurs dans ce qui forme une moitié du « Big Two ». Reste à s'intéresser de près à l'autre moitié.

À commencer par la modernisation de notre société, qui se voit également évoquée comme cause probable. Ainsi, Tomas Philipson et Richard Posner, économistes à l'université de Chicago, assurent que la disparition progressive des métiers de « force » au profit d'emplois plus sédentaires joue un rôle[99]. Pour d'autres, l'explosion des transports constitue également un vecteur. Peu à peu – et c'est encore plus évident en Amérique où certains quartiers sont construits sans trottoir –, la voiture s'est substituée à la marche à pied. Dans le même registre, le sentiment d'insécurité est montré du doigt, la crainte de l'autre ayant poussé à diminuer le temps passé à marcher. Comme il a entraîné de nombreux parents à interdire à leurs enfants de jouer à

---

99. « In the long Run Growth of Obesity as a Function Technoıogical Change ».

l'extérieur ou de « traîner » après l'école. Or, cercle vicieux, c'est souvent la télévision – ou la console de jeux – qui a remplacé ces moments consacrés à se dépenser hors de la maison. Et la sédentarité qui succède à des activités bénéfiques à l'organisme.

En fait, l'ensemble de ces explications repose sur une équation. D'un côté l'apport calorique augmente mais de l'autre, les occasions de les brûler se réduisent comme peau de chagrin. Et, au milieu de l'étau, l'individu grossit.

*

Une série de changements culturels doit encore être prise en compte. L'arrivée massive des femmes sur le marché du travail a eu des répercussions dans la cuisine familiale. Si, au début des années 1970, une mère de famille passait en moyenne deux heures par jour à préparer les repas, désormais on atteint tout juste les vingt minutes. La nature même de ce qui est concocté a fondamentalement évolué. Voilà trente ans, l'Américaine moyenne cuisinait à partir de produits frais, ce qui n'est plus du tout le cas. De plus en plus, à cause de l'industrialisation massive, se mettre aux fourneaux se résume à glisser un plat tout prêt dans le four à micro-ondes. Près de la moitié des Américaines déclarent même ne pas savoir préparer plus de deux plats différents.

Michael Pollan, journaliste au *New York Times,* s'est intéressé à ces révolutions culturelles et à leurs effets sur le tour de taille de ses compatriotes. Et a remarqué que l'absence de tradition culinaire américaine entraînait un manque de repères chez le consommateur. Pays jeune et terre d'immigration, les États-Unis possèdent effectivement peu de racines gastronomiques. Dès lors, les Américains « sont plus vulnérables au marketing », explique-t-il. Et d'ajouter : « Si nous avions une culture alimentaire stable avec un lot de réponses du style : " Voici ce qu'il faut manger et voici comment il faut le manger ", nous serions moins victimes des effets de mode virevoltants[100] », qui d'un jour à l'autre définissent ce qui est bon et mauvais.

Autre sujet d'inquiétude, la façon dont l'industrie redéfinit en permanence la manière dont les Américains mangent. Ici, se nourrir n'est plus un plaisir mais une commodité qui n'est plus tributaire de rendez-vous précis au fil de la journée – le petit déjeuner, le déjeuner, le dîner –, ce qui brise chaque jour le rituel du partage de la nourriture. « Vendre des produits dessinés pour être glissés dans le porte-boisson d'une voiture détruit l'idée même de personnes mangeant ensemble », poursuit Michael Pollan. En outre, « lorsque vous mangez tout seul, vous avez tendance à manger plus. Tandis que si vous mangez avec quelqu'un, vous existez, il y a un échange, une conversation... Vous ne vous gavez pas comme un porc quand il y a d'autres personnes à table[101] ».

*

La seconde moitié du Big Two ne s'arrête pas là. Un groupe de chercheurs du sud des États-Unis, là où la crise d'obésité est la plus aiguë, tente actuellement de définir précisément l'ensemble des responsables secondaires du marasme. Et la première partie de leur travail, récemment publiée par le magazine scientifique *International Journal of Obesity* [102], affiche un grand mérite : elle refuse de se satisfaire des explications les plus courantes et de s'y cantonner.

Cette équipe conduite par Scott Keith cite ainsi comme autres causes probables la baisse continue du nombre de fumeurs, donc de l'effet coupe-faim de la nicotine, le nombre élevé d'enfants nés de couples déjà obèses, ou

---

100. http://www.alternet.org/story/35084/
101. *Idem.*
102. « Putative Contributors to the secular Increase of Obesity : exploring the Roads Less traveled », 27 juin 2006.

encore l'adoption massive de la climatisation. Une température contrôlée placerait en effet l'organisme dans une « zone de confort », l'incitant à manger plus parce que moins tributaire des régulations de température demandées par le corps. Ce travail cite également le manque chronique de sommeil des Américains, hypothèse confirmée parallèlement par Esra Tasali, chercheuse à l'université de Chicago. Partant du principe que les Américains ont perdu deux heures de sommeil par nuit depuis quarante ans notamment à cause des loisirs, cette dernière a placé des groupes de volontaires dans des conditions différentes de durées de repos. Or, celui dormant le moins a rapidement montré des envies incontrôlables d'aliments sucrés [103].

Une explication génétique s'est vue également avancée, reposant sur une estimation scientifique datant de 1986. Selon ces recherches, 25 % de la fluctuation de poids serait influencée par les gènes. Si cette donnée statistique est loin d'expliquer à elle seule la pandémie, elle sert de socle à une théorie plus radicale. Ainsi, Jared Diamond, universitaire californien, est persuadé que la crise d'obésité relève d'une étape, accélérée, de l'évolution humaine. Reprenant les travaux de Darwin, il argue que l'homme n'a plus aucun usage du gène ancestral le poussant à stocker de la nourriture afin de prévenir les effets d'une famine, donc qu'il compense. Allant plus loin encore, il affirme que l'épidémie de diabètes de type 2 frappant les porteurs de ce gène est en fait la manière radicale qu'a trouvée la nature pour s'éloigner « des modèles caducs [104] ».

Une dernière hypothèse paraît toutefois encore plus intéressante. Pas parce qu'elle serait en mesure de répondre à la pandémie mais parce qu'elle illustre un mouvement de fond.

---

103. La durée moyenne est passée de neuf heures à sept heures. Deux heures de différence, essentiellement « mangées » par... la télévision.
104. Jared Diamond, « Sweet Death », *Natural History*, février 1992.

23. Virus

Nikhil Dhurandhar n'avait jamais vu quelque chose de semblable : des cadavres de poulets franchement gras. Des volailles qui, une fois disséquées, révélaient un foie bien plus gros que la norme. Et des reins eux aussi d'une taille impressionnante. Ce constat, il l'avait fait à Bombay, au milieu des années 1980, quand des centaines de milliers de poulets mourraient infectés par un adénovirus[105], le SMAM-1.

Mais plus que le virus, c'est l'aspect des cadavres qui l'avait intrigué. Alors que normalement un animal atteint d'un adénovirus dépérit avant de s'éteindre, les poulets, ici, semblaient quasiment... obèses.

*

Il y avait encore plus troublant. Chaque fois que Nikhil Dhurandhar injectait le SMAM-1 à des volatiles sains, ceux-ci suivaient la même courbe d'évolution. Avant de mourir, les oiseaux grossissaient. Le scientifique indien en

---

105. Voir http://anne.decoster.free.fr/d1viro/vadeno.html. Les adénovirus sont très courants. Une quarantaine de types différents peuvent contaminer l'homme.

fut presque sûr, grâce à une épidémie touchant les poulets de Bombay, il venait, quasiment par hasard, d'isoler un virus à l'origine de la pandémie d'obésité. Il lui fallait maintenant poursuivre ses recherches à plus grande échelle. Mais pour y parvenir, un choix s'imposait à lui. Si, effectivement, il avait mis la main sur le saint Graal des temps modernes, sur l'explication capable d'enrayer le mal gagnant la planète, l'Inde ne lui suffisait plus. Il devait rejoindre Fat Land et ses dizaines de millions d'obèses.

*

Aujourd'hui, Nikhil Dhurandhar poursuit ses expériences de recherche biomédicale en Louisiane, mais c'est au sein des laboratoires de la Wayne University de Detroit, dans le Michigan, qu'il a d'abord essayé de confirmer son intuition. En ayant même reçu, indirectement, un coup de pouce des autorités sanitaires locales. Les États-Unis interdisant l'importation de souches de virus, l'Indien a en effet pu puiser dans celles disponibles en Amérique.

C'est ainsi qu'il est passé du SMAM-1 à l'adénovirus Ad-36, lequel ne manque pas de points communs avec celui qui avait décimé les élevages avicoles indiens. Et qu'il obtint les mêmes résultats : avant de mourir, les poulets et les singes infectés par l'Ad-36 prenaient du poids. Certains voyaient même leur masse constatée en début d'expérience tripler, tandis que la proportion de graisse de leur organisme doublait !

Il aurait fallu oser aller plus loin, mais, comme on s'en doute, des questions éthiques s'y opposèrent. Nikhil Dhurandhar ne pouvait infecter des humains et attendre de voir si, en dépérissant, ils prenaient des kilos supplémentaires.

Il convenait donc de trouver une autre option. L'idée émergea, simple. Dhurandhar décida de comparer 500 échantillons sanguins afin de déterminer lesquels portaient l'adénovirus que l'on trouve naturellement parmi la population. En les séparant en deux groupes, d'un côté les obèses et de l'autre les sujets proches de leur poids de forme, l'Indien obtint des résultats incroyables. Seulement 5 % des personnes sans problème de poids s'avéraient porteuses de l'Ad-36. Mais la proportion montait à 30 % chez les obèses.

Nikhil Dhurandhar en était maintenant persuadé, il avait vraiment découvert le virus de l'obésité !

*

« Le concept d'un virus qui causerait l'obésité est tellement éloigné de ce que l'on croit, que je comprends les difficultés de certains à admettre les conclusions de mes travaux[106]. » Dhurandhar sait que, pour convaincre, il lui faudra plus que des études et des conclusions que d'aucuns peuvent réduire à une coïncidence statistique. Du reste, avec du recul et de la mesure, il modifie légèrement ses propos et certitudes initiaux : « Je ne dis pas, explique-t-il, que tous les cas d'obésité sont dus à ce virus, mais il pourrait y avoir certaines personnes pour lesquelles ce virus contribuerait à l'obésité ».

À l'heure actuelle, Dhurandhar travaille sur deux jumelles parfaites, Christyn et Beth. Jusqu'à leur entrée à l'université, ces sœurs ont suivi un développement physique quasiment identique. Seulement voilà, deux ans après son départ du domicile familial, Christyn a pris du poids. Et pas Beth. Or des tests sanguins ont démontré que Christyn était porteuse de l'Ad-36, mais pas sa sœur à la taille de guêpe.

*

---

106. Entretien avec l'auteur.

Bien sûr, un tel écart semble donner du sens aux recherches de Dhurandhar. Pourtant, force est d'être très prudent. Notamment parce que personne n'a étudié ni comparé la vie des deux jumelles durant leurs vingt-quatre mois d'université. Peut-être Christyn s'est-elle simplement mise à manger plus et à faire moins d'exercice ! La réserve s'impose donc.

Ainsi, le professeur William Russell, virologiste à l'Université Saint-Andrew, spécialiste anglais des adénovirus, considère qu'aucun de ces virus n'a jamais été lié à des maladies à long terme comme l'obésité. « Les adénovirus ont la particularité de causer des infections à court terme et ensuite de disparaître de l'organisme humain. Il y a donc un antagonisme avec l'obésité qui est au contraire une maladie inscrite dans la durée [107]. » Et dont on observe la croissance depuis plusieurs décennies.

Russell n'est pas le seul à émettre des doutes et à s'interroger quant à la réalité d'un virus de l'obésité. D'autres s'avouent même étonnés des motivations de Dhurandhar. C'est le cas du professeur Stephen Bloom de l'Imperial College de Londres : « Mais pourquoi a-t-on besoin, aujourd'hui, d'inventer une étrange histoire de virus [108] ? »

*

Pourquoi ? La réponse se trouve sûrement dans les propos même de Nikhil Dhurandhar : « Il serait extraordinaire et formidable de mettre au point un vaccin qui préviendrait certains cas d'obésité virale. C'est en tout cas la direction de mes travaux. Mais il s'agit seulement pour l'instant d'un rêve. Et l'impact le plus important de mes recherches est

---

107. BBC, 28 juillet 2000.
108. *Idem.*

ailleurs : mes travaux augmentent les chances de faire accepter l'idée que l'obésité est bien une maladie [109] ».

Et qui dit maladie, dit consultations, remèdes, médicaments et ordonnances. Ce qui est, pour certains chercheurs et laboratoires, l'équivalent de la recette du hold-up du siècle.

---

109. Entretien avec l'auteur.

24. Eldorado

Nikhil Dhurandhar n'est pas le seul à partir à l'assaut de l'eldorado de l'obésité. Il faut dire qu'un marché potentiel de 75 millions de patients, rien qu'aux États-Unis, a de quoi exciter l'industrie pharmaceutique. Ainsi, la revue spécialisée *Pharmaceutical Executive* affirme que les revenus du traitement de l'obésité seront « aussi importants voire plus[110] » que ceux du cholestérol. Et les calculs les moins optimistes estiment ce *nouveau pactole* à 18 milliards de dollars la première année.

Mais voilà, pour que cette vision devienne une réalité palpable, une source de dividendes colossaux pour les actionnaires des grands labos, il faut d'abord que l'obésité soit reconnue comme une « vraie » maladie. Qui ne soit pas traitée par des modifications du mode de vie mais par le recours à la médicalisation.

Impossible ? Non. Car ce serait oublier que le plus grand talent de l'industrie pharmaceutique « n'est pas dans la recherche et le développement, mais dans le marketing[111] ».

---

110. Cité dans *Wired*, octobre 2006.
111. Idem.

*

Si, dans la confidentialité des réunions commerciales de l'industrie pharmaceutique, on utilise le terme de *condition branding* [112], Scott Grundy préfère user d'un autre vocabulaire.

Depuis 2001, ce directeur du Centre de la nutrition humaine à l'université Texas Southwestern de Dallas est en mission. Il parcourt le monde, de conférence en colloque, pour répandre la bonne parole. Cet ancien cardiologue, et pionnier de la médicalisation du traitement du cholestérol, a enfourché un nouveau cheval de bataille : le syndrome métabolique. Qui, à en croire la voix monotone de ce praticien, serait le mal qui ronge actuellement une majorité d'Américains.

*

Le syndrome métabolique de l'organisme cher à Grundy se caractérise par cinq facteurs : un taux élevé de sucre, une présence massive d'acides gras dans le sang, une tension haute, une déficience en bon cholestérol et de l'obésité. Il suffit à un patient de présenter trois de ces critères pour être, selon lui, atteint par ce syndrome. Du moins, pour que votre médecin vous indique que vous l'êtes, puisque le syndrome lui-même n'existe pas en tant que tel !

Il s'agit en fait uniquement d'un terme générique et fourre-tout. D'un assemblage de symptômes liés à l'obésité mais qui, réunis sous un nouveau nom, présente un avantage de... poids : la transformer en maladie pouvant être médicalisée.

Ou encore devenir l'excuse idéale mise en avant par les fabricants de spécialités grasses et sucrées pour innocenter

---

112. Littéralement « apposer une marque à un problème de santé ». Une technique qui permet ensuite de médicaliser le problème. Le *branding*, nous l'avons vu du côté d'Emory, consiste à développer la valeur d'une marque commerciale.

leurs produits. De fait, à la fin du mois de novembre 2006, se tenait à Paris une conférence au titre sans ambiguïté : « Le syndrome métabolique : quelles opportunités pour l'industrie agroalimentaire [113] ? »

*

Consciente des enjeux financiers de ce nouveau label, la recherche sur ce point s'emballe aux États-Unis. Suivant les traces initiées par Grundy, ce sont plus de 15 000 études qui ont été menées ces cinq dernières années, donnant ainsi naissance à une maladie qui n'existe pas, mais dont les perspectives lucratives sont, elles, bien réelles [114].

Cette dérive a le don d'irriter Richard Khan. Ce scientifique qui travaille pour la puissante American Diabetes Association vient de passer deux ans à analyser la majorité de ces études. Ses conclusions sont sans appel. Motivée par la perspective d'un énorme marché et les bourses versées par l'industrie pharmaceutique, la recherche américaine s'est précipitée en masse dans cette direction sans même prendre le temps de mesurer la solidité des fondements du fameux syndrome. Ce que Khan a fait, lui. Résultat ? Le syndrome métabolique est construit sur « du vent, sans aucune preuve [115] ». Khan estime en fait que ce syndrome est une manière habile et nouvelle de parler de l'obésité, rien de plus. Un comportement qu'il condamne : « Vous ne pouvez pas inventer quelque chose simplement pour vous permettre de traiter un patient. La médecine, ce n'est pas cela [116]. » Le débat fait rage.

---

113.   Voir   http://www.isanh.com/sfa/conference/27/cholesterol-2007/presentation.php

114. In *Wired*, *op.cit.*

115. *Idem.*

116. *Idem.*

*

Les travaux et les remarques de Richard Khan n'y peuvent pourtant pas grand-chose. Désormais, la machine à fric est en marche. À Washington, l'industrie pharmaceutique a investi des millions de dollars dans le lobbying destiné à faire accepter l'idée que l'obésité est une maladie. Et que le syndrome métabolique est son nom. Pourquoi ? Parce que l'enjeu s'avère colossal. Une fois ce pas franchi, l'équivalent américain de la Sécurité sociale et des mutuelles ne seront-ils pas obligés de rembourser les prescriptions pour un mal certes fictif mais devenu officiel ?

Il faudrait être sourd pour ne pas entendre le piaffement d'impatience des laboratoires. On estime ainsi qu'au moins 350 produits étaient en phase de développement en 2006 pour répondre à ce « syndrome métabolique ». En Europe, depuis l'été 2006, la société française Sanofi-Aventis fut de son côté la première à commercialiser un médicament répondant au dit syndrome, Acomplia, pas encore arrivé sur le marché américain. Pourquoi cette retenue ? De mauvaises langues murmurent que la FDA, l'organisme en charge de la validation des aliments et des médicaments, s'inquiéterait d'éventuels effets secondaires du produit[117]. Craintes fondées ou protectionnisme bien compris ?

Quoi qu'il en soit, de Grundy à Khan, tous savent pertinemment que le syndrome métabolique et ses pilules magiques feront un tabac auprès du public. Et que la plupart des Américains se réjouiront d'abandonner à la médecine ce qui relève plutôt parfois d'une responsabilité purement individuelle. Peu importera même alors le sérieux ayant présidé à la création de cette nouvelle appellation. Car, comme le proclame déjà le président de l'American Obesity Association, « l'avenir de l'obésité sera un médicament » !

---

117. *Idem.* À noter que, pour le marché américain, Acomplia s'appellera Rimonabant.

25. Hégémonie

Pollan et la transformation culturelle de la table américaine, Grundy et le syndrome métabolique, Dhurandhar et le virus Ad-36, Diamond et la théorie de l'évolution, Keith et les facteurs putatifs, Philipson et la modernisation de la société... Tous ces chercheurs ont un point commun. Un vecteur partagé qui, quelles que soient leurs motivations, rend, à mes yeux, leurs travaux essentiels. Tous, malgré leurs différences, refusent en effet de se satisfaire de la théorie actuelle qui résume la pandémie d'obésité à une équation à seulement deux facteurs : la surconsommation et le manque d'activité.

Si, en apparence, le « Big Two » paraît la réponse la plus évidente au drame, la vérité est incontestablement plus complexe. En conclusion de ses recherches, Scott Keith l'écrivait clairement : « Nous sommes face à une hégémonie. L'accent est en permanence placé sur le " Big Two " et nous avons accepté cette théorie comme un fait établi. En négligeant d'explorer sérieusement d'autres facteurs. Si tout part d'un choix bien intentionné, en réalité, cela a faussé les réponses permettant de réduire le taux d'obésité [118] ».

---

118. Scott Keith, « Putative Contributors to the secular Increase of Obesity : exploring the Roads less traveled », 27 juin 2006.

*

Ces propos résonnent encore en moi. L'idée que la crise d'obésité ne soit pas uniquement la combinaison d'un excès de nourriture et d'un manque d'activité sportive correspond à vrai dire parfaitement à mon propre cheminement. Car plus j'ai avancé dans l'exploration des coulisses de la pandémie, moins je me suis satisfait de cette argumentation sommaire.

En outre, depuis le début de cette enquête, une autre impression me revenait en mémoire. Celle qui, lorsque j'avais pour la première fois foulé le sol de ce pays, me faisait dire que les États-Unis étaient vraiment le rassemblement des extrêmes. Un pays où, d'un côté, on voyait des citoyens en état d'obésité avancée et, de l'autre, des obsédés de l'apparence physique. Et il ne s'agissait en rien, dans mon esprit, de faire allusion à la relation particulière unissant l'Américain à son chirurgien plastique, mais bel et bien d'évoquer tous les acharnés du sport.

*

Qu'il pleuve ou qu'il vente, que le thermomètre dépasse les 40 °Celsius ou qu'il gèle à pierre fendre, il existe une constante dans la société américaine : il y a toujours quelqu'un en train de courir dehors. Ou quelqu'un qui, lorsqu'il n'effectue pas son jogging, fréquente une salle de sport.

Lesquelles sont nombreuses et souvent ouvertes vingt-quatre heures sur vingt-quatre et sept jours sur sept. Ces dix dernières années, les taux d'inscription et de fréquentation ont connu une hausse constante. On a même vu apparaître des salles ultraspécialisées, certaines proposant un parcours complet d'une demi-heure montre en main pour cadres pressés, d'autres n'accueillant que des femmes redoutant d'être importunées, ou des obèses ne supportant pas le regard des autres. De la danse du ventre aux cours de strip-tease, du yoga chrétien au mini-trampoline, la carte des activités proposées ne cesse en outre de s'allonger.

Il est vrai qu'au total, le marché de la forme – et du régime – représente un chiffre d'affaires d'au moins 40 milliards de dollars ! Soit bien plus que l'estimation avancée pour les futurs médicaments du syndrome métabolique.

*

Bien entendu, comme tout le monde, j'ai d'abord eu une vision simple, voire simpliste, de la crise d'obésité. Une approche où il était uniquement question de volonté personnelle. Celle qui vous pousse à échanger votre pause déjeuner contre deux heures de basket-ball. Celle qui vous tient éloigné de certains restaurants et vous permet, une ébauche de sourire aux lèvres, de dire « non » au dessert. Une conception qui estimait que les gros avaient l'abandon facile, l'opiniâtreté trop élastique. Qui les voyait uniquement choisir de s'empiffrer de litres de glace Ben & Jerry's en regardant la télé, considérer le Big Mac comme un repas équilibré parce qu'il contient la moitié d'une feuille de salade, et résumer le sport au visionnage, une bière à la main, du match de foot dominical. Bref, je les prenais tous pour des gens cédant toujours à leurs envies de nourriture, et plutôt deux fois qu'une !

Mon analyse grotesque avait toutefois un reste de conscience sociale. Je savais qu'il ne fallait pas être grand clerc pour deviner que l'obésité frappait plus chez les pauvres. Philipson et Posner, nos deux économistes de l'université de Chicago, n'ont-ils pas écrit qu'un des principaux changements de notre société est qu'il faut désormais payer pour être en forme alors qu'avant, des champs à la mine, l'homme touchait un salaire pour se maintenir en forme ?

Les auteurs admettent volontiers que cette formule est réductrice, mais, avec le recul, je ne peux que constater sa justesse. Au-delà de la mensualité versée pour rejoindre un club de sport, ceux qui souhaitent entretenir leur condition physique doivent surtout trouver le temps de s'y rendre avec assiduité. Dans une époque où il n'est pas toujours facile de joindre les deux bouts, une grande partie de la journée est logiquement consacrée à une activité rémunérée. Et pas aux loisirs, ni à la surveillance minutieuse de ce qu'on avale.

D'où la surconsommation, aux États-Unis, d'une nourriture mauvaise, trop grasse et trop sucrée. Les nutritionnistes ont beau conseiller à longueur d'émissions, de livres, de journaux, le recours à des produits frais et à des aliments de qualité, rien n'y fait. Pourquoi ? Parce que lorsque vous vivez du RMI, comme en France, ou que vous jonglez avec deux emplois, comme souvent aux États-Unis, votre pouvoir d'achat ne vous donne pas accès à ces produits-là.

Pis, vous ne sauriez même pas où les acheter. Dans certains quartiers pauvres de Dallas comme dans ceux de toutes les grandes métropoles américaines, les supermarchés brillent par leur absence. Alors qu'on trouve à profusion des McDonald's, des TacoBell, des Burger King et des Pizza Hut, lesquels proposent des menus à bas prix tous plus copieux les uns que les autres. L'achat d'aliments à préparer soi-même est alors limité à l'épicerie du coin, quand ce n'est pas à la boutique attenante à la station d'essence. On n'y trouve quasiment jamais de produits frais, mais les gammes complètes des boissons de The Coca-Cola Company ou des produits apéritifs et de grignotage Frito-Lay, filiale de PepsiCo, figurent toujours en bonne place.

*

Même si je commençais à deviner tout cela, à le percevoir, même si je savais l'obésité se nourrissant d'inégalités, je persistais à croire que manger sain et peser léger relevait uniquement de sa propre volonté. Or, justement, de la volonté, j'en avais à revendre. Le temps, je pouvais le trouver ; et mon porte-monnaie m'offrait l'accès à une meilleure nourriture. Bientôt, mes kilos en trop accumulés depuis l'adolescence relèveraient donc de l'histoire ancienne.

Du moins, je le croyais...

Car, en réalité, c'est en entrant dans la peau d'un « gros » que j'ai commencé à avoir de sérieux doutes quant à la justesse de l'équation « mangez moins et bougez plus ». En effet, comme d'autres, je me suis inscrit dans une salle de fitness, j'ai surveillé mes repas.

Certes, des résultats ont commencé à poindre. Dont tous ces bénéfices qui ne se voient pas. Ce taux de cholestérol qui, chez certains, repart à la baisse ; ces escaliers montés sans avoir le souffle coupé ; ces quelques tailles de pantalons perdues. Autant de conquêtes, de victoires sur soi. OK, bravo. Mais de là à s'afficher sur une plage l'été, il y avait un pas qu'aucun membre de mon club de sport n'osait envisager.

En vérité, le duo sport + meilleure alimentation générait plus de frustration que de réelle amélioration physique. Dans cette équation, quelque chose ne fonctionnait donc pas. Et surtout, une statistique étonnante me perturbait. En 2003, 45,9 % des adultes américains remplissaient ou excédaient le temps d'activité sportive recommandé par les divers organismes de santé. Et plus de la moitié s'avérait en régime permanent. Dès lors, le taux d'obésité aurait dû diminuer !

Pas de doute : à mieux y réfléchir, je n'étais plus le seul à multiplier les efforts pour un résultat plutôt mitigé. Mais il restait maintenant à comprendre pourquoi.

26. Aveugles

Ma propre histoire avait remis en doute l'interprétation que j'avais de la pandémie. Finalement, il ne s'agissait pas d'une simple question de volonté. Un certain nombre d'Américains étaient sportifs, surveillaient leur alimentation mais continuaient à prendre du poids. Ou, au mieux, n'en perdaient pas.

Si je m'étais trompé sur l'une des causes de l'obésité, peut-être convenait-il également de remettre en question le dogme lui-même ? Peut-être, après tout, Scott Keith avait-il raison de dénoncer la focalisation sur le « Big Two » ? Peut-être qu'à force de regarder dans une seule direction, nous étions tous devenus aveugles ?

*

La vérité est en fait encore plus effrayante. Aux États-Unis, la pandémie d'obésité est entrée dans sa seconde phase. Et, si rien ne change, un développement similaire frappera l'Europe et le reste du monde. Les deux facteurs clés que sont la baisse de l'activité physique et la trop grande consommation de nourriture sont désormais des explications dépassées. Ils permettaient des analyses justes voilà encore dix ans mais ne fonctionnent plus aujourd'hui.

Le premier, celui de la surconsommation, illustrée par la taille des portions et l'explosion de la restauration rapide, s'adapte pleinement à la première vague de la crise. Effectivement, entre 1977 et 1996, la consommation quotidienne d'aliments a augmenté de 268 calories chez l'homme et de 143 calories chez la femme. Et, corollaire, l'obésité a commencé à devenir un phénomène de masse. Mais depuis 1996, le chiffre s'est stabilisé, baissant même légèrement chez l'homme. En somme, un Américain ne consomme pas plus aujourd'hui qu'il y a dix ans. Pourtant, l'obésité persiste à se répandre, progressant même de plus en plus vite.

Le phénomène est identique concernant le temps passé devant la télévision. Celui-ci a connu son plus grand bond entre 1965 et 1985, passant de quatre-vingt minutes quotidiennes à cent vingt-neuf en moyenne. Mais depuis ? Eh bien, en vingt ans, ce chiffre n'a augmenté que de vingt-deux minutes, soit à peine 50 % de sa première progression.

Même constat pour l'usage de la voiture : il n'a guère évolué ces dernières années. En tout cas, pas au rythme de la propagation de l'épidémie puisque, d'après le ministère du Commerce, en 2000, 87 % des Américains utilisaient leur véhicule pour se rendre au travail contre 84 % en 1980.

Autre ralentissement ne cadrant pas avec la montée en puissance de l'obésité, celui – cher à Philipson et Posner – de la modernisation de la force du travail. Le nombre de femmes ayant un emploi n'a guère évolué depuis le début des années 1980. Le pourcentage de travailleurs hautement actifs a quant à lui juste fléchi de 45 à 42 % entre 1980 et 1990. Mais le mal avance quand même. Autre donnée bousculant la théorie des deux chercheurs, l'explosion de l'obésité parmi les enfants et adolescents, impossible dès lors à justifier !

*

À vrai dire, cet ensemble de contre-exemples signifiait surtout que la société américaine a stabilisé sa frénésie à engloutir et sa capacité à éviter l'effort. Tout en continuant à étouffer sous sa graisse. Bref, si les deux causes « classiques » ne suffisaient plus à expliquer la pandémie, c'est qu'il existait d'autres raisons qu'il me fallait découvrir.

*

Paradoxalement, c'est une expérience réalisée par les CDC (Centers for Disease Control) – et censée prouver la validité du Big Two – qui m'a convaincu des limites de cette théorie.

À la fin des années 1990, inquiets de l'ampleur prise par le diabète de type 2, les CDC ont lancé la plus importante opération jamais réalisée afin de contrer l'obésité[119]. Grâce à un budget de 174 millions de dollars, 3 200 volontaires ont, pendant plus de deux ans, bénéficié de conditions optimales pour changer leur mode de vie. Les CDC ont pris en charge l'adhésion des « cobayes » dans des clubs de fitness, mis à leur disposition des moniteurs sportifs diplômés, et les ont aidés à prendre des repas équilibrés. Objectif : mettre à disposition des aliments sains aux valeurs nutritionnelles surveillées et aux apports caloriques en accord avec les normes médicales. Le tout placé sous l'œil de nutritionnistes et même de psychologues pouvant, quotidiennement, apporter un soutien par téléphone.

Bilan ? Une victoire, à en croire le communiqué de presse des CDC. Après vingt-quatre mois, l'organisation affirmait que, concernant le diabète de type 2, une inflexion

---

119. Il s'agissait du Diabetes Prevention Program. Voir http://www.cdc.gov/diabetes/news/docs/dpp.htm

du mode de vie « pouvait prévenir ou retarder l'apparition de la maladie [120] », confirmant ainsi les préceptes du Big Two. Soit.

L'ennui, c'est qu'une seconde lecture dévoilait autre chose. Certes, l'expérience des CDC était parvenue à faire perdre du poids à ses volontaires. Mais dans des proportions bien minimes au vu des moyens mis en œuvre. Car au bout de deux années d'efforts, d'un investissement de 174 millions de dollars, en bénéficiant de conditions optimales que ne connaîtra jamais le commun des mortels, de milliers de repas calibrés, de soutiens adaptés, les 3 200 candidats avaient juste perdu en moyenne... 7 % de leur masse corporelle !

Oui, vous avez bien lu : malgré cet environnement ultra-favorable, un homme de 75 kg avait seulement maigri d'un peu plus de 5 kg en vingt-quatre mois !

*

Dès lors, tous les éléments étaient réunis pour que l'évidence s'impose à moi. À force de focaliser notre attention sur les apports caloriques et le recul de l'activité physique, nous nous étions ni plus ni moins aveuglés. L'Amérique était toujours au bord de l'implosion et le reste de la planète lui emboîtait le pas. Il devenait urgent de se pencher sur ce qui me semblait désormais le cœur du problème : le contenu même de nos assiettes.

---

120. *Idem.*

27. Environnement

Le cheminement était différent mais il débouchait sur les mêmes conclusions.

À Sydney, au terme de la dixième conférence mondiale sur l'obésité qu'elle présidait, Kate Steinbeck a dressé un bilan issu de son expérience personnelle. Responsable du service de traitement de l'obésité au Royal Prince Alfred Hospital, elle s'est dite convaincue que la pandémie n'était pas un problème de gloutonnerie. Voyant arriver dans son service de plus en plus d'enfants, elle s'est avouée, comme d'autres, effrayée à l'idée de penser que leur génération vivrait moins que la précédente. Aussi a-t-elle affirmé que d'autres explications restaient à trouver pour expliquer l'explosion de l'obésité. Dont la morbide « interaction entre notre hérédité et notre environnement [121] ».

*

De mon côté, c'est l'incroyable mutation des Indiens Pima qui finit par emporter mes dernières réticences. Cette tribu a émigré du Mexique pour s'installer de l'autre côté de la frontière, en Arizona, à quelques kilomètres de Phoenix.

---

121. Dépêche Reuters, 4 septembre 2006.

Où, de panneaux publicitaires pour l'artisanat local à la consonnance des noms de lieux, il est impossible de ne pas comprendre que l'on pénètre dans les anciennes limites de la réserve indienne. Et où, désormais, l'obésité est la norme.

J'écris en connaissance de cause le mot « obésité », ne le confondant pas avec une « simple » surcharge pondérale. Non, les Pima sont réellement obèses. Car ici, le taux d'individus dont l'IMC (indice de masse corporelle) est supérieur à 30 avoisine les 70 %, soit le double de la population blanche américaine. Les enfants pimas détiennent même un triste record : celui du plus important pourcentage d'obésité au monde. En toute logique, la tribu compte aussi, proportionnellement, le plus grand nombre de malades de diabète de type 2.

Les Pimas ne sont pourtant pas des ogres, vautrés nuit et jour dans la nourriture. Eric Ravussin, qui a passé seize ans à étudier ce qu'il nomme le « paradoxe Pima [122] », ne dit pas autre chose. Ses conclusions sont en tout cas proches de celles de Kate Steinbeck : l'héritage génétique des Indiens ne s'est pas adapté à notre environnement. Deux preuves à ce constat.

D'abord, le fait qu'une partie des ancêtres pimas qui continuent à vivre dans une région reculée de la Sierra Madre, au Mexique, travaillent la terre et se nourrissent essentiellement des fruits de leur labeur, ne connaissent pas l'obésité. Chiffre sidérant : en moyenne, une Pima mexicaine pèse 20 kg de moins que sa cousine vivant plus au Nord !

Ensuite, le fait que les différentes archives consultées par Ravussin attestent que les Pimas d'Arizona n'étaient pas obèses jusqu'à la fin de la Seconde Guerre mondiale. Au contraire même, la tribu se caractérisait alors par sa taille plutôt fine. Mais, après une progression lente dans les années 1950 et 1960, leur taux d'obésité a explosé voilà trente ans.

Exactement comme si, brutalement, l'environnement de ces Indiens du Sud des États-Unis était devenu toxique.

---

122. Voir http://www.pbs.org/saf/1110/features/fighting.htm

28. Épidémiologiste

George Bray est un scientifique souriant. Cet ancien diplômé d'Harvard maintenant installé dans les laboratoires ultramodernes du Pennington Biochemichal Research Center à Bâton Rouge en Louisiane, travaille depuis de nombreuses années sur l'obésité et le diabète. Lui non plus ne se satisfait pas de la théorie du « Big Two » : « Je ne crois plus au concept résumant l'obésité à une affaire de responsabilité personnelle, dit-il. Cela implique que nous devrions blâmer nos enfants. Et cela me semble assez injuste. Si l'obésité était facilement contrôlée par la limitation de l'apport calorique et une activité physique régulière, l'armée américaine ne renverrait pas chaque année 5 000 de ses soldats pour avoir dépassé les normes en terme de poids [123] ».

Comme Steinbeck et Ravussin, Bray est persuadé que la clé du mystère se trouve au cœur d'une autre équation. Celle qui tenterait d'établir comment notre organisme réagit à son environnement. Alors, et parce que nous sommes face à une pandémie, Bray a décidé de ne plus raisonner en biologiste, mais de se métamorphoser en épidémiologiste. De devenir un chercheur tentant de « comprendre et maîtriser les mécanismes de propagation des maladies

---

123. Entretien avec l'auteur.

contagieuses et les facteurs qui influencent leur fréquence, leur distribution dans une population donnée et leur évolution à l'état d'épidémie [124] ».

Avant d'entamer son étude [125], il a mis au point un modèle épidémiologique : « Comme dans tout autre cas d'épidémie, le corps humain est considéré comme l'hôte de la maladie. Ici, donc, l'obésité. Il y a ensuite, formant un environnement toxique, un certain nombre d'agents propageant la maladie. Des facteurs dont les recherches prouvent ou quelquefois suggèrent qu'ils agissent sur l'hôte et facilitent le développement de la maladie [126] ».

Ces agents propagateurs, le chercheur de Bâton Rouge en a répertorié cinq. Les deux composants du « Big two », bien sûr (la nourriture et le manque d'activité), mais aussi les virus, les médicaments et les toxines. « Ensuite, il faut étudier l'action de ces agents sur l'hôte et évaluer lequel est responsable du développement de la maladie. » La sédentarité et l'apport calorique exagéré, pour les multiples raisons évoquées plus haut, apportent en fait une explication plus que partielle. Bray a donc focalisé son attention sur les autres agents.

En commençant par les adénovirus chers au docteur Nikhil Dhurandhar et à ses poulets obèses. Au-delà des réserves exprimées par les autres spécialistes, le chercheur a remarqué que l'injection des fameux virus à des primates déclenche de l'obésité certes, mais dans des proportions modérées. Bien loin en tout cas de l'ampleur qu'elle prend chez l'être humain. De plus, cette obésité de laboratoire s'accompagne d'un taux de cholestérol normal, alors que, nous l'avons vu, les problèmes cardio-vasculaires liés à la

124. http://dico.monemploi.com/E/837Epidemiologiste.html
125. Dont une première partie a été publiée sous le titre « Beyond Energy Balance : there is more to Obesity than Kilocalories », *Journal of the American Dietetic Association*, n° 105, 2005.
126. Entretien avec l'auteur.

présence de « gras » dans le sang sont l'un des corollaires de la situation actuelle. Bref, même si l'hypothèse d'un virus n'est pas à ses yeux à négliger, il estime cette thèse loin d'être avérée.

Restent donc les deux derniers agents : les médicaments et les toxines. Pour les premiers, Bray a dressé une liste de ceux entraînant des prises de poids attestées. Dont une variété d'hormones, des antihistaminiques, anti-inflammatoires et corticoïdes. S'il remarque en outre que certains « augmentent les risques futurs de diabète de type 2 », il précise aussi que, globalement, « le degré de prise de poids n'est généralement pas suffisant pour entraîner une obésité substantielle[127] ». Une réserve qui, nous y reviendrons, ne réussit toutefois pas à convaincre Bray de la nécessité d'écarter cette variante comme agent responsable. Mais qui conduit tout de même à se focaliser sur le dernier coupable possible : les toxines.

*

Par définition, les toxines sont des « poisons toxiques sécrétés par des organismes vivants[128] ». Sous cette appellation générique, le professeur George Bray a rassemblé des éléments « largement diffusés dans notre nourriture et qui peuvent être cause d'obésité[129] ». Parmi lesquels les pesticides, herbicides, fongicides ou les additifs alimentaires, autrement dit les conservateurs, édulcorants, colorants et autres révélateurs de goût. Comme nous le verrons, Bray est d'ailleurs fasciné par l'interaction de ces produits dans le cerveau humain, cet organe qui constitue le « véritable

---

127. Idem.
128. http://www.vulgaris-medical.com/encyclopedie/toxine-4598.html
129. « Beyond Energy Balance : there is more to Obesity than Kilocalories », *op.cit.*

récepteur, capteur et transmetteur des informations concernant la faim et la satiété [130] », donc qui joue un rôle capital dans la relation à la nourriture. En fait, Bray est parvenu à prouver que certaines « toxines » dérèglent notre activité cérébrale et causent directement de l'obésité. Au final, l'épidémiologiste est formel : « L'obésité est une maladie chronique et neurochimique née de l'interaction entre l'hôte et son environnement toxique [131] ».

En clair, cela signifie que nous nous rendrions malades non à cause de la quantité des aliments que nous ingurgitons, mais à cause de leur qualité. Ou, plus précisément, à cause des éléments toxiques qui accompagnent notre nourriture quotidienne.

*

Si le titre de ce livre trouvait sa justification entre l'Arizona et la Louisiane, il m'orientait désormais vers une nouvelle direction.

Bray avait remarqué que, « durant la première partie du XXe siècle, la prévalence de l'obésité avait progressé lentement, mais que, autour de 1980, elle avait commencé à augmenter très rapidement [132] ». Du reste, toutes les statistiques convergeaient : la crise d'obésité avait bien explosé à la fin des années 1970. Quand, brusquement, les hôpitaux se retrouvèrent assaillis par une vague de crises cardiaques, un afflux de patients atteints de cholestérol et l'arrivée de jeunes adultes présentant les symptômes d'une maladie ordinairement cantonnée aux retraités. Soudain, aux États-Unis, on décédait massivement par excès de graisse.

---

130. *Ibid.*

131. Entretien avec l'auteur.

132. « Beyond Energy Balance : there is more to Obesity than Kilocalories », *op.cit.*

Toxic

J'en étais de plus en plus certain : trouver les raisons de cette brusque contamination donnait la clé de la pandémie. Si Steinbeck, Ravussin et Bray étaient dans le vrai, il me fallait découvrir pourquoi, de manière presque foudroyante, l'environnement du citoyen américain était devenu toxique.

Une réponse d'autant plus urgente à apporter que le mal, quittant son foyer d'origine, avait déjà traversé l'océan et menaçait de tout détruire.

29. Masse

« Notre nourriture a plus évolué ces trente dernières années que lors des mille précédentes. Votre grand-mère ne reconnaîtrait pas la plupart des aliments et ne saurait qu'en faire [133]. » Michael Pollan a raison. Entre les yaourts à boire couleur fluo et les salades en « shaker » pour mieux tenir dans les porte-boissons, nos aïeux auraient bien du mal à s'orienter nutritionnellement dans notre société.

En 1960, l'essentiel du temps passé dans une cuisine était dévolu à la préparation de la nourriture. La famille américaine dépensait 15 dollars par jour pour se nourrir et passait cent trente minutes autour de la table. Avec des produits de base frais, accommodés avant d'être servis.

Aujourd'hui, le temps de préparation a diminué de plus de 50 %. Et la nature même de l'alimentation a subi une incroyable mutation. Ce qui n'empêche pas des mentions imprimées sur les emballages de garantir au consommateur que son hachis Parmentier est conforme à la recette de sa grand-mère. La grosse différence, c'est qu'il lui suffit de l'ouvrir et de le glisser cinq minutes dans le four micro-ondes pour l'apprécier. Cet appareil est d'ailleurs devenu

---

133. http://www.alternet.org/story/35084/

incontournable aux États-Unis. En 1978, seulement 8 % des foyers possédaient cette application civile d'une invention militaire, mais vingt ans plus tard, le taux d'équipement en micro-ondes approche quasiment les 100 %[134].

Ce succès correspond à un changement profond et radical de notre nourriture. Devenue produit de masse, elle est entrée dans l'ère de l'industrialisation. En 1972, près de la moitié du prix d'achat d'un aliment terminait dans la poche de son producteur, généralement un agriculteur. Aujourd'hui, la proportion est seulement de 20 %. « L'essentiel du coût de la nourriture que nous mangeons à la maison couvre des frais qui n'ont plus rien à voir avec l'agriculture. Il s'agit du prix du travail de la vente en supermarché, celui effectué en usine et en laboratoire[135]. » Sans oublier le marketing, dont la mission est de faire croire à chacun qu'un produit fabriqué à la chaîne, avec des ingrédients dont personne ne comprend les noms, est conforme au goût « d'antan » et à la bonne recette de maman.

En 2006, se nourrir est une affaire de gros sous, la chasse gardée d'une industrie puissante aux réseaux politiques solides. Et dont l'essor, et ses conséquences sur notre santé, doivent beaucoup à un ancien président américain.

---

134. David M. Culter, « Why have Americans become more obese ? » *Journal of Economic Perspectives*, volume 17, n° 3, 2003.
135. *Ibid.*

30. Révolution

La bataille pour la confirmation devant le Sénat fut âpre et mouvementée. Les démocrates avaient combattu jusqu'au bout, sachant qu'au-delà de la nomination du secrétaire de l'Agriculture se jouait la prochaine élection présidentielle. Finalement, Richard Nixon obtint ce qu'il voulait : Earl Butz rejoignit son gouvernement. Et la menace d'une défaite en 1972 s'éloigna. Mais, sans que personne ne le pressente, commença une révolution dont le monde digère encore aujourd'hui les conséquences.

*

Earl Butz avait de quoi jubiler. À bientôt soixante-deux ans, ce natif de l'Indiana atteignait enfin le sommet. Depuis 1932 et son diplôme de l'université de Perdue, il avait navigué dans les méandres de la politique et de l'agriculture comme un poisson dans l'eau. Coriace républicain à la langue bien pendue [136], Butz avait toujours défendu les intérêts du monde agricole. Du moins d'une certaine partie de

---

136. En 1976, Butz dut se retirer de la vie politique après que la presse se fit l'écho d'une de ses blagues racistes et sexistes. Le 22 mai 1981, il fut aussi condamné à une peine de prison pour évasion fiscale.

celui-ci. Le nouveau membre du cabinet de Richard Nixon était persuadé que l'agriculture, en pleine modernisation, appartenait désormais au monde des affaires. Butz avait d'ailleurs été le premier à parler d'agrobusiness. Et ce soir-là, dans une aile de la Maison-Blanche, devant le Tout-Washington, il martelait sa vision : « Notre agriculture est la véritable base de la richesse en Amérique. La première nécessité à la vie est la nourriture. [...] Il n'existe pas d'autre endroit au monde où les gens aient accès à de la nourriture avec autant d'abondance, de qualité et à si bas prix [137] ».

*

Les temps changeant, le président savait que Butz avait raison. Les grosses compagnies piaffaient d'impatience, frustrées des contraintes votées sous Roosevelt. Le New Deal avait protégé le petit propriétaire, alors que selon elles, l'avenir appartenait à la concentration et à la rationalisation des coûts. Nixon n'ignorait pas non plus que les généreux contributeurs de sa prochaine campagne seraient ravis de la nomination de Butz. Lui-même était en outre inquiet de la mauvaise humeur des agriculteurs. En 1971, le prix du grain étant bas, son opposant démocrate originaire du Dakota, George McGovern, en avait fait un argument de campagne et enfonçait le clou. Si Nixon n'entreprenait rien pour aider les fermiers, ces derniers voteraient pour le démocrate. Contesté à cause de l'enlisement au Viêtnam, il ne pouvait donc se permettre d'affronter une forme moderne de jacquerie. La nomination de Butz et son passé pro-agriculture constituait la solution. C'est pourquoi, le 2 décembre 1971, avant même de rejoindre son nouveau bureau, Earl passa à l'attaque : « Nous allons nous mettre à travailler promptement afin d'augmenter le revenu fermier.

---

137 http://www.presidency.ucsb.edu/ws/print.php ?pid=3244

Nous allons faire monter les prix à un niveau satisfaisant. Comme je l'ai dit [...] le prix du maïs est trop bas, et ce genre de déclaration ne laisse pas trop de place à l'interprétation [138] ».

Pour Nixon, Butz allait faire des miracles à la tête de l'USDA. Et bientôt, la menace McGovern relèverait de l'histoire ancienne. Il était donc temps de lancer l'impression du matériel électoral qui mettrait clairement en main le marché : « Fermiers : réélisez Nixon ou vous perdrez Butz [139] ».

Le 2 décembre 1971, Richard Nixon pensait en somme avoir assuré sa prochaine victoire. Mais en agissant ainsi, il déclencha une crise qui deviendrait bientôt mondiale.

---

138. http://www.accidentalhedonist.com/index.php ?cat=304
139. « Re-elect Nixon or lose your Butz. » Voir http://www.political heritage.com/store/productdetail.aspx ?id=0001841&category=233

31. Pénurie

Les premières mesures de Butz n'eurent rien de spectaculaire. L'USDA actionna les mécanismes du marché afin de tenter de faire remonter le prix du grain. Quelques terrains supplémentaires furent déclarés impropres à la culture, afin de limiter la production et, grâce à des millions de dollars, le gouvernement tenta de maintenir un prix plancher acceptable... mais artificiel. En coulisses, Butz préparait pourtant un coup d'éclat. Depuis des semaines, en pleine guerre froide, il menait des négociations secrètes avec son homologue soviétique. L'URSS de Gromyko n'avait pas été épargnée par les mauvaises conditions climatiques et manquait de blé. Le cours du dollar était attractif et, surtout, le gouvernement de Nixon prêt à tout afin d'apaiser la colère de ses agriculteurs. On pouvait donc discuter avec le « diable communiste ».

*

Les discussions avaient débuté dans la plus grande discrétion en mars 1972. Le 2 juillet, les acheteurs soviétiques se trouvaient à Washington, paraphant un document historique. Pour certains, celui-ci incarnait le premier signe

156

viable de la détente entre les deux blocs, pour d'autres, un exemple supplémentaire de la corruption de l'administration Nixon. Quoi qu'il en soit, entre juillet et août 1972, les États-Unis vendirent 440 millions de boisseaux[140] de blé à l'Union soviétique. La transaction portait sur 700 millions de dollars, soit « plus que la totalité des exportations commerciales de blé pour les douze derniers mois. Les ventes équivalaient à 30 % de la production annuelle américaine [...] et plus de 80 % du blé utilisé pour la consommation des ménages sur cette période. La vente impliquait une série de transactions subventionnées puisque le gouvernement américain avait mis à la disposition de la Russie un crédit de 750 millions de dollars[141] ».

Le deal avait de quoi donner le tournis. Butz venait de vendre la presque totalité du blé américain propre à la consommation aux ennemis de longue date, les Russes. Et le contribuable devait payer la note en attendant un remboursement de Moscou pour le moins hypothétique. Mais il n'y avait pas de quoi s'inquiéter. Le patron de l'USDA, le sourire aux lèvres, ne se voulait-il pas rassurant ? À l'entendre, l'agriculture moderne devait jouer sur deux fronts : l'importation et l'exportation. Et, avec Butz aux commandes, rentrait de plain-pied dans l'ère de la mondialisation.

*

---

140. Le boisseau US est une unité utilisée en agriculture pour les cotations en Bourse des ventes de céréales aux États-Unis. Les équivalences standard avec les unités utilisées pour les cotations en Europe sont les suivantes : 1 boisseau US de blé vaut 0,02721 tonne ; 1 boisseau US de maïs vaut 0,02540 tonne ; 1 boisseau US de soja vaut 0,02721 tonne. Voir http://fr.wikipedia.org/wiki/Boisseau

141. Clifton B. Luttrell, *The Russian Wheat Deal – Hindsight vs. Foresight*, Federal Reserve Bank of Saint Louis, octobre 1973.

Le 5 juillet 1972, la première cargaison de blé américain arriva à Moscou. Et immédiatement, comme prévu par Butz, le prix du blé aux États-Unis se mit à monter. Mieux, il entraîna dans son sillage celui du maïs, du soja et du bétail. À la Maison-Blanche, Nixon savourait sa manœuvre. D'ici la fin de l'année, les agriculteurs américains constateraient un substantiel accroissement de leurs revenus.

En vérité, tout était plutôt une question de perspective. Car les éleveurs de porcs, eux, voyaient par exemple d'un mauvais œil cette soudaine flambée de la principale source d'alimentation de leur bétail. Ce qui les conduisit à augmenter le prix de leur viande. Autre répercussion dramatique, celle qui toucha les fermiers spécialisés dans les volailles. En septembre, deux mois après l'annonce de la transaction, quelques agriculteurs préférèrent en effet abattre la totalité de leurs poulets plutôt que de continuer à les nourrir à perte.

Mais puisque Butz avait opté pour ce que l'on n'appelait pas encore la mondialisation, il fallait en payer les conséquences. Le cours du dollar étant au plus bas, il fut impossible d'empêcher les autres puissances de faire leur marché dans les stocks de grain américains, ce qui mit assez vite en péril les réserves destinées à la population. Une catastrophe n'allant jamais seule, des aléas climatiques au Pérou, confirmant l'effet papillon cher à Lorenz [142], vinrent se greffer à la crise. La production de poissons d'élevage, source de protéines du bétail américain, fut largement réduite par les conditions météorologiques. Les éleveurs des États-Unis durent se rabattre sur le maïs, qui devint hors de prix et, bien évidemment, essayèrent de se rattraper sur le prix de

---

142. En 1972, le météorologue Lorenz fait une conférence à l'American Association for the Advancement of Science intitulée : « Predictability : does the Flap of a Butterfly's Wings in Brazil set off a Tornado in Texas ? », qui se traduit en français par : « Prédictibilité : le battement d'ailes d'un papillon au Brésil peut-il provoquer une tornade au Texas ? ». Voir http://fr.wikipedia.org/wiki/Effet_papillon

la viande. La transaction de Butz avait donc déclenché un cycle infernal. « À la fin de l'année 1972, les prix de la nourriture avaient fortement augmenté. Le prix du blé avait presque triplé durant les douze mois précédant août 1973 Le prix du maïs et du soja plus que doublé. Le prix du bovin, du porc et de la volaille augmenté, eux, respectivement de 55, 102 et 153 %[143]. »

En bout de course, c'est le consommateur américain qui réglait l'addition : 29 % de hausse des prix de la nourriture en un an ! La presse américaine se déchaîna évidemment contre le gouvernement Nixon : « Les consommateurs ont une excellente raison d'être en colère. L'accord a entraîné une pénurie de grains aux États-Unis qui entraîne à la hausse le prix du pain, de la viande, du beurre et des laitages[144] ».

Nixon désirait un an plus tôt éviter la colère des agriculteurs, mais maintenant, il lui fallait affronter celle de tout un pays. D'est en ouest, les mères de famille américaines manifestaient devant les supermarchés. Les rayons vides se multipliaient. La valse des étiquettes persistait. Pour la dernière fois de leur histoire, les États-Unis vivaient une crise alimentaire.

Devant la menace de la rue, le président exigea des réactions rapides. Une nouvelle fois, Butz détenait la solution. Elle était radicale et révolutionnaire.

---

143. *The Russian Wheat Deal – Hindsight vs. Foresight, op.cit.*
144. *Time Magazine* cité dans *The Russian Wheat Deal – Hindsight vs. Foresight, op.cit.*

32. Centralisation

Du passé faisons table rase. La crise offrit à Butz l'opportunité de mettre en œuvre sa vision. Celle qu'il prônait depuis vingt ans et où se bousculaient production massive, modernité, consolidation, concentration et centralisation.

*

Butz avait été clair. Si elle voulait survivre, l'agriculture américaine devait entamer une profonde mutation. Mettant à terre cinquante ans de contrôle de la production, des stocks et des prix, le patron de l'USDA souhaitait que les fermiers américains se lancent dans l'agriculture de masse. Une nouvelle donne où le petit propriétaire n'aurait plus sa place. Il fallait « devenir gros ou disparaître [145] ». Pour Butz, l'agriculture du xxe siècle s'apparentait à des champs uniformes, cultivés au maximum de leurs capacités, dont le rendement serait poussé grâce aux techniques modernes, allant du tracteur hautes performances à l'usage massif

---

145. « Get big or get out », propos d'Earl Butz cités par George Pyle dans *Raising less Corn, more Hell*, Public Affairs, 2005.

d'herbicides, pesticides et autres engrais chimiques. Cette modernisation forcée s'avérait financièrement insupportable pour la majorité des agriculteurs [146], mais peu lui importait : à ses yeux, seul comptait le sort de l'Amérique. Et puis, si les fermiers ne pouvaient pas assumer les changements nécessaires, les grands groupes agroalimentaires seraient ravis de prendre la relève.

*

En 1960, l'Amérique comptait 5,4 millions de propriétés agricoles d'une superficie moyenne de 216 acres. En 1974, un an après le déclenchement du plan Butz, alors que la superficie moyenne doublait, on n'en dénombrait plus que 2,3 millions. Et aujourd'hui, on frôle la barre des 2 millions, la majorité n'hébergeant plus des fermiers mais des « opérateurs », employés smicards de grands groupes qui pratiquent une monoculture intensive.

En 1970, 9 % des Américains produisaient de la nourriture pour le reste de leurs concitoyens. En 2005, la même tâche occupe 2 % de la main-d'œuvre nationale.

Les effets de la révolution initiée par Butz se mesurent dans tous les secteurs. La moitié de la production de volailles, des œufs à la viande, appartient à quatre groupes [147], qui centralisent 80 % de celle-ci dans deux États, la Pennsylvanie et le Texas. Quatre autres compagnies, DuPont, Dow Chemical, Novartis et Monsanto, contrôlent, elles, 75 % des ventes de graines de maïs.

---

146. A. V Krebs, journaliste spécialisé dans le monde paysan, résume l'héritage Butz ainsi : « Désormais, Butz doit assumer une responsabilité majeure dans le triste sort de milliers et milliers de fermiers américains que l'on a forcé à quitter leurs terres. Comme on les a poussés à la faillite, à la dépression, au divorce, à l'alcoolisme et au suicide ». Cité dans *Raising less Corn, more Hell, op.cit.*
147. Pilgrim's Pride, Perdue Farms, Tyson et Gold Kist.

Enfin, seulement six compagnies monopolisent la presque totalité de la production de grains, du maïs au soja, en passant par le blé[148].

*

Finalement, le raz-de-marée déclenché par Butz pouvait paraître pour le moins cocasse. Comme s'il s'était inspiré de la centralisation communiste, à laquelle il aurait ajouté un solide parfum de capitalisme, il avait élaboré un système confiant l'appareil de production alimentaire à une poignée de sociétés. Mais en agissant ainsi, il s'était débarrassé de l'incertitude : les stocks ne dépendraient plus de millions de petits agriculteurs, des conditions météorologiques ou des capacités financières de chacun à acheter suffisamment de pesticides. Non, en offrant le futur de la nourriture à quelques puissantes sociétés, il avait garanti au pays la certitude d'aliments toujours disponibles et à bas prix. Plus jamais une mère de famille ne serait obligée d'acheter de la viande au marché noir ; plus jamais l'Amérique ne se coucherait le ventre creux. La production de masse garantissait l'abondance à bon marché. Et les milliards de dollars de subventions assureraient que cet état de fait dure longtemps.

Earl Butz était en somme un génie dans son genre. Grâce à lui, l'Amérique se précipita dans ses supermarchés. La machine se mit à tourner à plein régime et les stocks atteignirent des sommets jamais atteints. Il restait toutefois un problème à élucider : qu'allaient devenir ces millions de tonnes de grains supplémentaires à bas prix ?

Dans la réponse se dissimule le secret de la pandémie d'obésité.

---

148. Cargill, Cenex Harvest, General Mills et Archer Daniels Midland (ADM) contrôlent 60 % du marché. Si l'on ajoute ConAgra et Louis Dreyfus, ce chiffre monte à 74 %. Voir *Raising less Corn, more Hell, op.cit.*

33. Élastique

Le commerce de la nourriture est dépendant de règles économiques spécifiques. En effet, la consommation d'aliments n'augmente pas parallèlement au pouvoir d'achat. Être plus riche n'incite pas à dépenser davantage pour s'offrir une plus grande quantité de mets. Les spécialistes estiment même qu'une fois le consommateur arrivé au sommet de la pyramide alimentaire, autrement dit l'achat de viande, ses habitudes ne changent plus guère. En tout cas pas suffisamment pour que le producteur puisse espérer augmenter considérablement ses revenus à mesure que ses clients accroissent les leurs.

Afin d'atteindre cette limite maximale de consommation, une marque doit donc investir massivement dans la publicité. Ou, comme nous l'avons vu du côté d'Emory, dans de nouvelles techniques destinées à encourager cet achat. Mais puisque cette capacité possède un plafond, une fois celui-ci atteint, pour augmenter ses profits, le producteur doit diminuer ses coûts et accroître la valeur ajoutée d'un produit. Un exemple ? Les coûts de production d'un œuf sont difficilement compressibles. Pour l'obtenir, il faut une poule que l'on nourrit. Une volaille impossible à remplacer par une machine. Et une fois pondu, l'œuf reste... un œuf. Du producteur au consommateur, il est donc pratiquement impossible de lui ajouter quoi que ce soit. Or, dans n'importe quel produit industriel composé d'une multitude d'ingrédients, tout s'ajoute. Il y a « parfois jusqu'à cinquante [composants] que l'on peut substituer les uns aux autres, explique Jean-Michel Cohen. Et l'ordre des ingrédients laisse la possibilité de privilégier l'ingrédient le moins cher au détriment du plus cher[149] ». En clair, à la différence de l'éleveur de poules pondeuses qui n'a presque aucune marge de manœuvre, l'industriel qui fabrique des produits transformés a la possibilité de recourir à des ingrédients peu chers pour diminuer son prix de revient. Et de multiplier les combinaisons à l'infini pour augmenter parallèlement ce qu'on appelle sa valeur ajoutée. Le produit final peut jouer la carte pratique, en devenant un plat surgelé, en se dotant d'un emballage facile à emporter, en se faisant préparation en conserve ou en inventant une forme nouvelle de nourriture, comme le *nugget* de poulet. L'essentiel du prix payé par le consommateur ne relèvera plus des ingrédients de base, mais plutôt des ajouts imaginés par l'industriel.

*

Dès 1971, avec la multiplication à l'extrême des plants de maïs, on offrit donc à l'industrie agroalimentaire la mainmise sur la première partie de l'équation. Le prix de la matière première venant de chuter, entraînant dans son sillage les coûts de production, il convenait désormais de trouver un moyen de faire exploser la marge de la valeur ajoutée. Et de contourner une autre règle, celle qui prétend, en théorie, que l'estomac des consommateurs n'est pas élastique.

---

149. *Savoir manger, op.cit.*

34. Ampleur

Butz avait multiplié les revenus mais aussi les... calories. En 1978, quatre ans après l'accord signé avec les Russes, la quantité de nourriture produite quotidiennement pour un Américain s'était accrue de 500 calories. Et ce en moins de dix ans. Désormais chaque habitant disposait de 3 200 calories pour satisfaire son appétit. En 2000, poursuivant la tendance, ce chiffre atteignit 3 900. L'appareil de production alimentaire américain « fabriquait » donc le double des besoins de sa population actuelle. Le double !

Même si une partie de cette surproduction est gaspillée – les économistes estiment que la part non utilisée représente 300 calories par jour –, le reste est bien englouti, avalé, ingurgité par l'Amérique. Ce qui signifie que les fabricants de produits industriels ont trouvé le moyen de briser la prétendue non-élasticité de nos estomacs.

*

Les méandres de mon enquête m'avaient conduit à ce constat. D'une idée initiale simple – découvrir les racines de la pandémie d'obésité – j'étais parti à la recherche d'explications en croyant les dénicher, comme beaucoup, dans

165

notre frénésie à engloutir et notre refus de l'activité physique. Puis j'avais découvert un pays profondément atteint. Et, plus inquiétant encore, j'avais vu les symptômes du mal gagner le monde.

Ensuite, j'avais suivi les traces des méfaits de la civilisation moderne, de l'utilisation massive de la voiture à l'augmentation des portions dans les restaurants. En Géorgie, je m'étais confronté au futur et aux techniques de neuromarketing.

Mais, à force de kilomètres et de rencontres, j'avais peu à peu acquis une autre certitude. L'obésité et ses conséquences, du diabète au cancer, n'étaient en rien une banale question de volonté et de discipline. D'autres « agents », comme aurait dit le professeur Bray, constituaient les véritables coupables.

Et cette fois, j'étais devant une nouvelle réalité : ce que nous mangeons aujourd'hui n'a plus grand-chose à voir avec ce que l'homme consommait avant Earl Butz. L'idée n'était peut-être pas extraordinaire en apparence, mais ses conséquences sur l'humanité s'avéraient dramatiques.

35. Alchimiste

L'histoire se répétait. Car cent ans avant Earl Butz, l'Amérique croulait déjà sous le maïs. En 1875 et 1876, des conditions météorologiques très favorables avaient donné des récoltes extraordinaires. Le prix du boisseau s'était effondré et les fermiers avaient dû trouver un moyen de gagner de l'argent et de se débarrasser des stocks. La solution ? Un breuvage nouveau. Si les Américains ne pouvaient manger plus de maïs, il suffisait de leur en faire boire.

Le whisky de maïs contenait 80 % de céréales diluées dans de l'alcool. Un produit facile à fabriquer en contrebande. Son prix permettait de dégager un profit conséquent et ses effets se révélaient pour le moins... assommants. Le succès fut immédiat, et toucha rapidement l'ensemble du pays. La « République des alcooliques » venait de naître. Évidemment, cette liqueur bon marché fit des ravages, mais globalement les autorités laissèrent faire, ne souhaitant pas susciter de révoltes des fermiers en fermant la seule porte de sortie possible. Il fallut donc attendre la seconde moitié de la décennie 1880, et la pression des ligues de tempérance, pour que la contrebande ralentisse. Ironiquement – et nous en mesurerons pleinement la cocasserie plus tard –

c'est cette révolte contre l'alcool qui incita John Pemberton à transformer son vin de cola en Coca-Cola[150].

*

Moins d'un siècle plus tard, l'idée était similaire. Si l'Américain ne pouvait ingurgiter les stocks liés à la politique d'Earl Butz, on allait les lui faire boire. Pas en mettant au point une cuvée Nixon du whisky de maïs, bien sûr, mais en rendant populaire une invention née dans les laboratoires d'une compagnie céréalière de l'Iowa.

Depuis le milieu des années 1950, les chimistes de la Clinton Corn Processing Company (CCPC) travaillaient sur un concept censé leur ouvrir de nouveaux débouchés. Ils souhaitaient réussir une hydrolyse de l'amidon du maïs pour obtenir du sirop de glucose. En cas de succès, à terme, les céréaliers seraient alors en mesure de concurrencer les importateurs de sucre, dont la consommation et le prix n'avaient cessé de grimper depuis la fin de la guerre. L'Amérique importait en effet l'essentiel de la production de canne à sucre et dépendait de la stabilité politique d'autres nations. Une incertitude dangereuse. De fait, la situation de Cuba, où les troupes de Fidel Castro affrontaient celles de Batista depuis décembre 1956, inquiétait les spécialistes.

Au même moment, dans l'Iowa, les chercheurs de la CCPC avaient donc découvert une enzyme permettant d'hydrolyser le glucose en fructose. Leur solution, qui contenait 42 % de fructose, possédait un pouvoir sucrant égal à celui du saccharose. Le HFCS[151] 42 présentait deux autres avantages : il était technologiquement plus intéressant que le

---

150. *Coca-Cola, l'enquête interdite, op.cit.*
151. *High Fructose Corn Syrup.* En France, on l'appelle sirop de glucose-fructose.

sucre grâce à sa conservation plus longue et à son aptitude aux mélanges supérieure, mais surtout il était moins cher à produire.

A contrario, il pâtissait d'un défaut majeur : l'enzyme isolée par les scientifiques de la CCPC nécessitait pour son emploi le recours à un produit toxique, l'arséniate, qui rendait la mouture finale dangereuse à consommer.

Le HFCS, à la grande déception des céréaliers, fut donc un produit mort-né. Nous étions en 1957. Dix ans plus tard, le salut vint du Japon. Un laboratoire, qui avait repris les travaux de la CCPC, parvint en effet à isoler une autre enzyme autorisant, sans danger cette fois, l'hydrolysation du glucose en fructose : il n'était plus nécessaire d'utiliser un cofacteur toxique. De 1967 à 1971, le HFCS fut développé et testé avec succès. Il restait à le lancer sur le marché américain. La Clinton Corn Processing Company, propriétaire du premier brevet, représentait évidemment le partenaire idéal. D'autant qu'en cette fin d'année 1973, grâce à Earl Butz, la compagnie de l'Iowa gérait des milliers de silos regorgeant de grains de maïs ne coûtant pas grand-chose.

*

Les deux premières années d'exploitation du HFCS furent un franc succès. Comme avec l'alcool de maïs, le sirop permettait en effet aux céréaliers d'écouler leurs grains à un tarif supérieur au prix de la vente en l'état. La CCPC eut alors encore plus faim de dollars. Comment faire ? Une solution s'imposa : vendre les droits d'utilisation du brevet. Dès lors, de multiples accords furent signés.

Revers de la médaille, en 1976, on parvint à une surproduction de HFCS. La poule aux œufs d'or risquait d'étouffer. Mais un certain Dwayne Orville Andreas eut une idée qui allait changer fondamentalement la donne.

36. Socialiste

Je travaillais sur l'assassinat de John F. Kennedy lorsque j'ai aperçu pour la première fois le nom de Dwayne Andreas. Passant en revue les listings des enregistrements audio de la Maison-Blanche sous Richard Nixon, son patronyme m'était apparu à plusieurs reprises, accompagné de la mention des « cadeaux financiers » liés à la campagne de réélection du président républicain. Pourquoi évoquer ce personnage ? Parce que c'était un don d'Andreas qui avait permis à Bernard Barker de constituer et de rémunérer l'équipe de « plombiers » en charge de la mission dite du Watergate [152]. Autrement dit, les hommes de l'ombre chargés de placer des micros au quartier général de la campagne du parti démocrate. Butz n'avait donc pas uniquement calmé la colère des agriculteurs et multiplié les grains, il avait apporté avec lui au pouvoir la force de frappe financière des céréaliers américains [153]. Les dollars du maïs avaient assuré la victoire de Nixon !

---

152. Au-delà des 25 000 dollars payés par chèque directement à Barker, les enregistrements révèlent qu'Andreas s'était rendu directement à la Maison-Blanche avec une valise contenant 100 000 dollars. Le liquide devait permettre à Nixon d'empêcher que l'affaire du Watergate prenne une trop grande ampleur.

153. En 1968, Andreas avait déjà contribué à la campagne présidentielle de Hubert Humphrey, le vice-président démocrate de Lyndon B. Johnson.

*

Andreas s'était fait seul. Né en 1918, il avait abandonné ses études pour rejoindre une petite compagnie de tri de grains. En 1945, la société ayant été avalée par Cargill, il avait fait son chemin en son sein jusqu'à atteindre l'un des postes de vice-président. Sept ans plus tard, il rejoignait Grain Terminal Association et se lançait dans l'exploitation industrielle de l'huile végétale. Enfin, en 1971, il fut nommé président d'Archer Daniels Midland (ADM).

ADM ? Une entreprise fondée en 1923 spécialisée dans les céréales. Cette compagnie achetait, stockait, traitait et vendait le grain afin de le rendre propre à la consommation des hommes comme des animaux. Un positionnement profitable dans les années 1950 et 1960, puisque cette société installée à Decatur, dans l'Illinois, devint l'un des principaux acteurs de l'agroalimentaire, se diversifiant même dans le commerce du cacao et l'enrichissement en vitamines de multiples produits.

L'arrivée de Dwayne Andreas à sa direction marquait une nouvelle ère. Jusque-là familiale, ADM souhaitait désormais s'imposer sur de nouveaux marchés et se développer à l'étranger. En trente ans, Andreas réussit son pari. Aujourd'hui, ADM possède plus de 270 usines dans le monde entier et sa valeur est estimée à plusieurs dizaines de milliards de dollars. Son rang ? Celui de première compagnie agroalimentaire de la planète. Et l'HFCS a joué un rôle essentiel dans cet essor phénoménal.

*

De ses années à Gargill et à Grain Terminal Association, Andreas avait notamment retenu ceci : « Le marché libre existe seulement dans les discours des politiques », ajoutant avec un cynisme parfait : « Les gens qui ne vivent pas dans le Midwest ne comprennent pas que nous sommes dans un pays socialiste [154] ».

Au-delà d'une formule à l'emporte-pièce, ce propos signifiait que le marché du grain dépendait d'abord des décisions prises à Washington. Que c'était là-bas, dans les couloirs du Congrès, du Sénat et de la Maison-Blanche, que se décidaient les quotas, les prix et les marchés. Donc que pour profiter de la manne de l'argent public, il fallait savoir se montrer généreux envers les bonnes personnes. Fort de ce constat, ADM et Dwayne Andreas franchirent une nouvelle étape en devenant les plus importants contributeurs des campagnes politiques [155]. Cette implication procura deux atouts à ADM : se garantir, en obtenant le soutien du gouvernement à une forme de protectionnisme, un certain contrôle du prix de la matière première ; et recevoir en retour de belles subventions. En 1995, le Cato Institute estimait ainsi « qu'ADM avait coûté plusieurs milliards de dollars à l'économie américaine depuis 1980. Et avait indirectement coûté des dizaines de milliards de dollars aux contribuables américains sous forme de taxes et de prix plus hauts [156]. Au moins 43 % des profits annuels d'ADM proviennent de produits lourdement subventionnés ou protégés

---

154. Voir http://www.motherjones.com/news/special_reports/1995/07/carney.html

155. Richard Nixon, Jimmy Carter, Ronald Reagan, Bob Dole, Bill Clinton, Michael Dukakis, Jesse Jackson et les Bush père et fils font partie de la longue liste des hommes politiques ayant bénéficié des largesses de ce personnage inconnu du grand public. Voir http://www.pbs.org/wgbh/pages/frontline/president/players/andreas.html

156. En 1999, ADM a été condamnée à payer 100 millions de dollars d'amende pour tricherie sur les prix. Réaction de Dwayne Andreas ? « Aucune, c'est comme si un oiseau m'avait chié dessus. Nous sommes la plus grande compagnie agroalimentaire du monde. Qu'est-ce que le gouvernement compte faire sans nous ? Nous fabriquons 35 % du pain de ce pays, même chose pour la margarine, l'huile pour cuisiner... Sans compter tout le reste. » Voir http://www.motherjones.com/news/special_reports/1995/07/carney.html

par le gouvernement américain. De fait, chaque dollar de profit gagné par ADM sur ses opérations de sirop de maïs en coûte 10 aux consommateurs [157] ». Sans parler des effets sur leur santé, comme nous le verrons...

*

L'arrivée, le 2 décembre 1971, d'Earl Butz à Washington constituait une garantie pour le nouveau patron d'ADM. Andreas connaissait les idées de son ami et savait qu'avec lui, le prix du maïs serait protégé mais aussi que le gouvernement s'engagerait à verser des centaines de millions de dollars d'aides aux céréaliers. La carte du maïs était donc bonne à jouer.

Et il y avait mieux encore. Bien gérée, l'invention des chimistes de la Clinton Corn Processing Company pouvait devenir l'équivalent d'un billet gagnant de la loterie. Si bien qu'en 1976, alors que le marché de l'HFCS semblait parvenu à saturation, ADM rachetait la CCPC et investissait massivement dans la production de sirop de glucose-fructose. Une opération sans risque puisque grâce à ses contacts à la Maison-Blanche et à l'USDA, Andreas se lançait dans une activité qui, il le savait, serait copieusement soutenue par le gouvernement. De fait, alors que l'année de l'acquisition de la CCPC, Washington distribuait 400 millions de dollars d'aides à la filière maïs, un an plus tard, le chiffre dépassait 1,6 milliard. Et ADM, désormais premier céréalier américain, en était le principal bénéficiaire. Le pouvoir américain venait en somme d'offrir à Andreas le temps nécessaire à l'extension de son marché.

*

---

157. http://www.cato.org/pubs/pas/pa-241.html

Toutefois, cela ne fonctionna pas tout de suite. Avant 1978, les débouchés du HFCS étaient restreints. Les premiers utilisateurs, les fabricants de sodas, hésitaient en effet à remplacer le sucre. Le HFCS 42 n'ayant pas exactement le même goût que le produit issu de la canne à sucre, les marchands de colas craignaient un accueil défavorable des consommateurs. Aussi, en attendant de voir comme réagirait le marché, ils continuèrent à privilégier les mélanges à base de sucre. C'était sans compter sur Dwayne Orville Andreas, qui détenait un joker dans sa manche.

37. Martingale

À en croire Dwayne Andreas, ADM avait inventé une
véritable martingale. Andreas connaissait le secret permettant d'associer le dilemme de l'omnivore au principe du
glouton. Ses chimistes étaient parvenus à modifier la recette
originale du HFCS 42 et avaient mis au point un nouveau
mélange contenant 55 % de fructose. Avantage du
HFCS 55, ne pas avoir les inconvénients gustatifs de son
prédécesseur. Andreas allait pouvoir abattre cette carte et
convaincre Coca-Cola.

*

À la fin des années 1970, sous la présidence de Roberto
Goizueta, la Compagnie s'était engagée dans une course
frénétique à la part de marché. Le patron de Coke ne se
satisfaisait pourtant pas de la première place. Il voulait définitivement écraser Pepsi-Cola, son adversaire de toujours,
puis s'attaquer au marché de l'eau. Or, l'offre d'Andreas
était le meilleur moyen de réussir.

Depuis quelques années, Coca-Cola était en effet agacé
par le succès grandissant de Pepsi, les Américains,

conditionnés par le dilemme de l'omnivore, préférant son goût plus doux[158].

L'HFCS 55 apportait la solution ; plus riche en fructose, son goût s'avérait plus rond que celui du sucre. Sans avoir à modifier les proportions de sa recette, Coke put donc s'approcher de la formule de son concurrent.

En outre, Andreas disposait d'un autre argument de poids apte à convaincre totalement Goizueta. Grâce aux subventions de Washington, ADM pouvait vendre son produit à un prix plancher. Concrètement, si Coca-Cola abandonnait le sucre pour adopter l'HFCS, la firme ferait une économie de 20 à 30 %. Le géant d'Atlanta comprit d'emblée ce que cette marge supplémentaire signifiait. Dans un premier temps, elle augmenterait directement ses profits, donc la valeur du titre à Wall Street. Les bénéfices supérieurs dégagés donneraient ensuite une marge de manœuvre nouvelle pour investir plus que jamais dans la publicité. Comme la Compagnie savait déjà que plus de spots et affiches accroissaient les ventes, comment laisser passer une telle opportunité ?

Andreas avait enfin une ultime cartouche à tirer. Le volume des ventes de Coca-Cola se voyait contenu par le principe du glouton. Rares étaient en effet les consommateurs prêts à acheter et à boire deux bouteilles de soda d'affilée. Coke avait relégué sa légendaire bouteille de 18 cl pour la remplacer par une canette de 35,5 cl, mais si le coût de fabrication avait doublé, le prix non, Atlanta préférant rogner sur sa confortable marge plutôt qu'effrayer le client. Cependant, cette méthode avait ses limites. Accroître encore la taille des bouteilles semblait délicat : elles auraient été soit trop chères, soit insuffisamment rentables. Se convertir au sucre de maïs, c'était briser cet étau. Goizueta saisit d'emblée tous les profits à tirer de cet HFCS 55.

---

158. *Coca-Cola, l'enquête interdite, op.cit.*

Il imaginait déjà des bouteilles individuelles de 50 cl et d'autres, familiales, de 3 voire 5 litres. Qui plus est, tout le monde allait en profiter. McDonald's, le premier client de la Compagnie, récolterait sa part des bénéfices. Le Coke moyen s'y vendait 1,29 dollar en moyenne. Pour remplir un verre, en plus de l'eau et de la glace, 9 cents étaient consacrés à l'achat du sirop de Coca-Cola. Avec le HFCS 55, le coût du sirop supplémentaire n'excéderait pas 3 cents, la chaîne de fast-food pourrait donc proposer un grand format facturé 20 cents de plus. McDo allait ainsi vendre plus de grand Coke, augmenter ses profits et... acheter plus de sirop.

Andreas avait raison. L'économie réalisée sur l'achat du sucre permettait à Coca-Cola d'augmenter ses portions, de satisfaire les gloutons, d'améliorer sa rentabilité et, in fine, de ravir les actionnaires. Une vraie martingale, en effet.

*

Janvier 1980 approchait et Dwayne Andreas passait des fêtes délicieuses : il avait emporté la partie. Coca-Cola ayant cédé en acceptant de passer au tout HFCS, un verrou venait de sauter. PepsiCo suivrait. Et bientôt, les vendeurs de hamburgers et les fabricants de confiseries, de jus de fruits, de ketchup, de boîtes de conserves, de produits apéritifs, de plats surgelés, de vitamines, de sirop pour la toux... en feraient autant.

L'équation mise en place se révélait redoutable et imparable. Pour accroître les ventes, il fallait satisfaire une habitude inscrite dans nos gènes et offrir du sucré. Et pour le faire à moindre frais, le sirop miracle d'ADM constituait la solution parfaite.

En 1995, John McMillin, analyste financier chez Prudential Securities, estima que le HFCS contribuait pour 39 % aux profits d'Archer Daniels Midland. Traduite en dollar, la valeur de l'or jaune donnait le vertige. Cette année-là, sans compter les « aides » versées par le gouvernement américain[159], ADM avait engrangé plus de 290 millions de dollars de profits, uniquement grâce à l'HFCS.

*

Les stocks de maïs créés par Butz, subventionnés par Washington, transformés par Andreas et commercialisés par Coca-Cola s'apprêtaient à envahir le marché américain. La crise d'obésité allait s'emballer et entrer dans une nouvelle phase.

---

159. De 1995 à 2004, les subventions versées par le gouvernement américain afin de soutenir l'industrie du maïs s'élèvent à un total de 41,9 milliards de dollars. ADM contrôle 12 % des stocks de maïs du pays.

38. Risible

Aujourd'hui, le HFCS est une superstar. Chaque année, 530 millions de boisseaux de maïs sont industriellement transformés en 8 milliards de litres de jus de glucose-fructose.

En à peine deux décennies, le sirop d'ADM est devenu le produit le plus populaire de la chaîne alimentaire américaine. Comme l'avait prédit Dwayne Andreas, on le retrouve partout. Et principalement dans les sodas. La décision prise par Coca-Cola en 1980 de se convertir complètement à l'HFCS a été rapidement suivie par PepsiCo et le reste des fabricants de colas. Aujourd'hui, à l'exception de quelques curiosités locales[160], la totalité des boissons sucrées américaines ne contient plus de sucre de canne.

Cette mutation a aussi entraîné une diversification de l'offre. Et ce parce que produire un *soft drink* n'a rien de révolutionnaire, la composition étant toujours la même : de l'eau, des extraits naturels – ou pas – chargés de donner

---

160. À Dublin, Texas, l'embouteilleur local de la boisson DrPepper a refusé de passer au HFCS sous prétexte que le sirop altérait le goût du soda. Il poursuit donc son activité, continuant à vendre du cola « au goût d'avant », l'expédiant dans le reste du pays. Les colas au sucre de canne ont un noyau de fidèles. Au Texas et en Californie, il existe même un marché noir de bouteilles de Coca-Cola pur sucre importées du Mexique.

du goût, un colorant et beaucoup de sirop sucré à bas prix. De fait, on estime qu'une canette de soda dégage presque 90 % de profits. Aussi, depuis la fin des années 1990, la gamme de produits s'est-elle considérablement élargie, répondant à toutes les cibles de consommateurs. The Coca-Cola Company propose plus de 400 boissons, de l'eau minérale jusqu'au mélange énergisant enrichi en caféine. Point commun : de faibles coûts de production. Résultat ? Aux États-Unis, Coke commercialise ses boissons dans plus de 2 millions de magasins, près d'un demi-million de restaurants et dispose de près d'1,5 million de distributeurs habilement installés là où le consommateur se trouve. Un chiffre qui atteint même les 3 millions si on englobe l'ensemble des fabricants de soda[161].

*

Cette diversification a permis à l'industrie des boissons non alcoolisées, hors jus de fruits, de multiplier les succès. Ainsi, depuis 1971, la consommation a plus que doublé aux États-Unis pour atteindre une moyenne de 575 canettes de 35,5 cl par Américain pour l'année 2005. Qu'il soit un homme, une femme, un enfant ou... un non-consommateur.

Un an plus tôt, les 66 milliards dépensés par les ménages pour acheter des Coke, Pepsi et autres DrPepper équivalaient à 850 dollars par an et par famille.

En fait, le succès est tel que les sodas sont désormais ici la première source de calories et même « l'aliment le plus consommé » du pays !

*

Lorsqu'un seul produit atteint un tel niveau de consommation, représentant en moyenne 7 % de l'apport calorique

---

161. Voir http://vendingtimes.com/census.htm

Comment le monde merveilleux
de la publicité génère de l'obésité

Aujourd'hui, les géants de l'agroalimentaire tentent de nous convaincre des vertus de leurs produits et de leurs engagements pour notre bien-être. Hier, les mêmes affirmaient qu'un Coke équivalait à une corbeille de fruits, qu'une bouteille de vin remplaçait un repas complet et que le 7 Up était la boisson idéale du nourrisson.

Les mythes : des enfants heureux…

Les enfants sont le cœur de cible de l'industrie agroalimentaire qui souhaite créer des clients fidèles avant l'âge de… 2 ans. D'où la démarche de Pepsi consistant à « sponsoriser » les biberons. Mais c'est l'école qui est le terrain privilégié de conquête. Des manuels scolaires aux menus « équilibrés » fournis par le Département de l'Agriculture, la malbouffe a envahi l'univers enfantin.

… et une science « efficace » ?

Le recyclage à des fins commerciales des restes de viande – des produits avariés aux cadavres de chiens et chats euthanasiés – est une des activités les plus secrètes de la profession. Pourquoi ? Parce que l'on retrouve ce mélange dans de nombreux produits quotidiens mais aussi dans l'alimentation du bétail élevé à la chaîne.

NORTH AMERICAN
RENDERING
The Source of
Essential, High-Quality
Products

nra
Second Edition
NATIONAL RENDERERS ASSOCIATION, INC.

USDA
CONDEMNED

© USDA Photo Center

© National renderers association inc.

© USDA Photo Center

Le vrai visage de la pandémie :
élevage intensif…

La volonté d'une viande à bas prix a imposé des nouvelles conditions d'élevage. Une industrialisation à l'origine de changements dramatiques : ici le grain et les hormones remplacent l'herbe, là, les poulets entassés les uns sur les autres deviennent des porteurs de bactéries. Le porc, « véritable » outil de production, n'est plus qu'une commodité.

...et des pratiques barbares

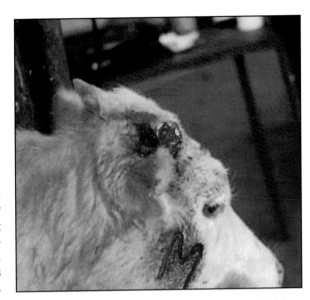

L'élevage industriel s'accompagne de pratiques barbares afin d'éviter que le capital – les animaux – perde de sa valeur. Victime de l'entassement, le bétail développe ainsi des tendances agressives voire cannibales. Résultat ? Les producteurs arrachent – sans anesthésie bien sûr – les dents des cochons, tranchent le bec des poulets et les cornes des vaches.

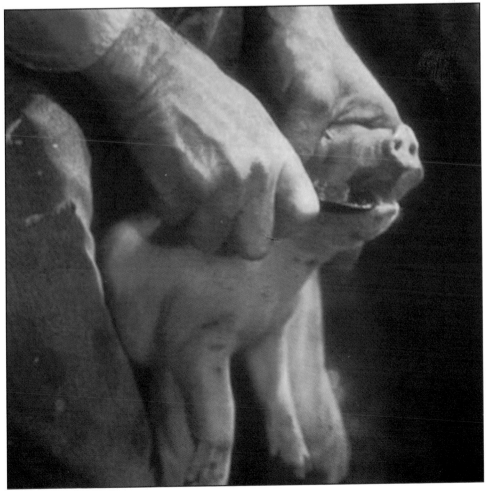

Des méthodes toxiques

La concentration de porcs par milliers engendre un véritable problème sanitaire. Dans l'impossibilité de gérer les déchets de l'élevage industriels, les producteurs remplissent des « lagons » contenant un mélange hautement toxique d'excréments et de restes d'animaux qui, bien souvent, vient polluer notre environnement.

© USDA Photo Center

© USDA Photo Center

L'agriculture intensive utilise massivement les pesticides et herbicides afin d'augmenter son rendement. Des produits toxiques que l'on retrouve non seulement dans l'environnement, mais également dans nos assiettes françaises. D'autant que l'Hexagone est le troisième plus gros consommateur de pesticides au monde.

METHYL BROMIDE

METHYL BROMIDE

BROMIDE

© USDA Photo Center

Les preuves

Les États-Unis sont le terrible laboratoire des maux à venir en Europe. Dans le premier document, Robert Kennedy Jr, avocat environnementaliste, met en garde l'Union européenne des risques de l'arrivée sur le vieux continent des porcheries industrielles. Le deuxième démontre que, soucieux d'engendrer des revenus pour les écoles à sa charge, un responsable de l'éducation des enfants américains se transforme en agent commercial pour Coca-Cola.

President Jean Lemierre
European Bank for Reconstruction and Development
London, United Kingdom

Dear Sir:

We note, with mounting dismay, the role of the European Bank on Reconstruction and Development in encouraging and financing the invasion of Central and Eastern Europe by multinational agribusiness.

We are particularly concerned over the situation in Poland. There, as you know, EBRD has joined with BRE bank and Rabobank Polska to provide a 100 million dollar loan to Animex S.A, the Polish subsidiary of Smithfield Foods.

Smithfield Foods is a corporation that we know only too well. A major focus of the American signatories of this letter, along with a wide spectrum of other North American NGOs, is to protect the environment, protect farm animals, protect small farmers and defend the rights of workers and local communities against the corporate hog industry. Literally hundreds of local and regional groups have been formed for the express purpose of defending communities against hog factory developers; political and legal battles pitting citizens against corporate agribusiness are underway in at least twenty states and three Canadian provinces.

Smithfield's environmental record:

Your "project summary" states that "follow up investigations of the bank's environmental staff, and discussion with Smithfield management responsible for such issues demonstrated that the facilities comply with the national requirements for environment, health and safety, in line with Smithfield's Corporate Environmental Policy." Do you have any idea what Smithfield's "Corporate Environmental Policy" really is? Are you aware of the fact that in 1998 Smithfield was fined 12.6 million dollars—at that time the largest fine ever levied under the U.S. Clean Water Act—for 6,900 violations of the Act going back over 20 years at its Smithfield, Virginia plants. A subsequent lawsuit by the State of Virginia alleging over *23,000* violations was dismissed on technical—but not on substantive—grounds. Operation of Smithfield's huge *Tar Heel* slaughterhouse in Bladen County, North Carolina has also involved substantial fines and protracted litigation.

The environmental impact of slaughterhouse operations pale compared to the impact of hog factories that store hog waste in open cesspools—euphemistically called *lagoons*— and spray it on fields. Pollution of southeastern rivers—most dramatically the Neuse and New rivers in North Carolina—climaxed with the appearance of the toxic, flesh eating organism *Pfiesteria piscicida* that killed hundreds of millions of fish and left scores of swimmers and fishermen with neurological damage and skin lesions that refused to heal. During the floods accompanying Hurricane Floyd in September 1999, vast quantities of hog waste were washed out of "lagoons"; satellite imagery showed a brown tide passing down the swollen rivers, filling Albermarle and Pimlico sounds and passing out to sea. Beaches hundreds of miles away were coated with fecal scum. Tourism and coastal fisheries in North Carolina and Southern Virginia have been grievously damaged the corporate hog industry.

2

DISTRICT 11'S COKE PROBLEM
(Reprinted from the February 1999 edition of Harper's Magazine)

From a September 23, 1998, letter sent to the principals of School District 11 in Colorado Springs, Colorado, by John Bushey, the district's executive director of "school leadership." In September 1997, the district signed an $8 million exclusive vending contract with Coca-Cola.

Dear Principal:

Here we are in year two of the great Coke contract. I hope your first weeks were successful and that pretty much everything is in place (except staffing, technology, planning time, and telephones).

First, the good news: This year's installment from Coke is "in the house," and checks will be cut for you to pick up in my office this week. Your share will be the same as last year.

Elementary school $3,000   Middle School $15,000   High School $25,000

Now the not-so-good news: we must sell 70,000 cases of product (including juices, sodas, waters, etc.) at least once during the first three years of the contract. If we reach this goal, your school allotments will be guaranteed for the next seven years.

The math on how to achieve this is really quite simple. Last year we had 32,439 students, 3,000 employees, and 176 days in the school year.

If 35,439 staff and students buy one Coke product every other day for a school year, we will double the required quota.

Here is how we can do it:

Allow students to purchase and consume vended products throughout the day. If sodas are not allowed in classes, consider allowing juices, teas, and waters.

Locate machines where they are accessible to the students all day. Research shows that vender purchases are closely linked to availability. Location, location, location is the key.

You may have as many machines as you can handle. Pueblo Central High tripled its volume of sales by placing vending machines on all three levels of the school. The Coke people surveyed the middle and high schools this summer and have suggestions on where to place additional machines.

A list of Coke products is enclosed to allow you to select from the entire menu of beverages. Let me know which products you want, and we will get them in. Please let me know if you need electrical outlets.

A calendar of promotional events is enclosed to help you advertise Coke products.

I know this is "just one more thing from downtown," but the long-term benefits are worth it.

Thanks for all your help,

John Bushey
The Coke Dude

BB\msCUPE1004
bb\11101cfpe.doc

Coalition for Public Education

Pour consulter ces documents dans leur intégralité et en découvrir d'autres, rendez-vous sur *www.toxicfood.org*

Studio de création Flammarion

de l'Américain, il devient légitime d'évaluer son rôle dans la crise d'obésité. Même si avancer une telle hypothèse insupporte une profession habituée à gérer le problème comme s'il s'agissait d'une patate chaude. En fait, dès que l'on enquête ou que des études sont menées sur les effets de ces boissons, les représentants de l'industrie montent immédiatement au créneau et professent : « Blâmer un produit spécifique ou un ingrédient comme étant à l'origine de l'obésité défie le sens commun. Alors qu'en réalité, il existe de nombreux facteurs comme le manque d'activité physique [162] ». La réponse est tellement chevillée à la langue de bois du marketing de crise qu'elle en devient ridicule, mais elle fait partie d'une stratégie de défense globale des suspects de responsabilité dans la pandémie. Nous en étudierons les mécanismes et les enjeux plus tard, en montrant comment ce mode de communication a franchi l'Atlantique pour corrompre le débat européen.

Ce genre de commentaire a en tout cas le don d'irriter le docteur David Ludwig. Directeur du programme anti-obésité au Children's Hospital de Boston, il gère les dégâts causés par la trop grande consommation de sodas. « C'est exactement comme si quelqu'un disait que nous devrions ignorer la contribution de l'hypertension dans les attaques cardiaques parce qu'il existe d'autres facteurs, assène-t-il. Si cela n'était pas aussi grave, cela en serait risible. Et pourtant, cet argument ressort à chaque fois que l'on parle de l'obésité. En réalité, c'est comme documenter la gravité : il existe un solide et accablant dossier prouvant l'existence d'une relation de cause à effet [163]. »

*

162. Associated Press, 9 août 2006.
163. *Idem.*

Le premier élément à charge est l'évolution parallèle des courbes de l'obésité et de l'absorption de ces boissons. Selon le bureau des recherches économiques de l'USDA, la consommation de colas a connu une première explosion entre 1967 et 1977. Soit avant l'introduction du HFCS, quand en dix ans, l'Américain se mit à boire 350 canettes par an contre 200 en 1967. Dans la même période, cette fois-ci d'après le National Center for Health Statistics, le taux d'Américains obèses ou en surcharge pondérale monte à 45 %.

En 1987, la consommation est passée à 475 canettes par an. Dix ans plus tard, on arrive à 585, soit en moyenne, 7 % de l'apport calorique des Américains.

Le taux d'obésité ? De 15 % en 1976, il a grimpé à 23 % en 1988 et 31 % en 1999. Lorsque l'on cumule ce pourcentage avec celui des Américains en surcharge pondérale, on constate le même mouvement : les 45 % de 1976 sont arrivés à 56 % puis à 65 %.

Ces chiffres illustrent deux faits. D'abord, ils confirment les progressions parallèles de la consommation de sodas et de la crise d'obésité. Ensuite, ils démontrent que l'introduction du HFCS a eu un effet considérable sur la consommation, accélérant du même coup les répercussions de la crise.

Cet élément donne plus de crédit à la thèse d'une deuxième phase de la pandémie d'obésité. La première, commencée après la Seconde Guerre mondiale, a vu une progression régulière du taux d'obésité, évolution modérée et linéaire s'expliquant par de multiples facteurs sociétaux et culturels.

Et puis, au tournant des années 1980, l'explosion soudaine du nombre d'Américains souffrant de problèmes de poids alerta les experts. Le plus troublant est de constater que, sur cette période de trente ans, le pourcentage d'Américains en « simple » surcharge pondérale est relativement stable. Il passe de 32 % en 1976 à 33 % en 1988 pour plafonner à 34 % dix ans plus tard. Cela signifie que l'absorption massive de sodas a des effets particulièrement dramatiques parce qu'elle fait surtout croître le nombre d'obèses ! Exactement comme chez les Indiens Pima où, à la même époque, Eric Ravussin avait constaté une fulgurante progression de l'obésité. Comme si, du jour au lendemain, leur environnement était devenu toxique.

*

L'actuelle épidémie aux États-Unis a une autre particularité, nous l'avons vu. Le taux croissant d'enfants et d'adolescents atteints par le mal. Cette nouvelle vague a dramatiquement changé la nature des dégâts. Au point que le diabète dit « de l'âge mûr » a été rebaptisé diabète de type 2 afin de s'adapter à cette réalité nouvelle. De la conférence de Sydney aux centres hospitaliers américains, tous les médecins et spécialistes répètent la même mise en garde : si rien n'est fait, les membres de cette génération vivront moins longtemps que leurs parents et souffriront de multiples maladies tout au long de leur existence.

Et lorsqu'on analyse la consommation de sodas dans cette perspective, n'en déplaise aux porte-parole de l'industrie, il s'avère impossible de ne pas y déceler les racines du mal.

39. Biberon

Il devait avoir un peu plus de dix ans. Je me trouvais dans la salle commune d'un motel d'Austin et, comme la quarantaine d'autres clients, je prenais mon petit déjeuner. Le buffet proposait un vaste choix de céréales et de viennoiseries. Il y avait même quelques fruits frais à l'aspect, il faut l'admettre, assez décourageant. Comme il n'était pas encore 8 heures du matin – lorsqu'ils voyagent, les Américains aiment se lever tôt – c'était en quelque sorte l'heure de pointe autour du café chaud. À droite, à quelques centimètres de moi, un couple avec un enfant étaient attablés. La nuit avait dû être courte car le garçon semblait d'humeur bougonne. Sa mère avait préparé un bol de céréales colorées mais il l'avait repoussé de la main. En fait, rien ne paraissait lui convenir ce qui contrariait ses parents. Alors, comme s'il s'agissait d'un dernier recours ou d'un brusque trait de génie, la maman usa d'une phrase magique. Une de ces propositions qui illuminent le visage des garçonnets

— Prends un Coke au moins...

*

Chaque jour, les adolescents américains absorbent l'équivalent de quinze cuillères à café de sucre contenu dans les sodas sous forme d'HFCS[164]. La consommation moyenne des treize-dix-huit ans s'élève même à deux canettes par jour, statistique trompeuse puisqu'elle inclut ceux qui ne boivent aucun soda. Comme une étude réalisée par la School of Public Health de l'Université de Caroline du Nord l'a récemment prouvé, l'absorption est en réalité de trois boîtes[165]. Soit 13 % des calories quotidiennes des jeunes. Ces travaux ont également précisé que 10 % des adolescents boivent jusqu'à sept canettes. Autrement dit, près de deux litres et demi de soda !

Des chiffres énormes... encore en dessous de la réalité. L'université de Caroline du Nord n'a en effet pas comptabilisé les boissons dites sportives du type Gatorade, dont la teneur en HFCS est élevée. Ni les jus de fruits dont la plupart contiennent moins de 5 % d'extraits naturels pour laisser de la place à l'incontournable sirop de glucose-fructose.

Lien de cause à effet ? En tout cas, depuis l'introduction du HFCS dans les sodas, le taux d'obésité des adolescents américains est passé de 6 à 16 %. Pis, près d'un enfant sur cinq âgé de six à onze ans est aujourd'hui obèse ou en surcharge pondérale.

Il existe une statistique encore plus sidérante. Qui, avant de m'interpeller en tant qu'auteur, me choque en tant que parent. Celle selon laquelle, en 2004, un cinquième des enfants âgés de un à deux ans buvaient quotidiennement des sodas ! Des consommateurs en herbe de douze à vingt-quatre mois qui en avalent 20 centilitres par jour. Avec, pour certains, trois fois cette quantité !

---

164. Le total quotidien est de trente-quatre cuillères à café de sucre, essentiellement sous forme d'HFCS, désormais présent dans la majorité des aliments industriels.

165. Étude réalisée pour le CSIP (Center for Science in the Public Interest) et publiée sous le titre *Liquid Candy* (« sucre liquide ») en juillet 2005.

*

Sur une étagère de la bibliothèque de mon bureau, je conserve précieusement un objet symbolique. Un objet qui doit, quand mon œil tombe dessus, me rappeler le vrai visage de ces firmes si promptes à nous inciter à bouger davantage [166].

En 1994, Pepsi-Cola, DrPepper et 7 Up cédaient les droits d'exploitation de leurs logos à la compagnie Munchkin Bottling Inc. installée à Los Angeles. Créée en 1991, cette société californienne affiche depuis sa volonté de « développer des produits intelligents et novateurs. Des produits qui comblent et excitent les parents comme les enfants. Qui rendent la vie plus sûre, plus facile et plus agréable [167] ». Vaste programme. Suffisant, en tout cas, pour justifier l'invention des premiers... biberons publicitaires. Dont celui aux couleurs de Pepsi-Cola figurant dans le cahier iconographique de ce livre ! Dès la tétée, il faut penser sucré... et HFSC en somme.

*

Les enfants américains consomment donc des boissons sucrées tout au long de la journée. Un constat qui conduit à une autre interrogation. Comment cet état de fait est-il rendu possible alors qu'à cet âge-là, l'essentiel de la journée se passe en classe ? Eh bien, il n'y a en réalité rien que de

---

166. En parlant d'activité physique et, à titre d'information, il faut savoir qu'afin de brûler les calories absorbées lors de la consommation de 50 cl de soda, il convient de « marcher cinq kilomètres dans un délai de 45 minutes ou jouer intensivement au basket-ball pendant 40 minutes ou bien encore pédaler vigoureusement pendant 22 minutes. » Voir *Liquid Candy, op.cit.*

167. Voir http://www.munchkin.com/about/our_history.html

plus normal puisque la guerre des colas se déroule aujourd'hui à l'école. Un champ de bataille essentiel pour fidéliser des gosiers et les habituer à jamais à une marque.

Les stratégies mises en œuvre sur ce point mériteraient à elles seules un autre livre. Il y serait question de l'incroyable paradoxe américain qui voit les écoles publiques ne pas avoir d'autre recours pour financer certaines activités que d'accepter les millions de Coke ou de Pepsi. D'un système scolaire où, par crainte de voir leurs budgets déjà insuffisants révisés à la baisse à cause de mauvais résultats, les directeurs d'établissements du primaire préfèrent supprimer les récréations au profit d'heures d'étude supplémentaires[168]. Néanmoins, parce qu'il est essentiel d'évoquer cette situation, j'ai préféré évoquer un document remontant à 1998. Qui, à lui seul, illustre l'ambiguïté d'un système désormais au bord de l'implosion.

En 1997, le district scolaire de Colorado Springs avait signé un contrat d'exclusivité de 8 millions de dollars avec Coca-Cola. Si ce genre d'accord devenait fréquent, il impliquait – et c'est toujours le cas – des contreparties. Troublantes en termes de santé publique, puisque le district s'engageait ni plus ni moins sur des volumes de vente. Ainsi, dans un courrier du 23 septembre 1998 adressé à l'ensemble des directeurs d'établissement de la zone, John Bushey, responsable des ressources scolaires de Colorado Springs, rappelait à tous leurs responsabilités :

« Nous devons vendre 70 000 caisses de produits (jus, sodas, eau) au moins une fois durant les trois premières années du contrat. Si nous atteignons ce but, les versements seront garantis pour les sept prochaines années ».

---

168. Selon le magazine *Sports Illustrated*, 40 % des écoles élémentaires américaines ont supprimé ou songent à supprimer la récréation. Si la première raison est l'obligation de résultats imposée par l'administration Bush, l'autre est la crainte des accidents et des poursuites judiciaires qui en découlent. *Sports Illustrated*, 22 novembre 2006.

En clair, cela signifiait que les 32 439 étudiants de Colorado Springs devaient boire 1 680 000 produits de la Compagnie Coca-Cola au cours des 176 jours de l'année scolaire !

Un objectif loin d'être insurmontable selon Bushey. À le lire, il fallait seulement s'assurer de consommations régulières et quotidiennes. Et, afin d'accroître les ventes, il suggérait quelques ajustements :

« – Autoriser les étudiants à acheter et à consommer des produits tout au long de la journée. Si les sodas ne sont pas autorisés en classe, autoriser les jus, les thés et l'eau.

— Placer les distributeurs de telle sorte qu'ils soient accessibles aux étudiants tout au long de la journée. Les recherches prouvent que l'achat est étroitement lié à la proximité des distributeurs. Proximité, proximité, proximité, c'est la clé du succès.

— Placer autant de machines que ce que vous pouvez accueillir. L'école Pueblo Central High a triplé ses ventes en plaçant des distributeurs à tous les étages de l'école. Cet été, les employés de Coca-Cola ont étudié l'architecture de l'ensemble des écoles du primaire et du secondaire et ont des suggestions à vous faire sur les emplacements où disposer des machines supplémentaires.

[...]

— Veuillez trouver ci-joint un calendrier des événements promotionnels afin de vous aider à faire de la publicité pour les produits de Coca-Cola ».

Enfin, parce qu'il fallait conclure ce courrier par une formule caractérisant précisément la mission de Bushey au sein de ce district de Colorado Springs, le courrier reproduisait l'amusant surnom dont le responsable des ressources scolaires s'était lui-même affublé : « John Bushey, le pote de Coke [169] ».

---

169. Voir en annexe. Le courrier de Bushey a été publié pour la première fois aux États-Unis par le magazine *Harper's* en février 1999.

40. Iceberg

L'obésité créée par la consommation de sodas représente uniquement la face visible de l'iceberg. Submergés par les centaines de millions de dollars investis dans la publicité, nous ne percevons en fait qu'avec peine ce qui représente un vrai problème de santé publique.

Ainsi, impossible de nier l'effet négatif des sodas sur l'hygiène dentaire. L'absorption continue de colas plonge nos dents dans un bain permanent de liquide sucré. Résultat : « Une importante étude menée sur les jeunes enfants de l'Iowa a démontré que la prise régulière de sodas était le moyen le plus sûr de prévoir le développement de caries [170] ».

Les dentistes s'inquiètent en outre des conséquences de l'acidité de ces boissons sur l'émail de la dentition. En octobre 2001, la puissante American Dental Association, réputée pourtant pour son langage très « diplomatique », exprimait clairement ses craintes : « Bien que la recherche épidémiologique sur la relation entre la santé dentaire et la consommation de sodas soit limitée, elle indique constamment que les sodas ont un effet négatif sur les caries et

---

170. In *Liquid Candy, op.cit.*

l'érosion de l'émail. De plus, de nombreuses expériences in vitro et sur des animaux ont systématiquement démontré que l'absorption de sodas créait une érosion de l'émail dentaire. Au vu de l'ensemble de ces preuves, il semble approprié d'encourager les enfants et les adolescents à limiter leurs consommations de sodas [171] ».

La défense des industriels du cola est aussi lamentable qu'au sujet de l'obésité. À les entendre, il serait injuste, voire ridicule, d'incriminer uniquement leurs boissons. Selon eux, d'autres facteurs seraient en cause, comme le sucre contenu dans le reste de l'alimentation. Ou – ce qui rappelle l'incitation à pratiquer une activité physique pour lutter contre le surpoids – l'obligation individuelle de bien se laver les dents.

Pour répliquer à ces reproches, les fabricants de sodas – comme c'est le cas sur le site Internet de Coca-Cola U.S.A – mettent généralement en avant les conclusions de l'American Academy of Pediatric Dentistry (AAPD). Une association minoritaire dans la profession, présidée par David Curtis, qui réunit certains dentistes spécialisés dans les soins des enfants et se montre moins catégorique que l'American Dental Association : « Les preuves scientifiques ne sont certainement pas assez claires quant au rôle exact joué par les sodas sur l'hygiène dentaire des enfants [172] ». À quoi tient cette retenue ? Et pourquoi cette prudence alors que l'AAPD, avant 2003, embrassait les conclusions de l'American Dental Association ?

C'est en tout cas l'année où le mouvement de David Curtis a reçu un don de 1 million de dollars de The Coca-Cola Company [173].

---

171. « Joint report of the American Dental Association Council on Access, Prevention and interprofessional Relations and Council on scientific Affairs to the House of Delegates : Response to Resolution 73H-2000 », octobre 2001.
172. Cité in *Liquid Candy*, *op.cit.*
173. *New York Times*, 4 mars 2003. À noter que l'AAPD n'est pas la seule dans cette position. L'American Dietetic Association, la plus importante

*

En 1999, l'USDA publiait une longue étude comparative consacrée à l'alimentation quotidienne des jeunes Américains. Sans surprise, on y lisait que la consommation de sodas avait explosé entre 1978 et 1998. Mais aussi, et c'était plus novateur, que l'ensemble de notre alimentation en payait le prix. Si, en 1978, les garçons buvaient moitié plus de lait que de colas [174], dix ans plus tard, la proportion s'était inversée. Ajoutée à l'émergence d'un mode alimentaire excluant peu à peu les fruits et les légumes [175], ce revirement a vu la multiplication des problèmes osseux. Et notamment de l'ostéoporose, maladie dite « des os fragiles », responsable de 130 000 fractures annuelles en France [176], surtout chez des femmes ou des personnes d'un certain âge ! En fait, le risque de voir apparaître l'ostéoporose dépend de la quantité de masse osseuse développée à l'adolescence. Les filles, par exemple, en ont assuré 92 % avant dix-huit ans. Or, en 2001, des scientifiques canadiens ont prouvé que celles qui aiment trop les sodas fabriquent moins de masse osseuse que les autres [177]. Et sont donc victimes de carences dangereuses pour leur avenir.

---

confrérie de nutritionnistes américains, compte parmi ses sponsors la National Soft Drink Association, un groupe représentant les intérêts de tous les fabricants de sodas ainsi que ceux de McDonald's.

174. Les enfants et les adolescents ne sont pas les seuls. Une étude de l'USDA réalisée en 1996 auprès des Américaines montre qu'une forte consommation de colas se traduit par une faible prise de calcium.

175. Selon l'USDA, seulement 2 % des individus âgés de deux à dix-neuf ans consomment l'apport quotidien recommandé en fruits et légumes.

176. http://www.doctissimo.fr/html/dossiers/osteoporose.htm

177. Whiting SJ, Healey A, Psiuk S, « Relationship between carbonated and other low Nutrient dense Beverages and Bone mineral Content of Adolescents », *Nutr Res*, 2001.

*

En 1995, une série de recherches en laboratoires ont, de leur côté, mis à jour, dans les urines des consommateurs de caféine – celle qui fait pour beaucoup le succès des colas –, une forte dose de calcium. Pourquoi ? Parce que la caféine augmente légèrement l'excrétion de calcium du système osseux. En d'autres termes, plus on ingère de caféine, plus le corps rejette de calcium au lieu de le stocker. Dès lors, avaler une canette de cola revient à perdre 20 mg de calcium, soit 2 % de la quantité quotidienne recommandée [178].

L'ennui, c'est que cette substance très répandue dans les sodas cumule les défauts. On connaît l'excitation, voire la légère irritabilité qu'elle suscite. De nombreuses études attestent aussi qu'elle peut entraîner des troubles du sommeil, des maux de tête et même un phénomène de dépendance. Si le site français de Pepsi-Cola n'aborde pas ce sujet, celui de Coca-Cola le fait. À en croire la filiale hexagonale du géant d'Atlanta, dénoncer la caféine serait un combat d'arrière-garde : « Différentes études scientifiques ont démontré que les consommateurs de caféine n'en étaient aucunement dépendants », affirme-t-on. Et de citer L'OMS (Organisation mondiale de la santé) qui déclare : « Il n'existe aucune évidence prouvant que la caféine exerce un quelconque effet pouvant être assimilé de près ou de loin aux effets de la drogue [179] ».

Alors, un faux procès ? Pas si sûr...

D'abord, il ne faut pas oublier de rappeler que, selon une classification établie par l'OMS en 1971, il existe différents

---

178. Barger-Lux MJ, Heaney RP, « Caffeine and the Calcium Economy revisited », *Osteoporosis Int*, 1995 ; 5 : 97-102. Cité dans *Liquid Candy*, *op. cit.*

179. Voir http://www.coca-colafrance.fr/relationconsommateurs/faq _ingredients.asp

degrés dans la dépendance. Laquelle peut être d'ordre psychique et/ou physique. Contrairement à ce qu'avance Coca-Cola, le but de cet organisme, comme des autres qui dénoncent les désagréments de cette substance, n'est pas de comparer la caféine à la cocaïne, l'héroïne ou les hallucinogènes, mais d'établir si son usage génère un quelconque état de dépendance. De fait, à ce point du débat, il aurait été bon de connaître la source des « différentes études scientifiques » citées par Coke ayant « démontré que les consommateurs de caféine n'en étaient en aucun cas dépendants ». Et ce parce que des enquêtes tout aussi scientifiques vont dans un sens contraire. Ainsi le Centre for Addiction and Mental Health (CAMH) de Toronto est d'un avis diamétralement opposé : « Si vous consommez plus de 350 mg de caféine par jour (soit trois à quatre tasses de café ou neuf à dix boissons gazeuses), vous souffrez d'une dépendance physique à la caféine. Cela veut dire que si vous arrêtez brusquement de consommer de la caféine sous quelque forme que ce soit, vous risquez de vous sentir irritable et fatigué et d'avoir un mal de tête prononcé. Ces symptômes apparaissent généralement dans les 18 à 24 heures qui suivent la dernière consommation de caféine et disparaissent graduellement au bout d'une semaine[180] ». Précision utile : le CAMH, affilié à l'université de Toronto, collabore avec l'OMS. La même organisation citée par Coke pour dédouaner ses boissons.

Mieux, c'est cette même Organisation mondiale de la santé qui, en 2003, dans son trente-troisième rapport du *Comité OMS de la pharmacodépendance,* écrivait en page 26 : « La caféine engendre une dépendance mais entraîne rarement des abus[181] ».

---

180. Voir http://www.camh.net/fr/About_Addiction_Mental_Health/ Drug_and_Addiction_Information/caffeine_dyk_fr_pr.html

181. Voir http://www.unicri.it/min.san.bollettino/dati/WHO_TRS_915 _fre.pdf

Enfin, parmi les études « scientifiques » non citées par Coca-Cola, je suis certain que ne figure pas celle de Berstein et Carroll. En 1999, ces deux scientifiques ont prouvé que quand des enfants de six à douze ans cessent d'absorber de la caféine, ils souffrent de symptômes de manque qui entraînent chez eux des troubles de l'attention et diminuent leurs performances intellectuelles[182]. Et je ne m'appesantis pas sur une autre enquête, effectuée la même année, démontrant que, chez certaines personnes, 100 milligrammes de caféine quotidiens suffisent à créer une dépendance physique[183].

100 mg ? C'est, si l'on se réfère aux données divulguées par Coke, l'équivalent d'un peu plus de deux Coca-Cola Light par jour[184].

*

Dans la pandémie, les colas semblaient donc pouvoir incarner des suspects de premier choix. Leur apparition massive sur le marché au début des années 1980 coïncidait en effet avec l'apparition et l'accélération de la deuxième phase de la crise d'obésité. Leur prédominance chez les adolescents paraissait même expliquer pourquoi le mal frappait de plus en plus les jeunes. Malgré tout, une question continuait à me tarauder. Les sodas étaient-ils l'agent toxique que le professeur Bray recherchait pour justifier l'ampleur de l'épidémie ?

---

182. Bernstein GA, Carroll, ME, Dean NW, et al., « Caffeine Withdrawal in normal School-Age Children », *J. Am. Acad. Child. Adolesc. Psychiatry*, 1998 ; 37 : 858-65. Cité dans *Liquid Candy, op.cit.*

183. Evans SM, Griffiths RR, « Caffeine Withdrawal : parametric Analysis of Caffeine dosing Conditions », *J. Pharmacol. and Exp. Ther.*, 1999 ; 289 : 285-94.

184. Une boîte de 33 cl contient 42,24 mg. Une bouteille de Coca-Cola Blak monte à 50 mg pour 25 cl. Le record est détenu par Burn qui offre 75 mg pour 25 cl. http://www.coca-cola-france.fr/relationconsommateurs/faq_ingredients.asp

41. Accumulation

La cause semblait entendue. Le problème pouvait être observé sous tous les angles, la conclusion était toujours la même : chaque avancée dans cette enquête me ramenait aux sodas. Et de multiples études, travaux et recherches étayaient cette conviction. À commencer par ceux de Doreen DiMeglio et de Richard Mattes. En 2000, les deux chercheurs de l'université de Perdue avaient découvert que l'homme réagissait différemment lorsqu'il ingérait ses calories de manière liquide ou solide. En ajoutant 450 calories par jour sous forme de bonbons à des volontaires, ces derniers ajustaient inconsciemment leur consommation et supprimaient un nombre équivalent de calories à leur alimentation quotidienne. En revanche, avalé sous forme de boisson, le surplus passait inaperçu. Notre système de régulation l'ignorait et ne compensait pas. La prise de poids devenait alors mécanique [185].

J'avais aussi pris connaissance des propos de Caroline Apovian, scientifique de la Boston University School of

---

185. « Liquid versus solid Carbohydrate : Effects on Food Intake and Body Weight », D P DiMeglio and R D Mattes, Perdue University, Department of Foods and Nutrition, West Lafayette, IN 47907-1264, USA. Cité dans *International Journal of Obesity*, volume XXIV, juin 2000. Voir également http://www.nature.com/ijo/journal/v24/n6/abs/0801229a.html

Medecine, qui franchit le pas en accusant directement les colas en 2004. De nombreuses études « offrent des preuves scientifiquement fortes que l'excès de calories apportées par les sodas contribue directement à l'épidémie d'obésité et celle de diabète de type 2, dit-elle. [...] Réduire la consommation de ces boissons sucrées est peut-être la seule et meilleure chance de stopper l'épidémie d'obésité [186] ».

Sans oublier une ultime et imposante enquête réalisée voilà quelques mois par la prestigieuse Harvard School of Public Health. Sous la direction du docteur Frank Hu, préférant « s'intéresser à la situation d'ensemble plutôt qu'à des cas particuliers [187] », les scientifiques de ce programme avaient décortiqué quarante ans de recherches médicales et nutritionnelles. Pour aboutir à des conclusions implacables : selon eux, l'absorption quotidienne d'une canette de soda se traduisait, au bout d'un an, par une prise de poids de sept kilos. Lorsque l'on connaît la consommation totale des Américains, il n'était donc pas difficile de rejoindre Hu et de penser « qu'il s'agissait d'une raison principale [188] » à la crise d'obésité.

*

J'aurais pu en rester là, l'accumulation de preuves étayées me paraissant largement suffisante. Mais, sans vraiment savoir précisément pourquoi, l'idée ne me satisfaisait pas complètement. Non que j'adhérasse aux propos des porte-parole de l'industrie tentant de dédouaner leurs produits, mais parce que le concept de surconsommation de ces derniers renvoyait trop à l'un des axes du Big Two. Or, comme Bray l'avait écrit, j'étais convaincu que « la rapidité

---

186. Jama 2004, cité in *Liquid Candy, op.cit.*
187. Associated Press, 2 août 2006.
188. *Idem.*

avec laquelle l'actuelle épidémie d'obésité a contaminé les États-Unis et de nombreux autres pays, signifiait que des facteurs environnementaux en étaient la cause la plus probable. Donc que, dans une perspective de santé publique, l'enjeu était de savoir s'il était possible de modifier les agents ayant déclenché l'épidémie [189] ».

Après tout, le Coca-Cola existait depuis 1886. Et les autres sodas n'étaient guère plus jeunes. Le succès du genre était établi bien avant le début de l'épidémie. Aux États-Unis comme dans le reste du monde. Cela n'expliquait donc pas tout.

Peut-être, en revanche, les colas n'avaient-ils été qu'un médium ? Qu'un trait d'union ? Qu'un pont ? Le moyen de « transport » idéal pour cet agent toxique et contaminateur évoqué par Bray. Peut-être la réponse se trouvait-elle au cœur même de ces jus sucrés ?

La théorie me parut séduisante. Notamment parce qu'elle donnait enfin du sens à une remarque que l'on n'avait cessé de répéter durant mes recherches.

---

189. George Bray, « Consumption of high-fructose Corn Syrup in Beverages may play a Role in the Epidemic of Obesity », *American Journal for Clinical Nutrition*, 2004.

42. Résistance

Une fois encore je me retrouvais à écrire sur Coca-Cola. Et, une fois encore, l'anecdote ne cadrait pas avec la légende. Celle affirmant que la boisson offrait le même goût à Paris et à Dallas. Certes, la différence entre un Coke américain et un européen est flagrante. Et ne tient pas à « la température à laquelle le produit est consommé, aux aliments qui l'accompagnent », ou au fait qu'il soit « servi avec des glaçons dont l'eau est plus ou moins chlorée » ou encore à « l'âge du produit[190] », comme le prétend Coca-Cola France sur son site Internet.

Pour tout dire, j'ai longtemps cru la Compagnie lorsqu'elle affirmait que la formule de son soda vedette était « rigoureusement la même dans le monde entier[191] ». Mais en y réfléchissant bien, et en profitant de mes voyages pour me faire ma propre idée, il m'apparut évident que le Coca-Cola américain était plus... « plat ». Plus rond en bouche, plus sucré. Avant même de connaître la saga du HFCS, je me suis dit que cette différence de goût traduisait nécessairement un changement de composition. En effet, nos

---

190. http://www.coca-cola-france.fr/relationconsommateurs/faq_generalites.asp
191 *Idem.*

boissons européennes restent essentiellement sucrées au sucre de canne ou de betterave, moins doux que le sirop de glucose-fructose.

Cette impression a d'ailleurs été quantifiée précisément par une série de travaux. Si la teneur moyenne en calories d'un soda n'a quasiment pas augmenté depuis le passage à l'HFCS, il est en revanche prouvé que le produit est plus sucré en bouche. On a même établi que l'HFCS 42 était 1,16 fois plus doux que le sucre de canne. Et l'HFCS 55, celui utilisé dans les sodas, 1,28 fois[192]. Augmentant par là notre dépendance au dilemme de l'omnivore et à notre passion génétique pour le doux.

Quoi qu'il en soit, cette différence me semblait une piste intéressante. Et chaque fois que je me retrouvais avec un employé ou un cadre retraité de la Compagnie, je lui faisais part de ma remarque d'Européen débarqué aux États-Unis. Tous assumaient la variation du goût du Coke d'un continent à l'autre[193]. Et la jugeaient presque anecdotique. L'introduction du HFCS avait définitivement changé le métier, me disait-on, imposant de nouveaux formats et d'autres réseaux de distribution. Des données économiques dans lesquelles la saveur du produit importait peu. L'essentiel était ailleurs, comme un constat innocent, une remarque en passant, me le firent peu à peu comprendre. Certains retraités avaient noté que la tolérance au produit variait selon sa composition. L'un d'eux avait résumé cela le plus candidement possible :

« La différence entre le sucre et le sirop de maïs ? Avant, vous buviez deux ou trois Coke d'affilée et, à cause des

---

192. George Bray, « Consumption of high-fructose Corn Syrup in Beverages may play a Role in the Epidemic of Obesity », *op.cit.*

193. Comme elle l'était lors de ma visite à l'usine d'embouteillage de DrPepper au Texas. L'embouteilleur a fait sa réputation sur son refus de passer à l'HFCS. Sa boisson au sucre de canne est donc considérée comme plus proche du goût original.

quantités de sucre, vous étiez malade. Maintenant vous pouvez vous descendre un ou deux litres et ne pas vomir. Pour recommencer quelques minutes après. Voilà la différence ! »

Si la remarque, fruit d'un savoir empirique, était juste, cela signifiait que l'HFCS avait réussi à contourner la résistance naturelle de l'organisme à l'excès de glucides. Et, exactement comme un agent toxique, avait déréglé notre tolérance aux produits sucrés. Une idée effrayante. Qu'il me restait à prouver.

43. Totalité

Pour approfondir cette nouvelle théorie, d'autres observations de George Bray se révélèrent instructives. L'arrivée sur le marché de l'HFCS à la fin des années 1970 et la conversion totale des fabricants de sodas qui en résulta auraient dû fragiliser le marché du sucre. Mais il n'en fut rien. Au contraire, l'HFCS avait réussi à s'ajouter au sucre de canne au lieu de le remplacer. En 1980, la consommation annuelle de produit sucré basique (sucre de canne ou sirop de glucose-fructose) s'élevait à 55 kg par habitant. Vingt ans plus tard, elle dépassait 65 kg pour arriver aujourd'hui à 80 kg. Le consommateur avait donc fait une place supplémentaire à l'HFCS, lui offrant une part de marché de 42 %. Ramené en kilos, cela signifiait que l'Américain moyen ingurgitait désormais chaque année 33,4 kg d'HFCS ! Une progression radicale, puisqu'un an après son introduction et avant l'entrée en jeu d'ADM et de Dwayne Andreas, sa consommation atteignait tout juste 292 grammes par habitant. Que l'explosion des ventes de sodas ne pouvait expliquer à elle seule.

*

Sans que personne s'en rende vraiment compte, l'HFCS avait gangrené toute l'alimentation du pays : colas et autres *soft drinks*, mais plus largement, toute la nourriture produite de manière industrielle. Comme l'écrivait Bray, « aux États-Unis, on retrouve de l'HFCS dans presque tous les aliments contenant un édulcorant. [...] L'HFCS est présent dans presque la totalité des aliments industriels [194] ».

*

Ces remarques me renvoyaient à une autre étude, réalisée cette fois par des économistes d'Harvard. David M. Cutler, Edward L. Glaeser et Jesse M. Shapiro appartiennent eux aussi au bataillon de ceux qui ne se satisfont pas de l'explication classique donnée à la pandémie d'obésité. Constatant que l'arrivée de la crise avait été trop brutale et ample pour se résumer à des bouleversements d'habitudes, ils avaient disséqué les assiettes américaines [195].

Si le nombre de calories consommées chaque jour avait augmenté entre 1978 et la fin des années 1990, cette progression ne justifiait pas les kilos supplémentaires pris par de plus en plus d'Américains. Malgré le développement des chaînes de fast-food et l'explosion de la taille des portions dans les restaurants, les travaux de Cutler, Glaeser et Shapiro démontraient en fait que les calories avalées à chaque repas avaient légèrement... baissé ! Sur vingt ans, le dîner américain s'était même allégé de 59 calories chez les hommes et de 74 chez les femmes. En réalité, une seule catégorie avait largement augmenté : celle que nous mangions entre les repas. Des snacks d'origine industrielle dont

---

194. George Bray, « Consumption of high-fructose Corn Syrup in Beverages may play a Role in the Epidemic of Obesity », *op.cit.*

195. David M. Cutler, Edward L. Glaeser, Jesse M. Shapiro, « Why have Americans become more obese ? », *Journal of economic Perspectives*, volume XVII, Number 3, 2003, p. 93-118.

l'apport calorique avait doublé et dont le point commun était de contenir une dose massive d'HFCS.

*

George Bray l'affirmait : L'HFCS était l'un des agents à isoler. Après tout, aucun autre produit n'avait accru sa présence dans nos estomacs de plus de 1 000 % en vingt ans. En outre, le taux de pénétration du sirop de glucose-fructose suivait une courbe similaire à la progression de l'épidémie. L'arrivée sur le marché de l'HFCS donnait donc du corps à la thèse d'une contamination presque soudaine, comme le soulignaient ces propos on ne peut plus clairs : « L'augmentation de la consommation d'HFCS a tout juste précédé la rapide augmentation de la prévalence de l'obésité qui s'est déroulée entre [les recensements] de 1976-1980 et 1988-1994 [196] ».

*

Résumons-nous. Le 2 décembre 1971, Earl Butz avait reçu deux missions : sauver la tête de Nixon et industrialiser l'agriculture américaine. Sa politique avait créé des stocks colossaux de maïs subventionné.

Les chimistes de la Clinton Corn Processing Company avaient de leur côté découvert comment transformer ce grain sans valeur en or jaune.

Dwayne Andreas, à la tête d'Archer Daniels Midland, en avait assuré l'expansion et la rentabilité.

En 1980, The Coca-Cola Company avait donné le signal que l'industrie agroalimentaire américaine attendait pour adopter massivement un produit bon marché.

---

196. George Bray, « Consumption of high-fructose Corn Syrup in Beverages may play a Role in the Epidemic of Obesity », *op.cit.*

Et, à l'instar des Indiens Pima, du jour au lendemain, les Américains, comme frappés par un virus, avaient commencé à grossir. L'HFCS, qui semblait être parvenu à briser les résistances de nos estomacs aux excès de produits sucrés, pouvait expliquer ce phénomène. Restait à comprendre de quelle manière cela avait été possible.

44. Gavage

Le sirop de glucose-fructose est-il une cause directe de l'épidémie d'obésité ? Ces dernières années, des États-Unis à l'Allemagne, des scientifiques se sont penchés sur la question. Ajoutant, chacun de leur côté, une pièce au puzzle.

Ainsi, en 2000, des chercheurs de l'université du Minnesota travaillèrent sur les effets métaboliques du fructose sur le corps humain. Partant du principe que l'HFCS représente en moyenne 9 % de la consommation quotidienne des Américains, l'équipe menée par John Bantle tenta de recréer cette statistique en laboratoire, divisant des volontaires en groupes de consommateurs et de non-consommateurs. Après six semaines d'expérience, lointain rappel de l'expérience vécue par Morgan Spurlock dans le film *Supersize me*, les experts notèrent une importante différence. Chez les consommateurs de fructose, le taux de triglycérides[197] présent dans le plasma apparut 32 % plus élevé. En clair, le taux de lipides dans le sang augmentait avec la consommation de fructose, rendant le « sujet » plus vulnérable aux problèmes cardio-vasculaires. Bantle concluait ses recherches en écrivant : « Les régimes riches en fructose

---

197. Voir
http://www.pharmacorama.com/Rubriques/Output/Lipidesa2.php

205

peuvent être indésirables, plus particulièrement chez l'homme[198] ».

L'HFCS avait un effet inattendu. Sa consommation ne semblait pas uniquement responsable de la prise de poids, elle induisait aussi une augmentation des acides gras dans le sang. La conséquence ? Un accroissement des risques cardiaques, l'un des symptômes les plus fréquents de la pandémie d'obésité.

*

La piste parallèle suivie par l'Institut allemand de la nutrition humaine aboutissait à des conclusions similaires. Hella Jürgens et son équipe souhaitaient savoir si le fructose était responsable de la prise de kilos. L'idée ? Suivre l'évolution du poids de souris de laboratoires dont on contrôle précisément l'apport calorique. Les cobayes consommant des boissons sucrées au fructose connurent « une substantielle augmentation du poids sans que, pour cela, on augmente le nombre de calories[199] ». En outre, recourant à la résonance magnétique, les chercheurs déterminèrent que « ce changement de poids était lié à une augmentation de la masse graisseuse[200] ». Plus inquiétant encore : « Nous avons également observé la preuve d'un début de stéatose hépatique chez les souris exposées aux boissons sucrées au fructose[201] ». La stéatose hépatique non-alcoolique[202], telle qu'étudiée par Jürgens, est une accumulation de lipides dans le foie. Autrement dit, les consommateurs d'HFCS

198. « Effects of dietary Fructose on Plasma Lipids in helathy Subjets », *American Journal for Clinical Nutrition, op.cit.*

199. « Consuming Fructose – sweetened Beverages increase Body Adiposity in Mice », *Obesity Research*, juillet 2005.

200. *Idem.*

201. *Idem.*

202. Voir http://www.esculape.com/hepatogastro/steatose_hepatique.html

partagent donc désormais une pathologie avec les oies d'élevage, gavées pour produire le fameux foie gras.

*

L'étude allemande, « démontrant pour la première fois la relation entre les boissons sucrées au fructose et l'augmentation de la masse graisseuse [...] sans que cela soit lié à une augmentation des calories[203] », révélait une autre action de l'HFCS. En essayant d'expliquer pourquoi les souris avaient grossi malgré un apport calorique stable, Jürgens avait évoqué l'hypothèse d'une interaction entre le fructose et les mécanismes gouvernant notre relation à la quantité de nourriture. En fait, entre les lignes, il faut comprendre qu'elle cherchait comment réagissait notre cerveau. Cela tombait bien, c'était exactement la question que George Bray tentait d'éclaircir en Louisiane.

---

203. « Consuming Fructose – sweetened Beverages increase Body Adiposity in Mice », *op.cit.*

45. Transmetteur

George Bray ne cessait de le répéter : « Le sucre de canne ou sucrose n'a pas la même structure moléculaire que le sirop de glucose-fructose. Le premier est constitué d'une seule molécule. Le second en combine deux[204] ». Traduction : il est normal que notre organisme gère différemment les deux produits. Tant en ce qui concerne « la digestion, l'absorption [que] le métabolisme[205] ».

Cela expliquait sans doute, comme l'avait lui-même noté un ex-employé de Coca-Cola, qu'on puisse consommer des produits édulcorés à l'HFCS sans que le corps arrive à saturation.

*

Le cerveau est au centre de la théorie de Bray, celle qui croit à l'existence d'un agent toxique se trouvant à l'origine de la soudaine et conséquente progression du taux d'obésité. « Le cerveau est le récepteur, le décrypteur et le transmetteur d'informations sur la faim et la satiété. De

---

204. George Bray, « Consumption of high-fructose Corn Syrup in Beverages may play a Role in the Epidemic of Obesity », *op.cit.*
205. *Idem.*

nombreux neurotransmetteurs sont impliqués dans la phase de régulation de la prise de nourriture[206] », argue-t-il. Et de se demander si l'HFCS, parce qu'il ne semble pas déclencher les signaux d'alarmes usuels dans l'organisme, ne « déréglerait » pas un de nos capteurs habituels. Une interrogation d'autant plus essentielle qu'une étude comparant l'ingestion de bonbons et de sodas édulcorés au HFCS a démontré, nous l'avons vu, que le corps humain ne compensait pas la prise de ces derniers. À Baton Rouge, le chercheur a en tout cas constaté que l'HFCS ne « stimulait pas la sécrétion d'insuline ou n'augmentait pas la production de leptine[207] ». L'insuline[208] et la leptine[209] sont deux hormones polypeptidiques, « des signaux clés régulant la quantité de nourriture ingérée et la masse corporelle ». En d'autres termes, en contournant les mécanismes normaux de régulation de l'appétit, « la consommation de fructose peut contribuer à la surconsommation (de calories) et à la prise de poids[210] ».

Il ne faut pas se laisser abuser par la modération langagière, la retenue sémantique de Bray. Son vocabulaire prudent relève du registre scientifique. Toutefois, oubliant presque son devoir de réserve, il sort des limites du genre en terminant son rapport par un conseil adressé aux parents : « L'exposition de jeunes enfants à l'HFCS peut laisser des traces nuisibles dans leur cerveau. Rendant l'obésité plus probable et plus difficile à contrôler[211] ».

---

206. « Beyond Energy Balance : there is more to Obesity than Kilocalories », *Journal of the American Dietetic Association*, numéro 105, mai 2005.
207. George Bray, « Consumption of high-fructose Corn Syrup in Beverages may play a Role in the Epidemic of Obesity », *op.cit.*
208. http://www.pharmacorama.com/Rubriques/Output/Glycemiea2.php
209. http://fderad.club.fr/leptine.htm
210. « Beyond Energy Balance : there is more to Obesity than Kilocalories », *op.cit.*
211. *Idem.*

En clair, chez l'enfant, alors que la maturité neurologique n'est pas atteinte, la consommation d'HFCS peut perturber en profondeur la capacité de gestion de la prise des aliments.

Voilà qui ouvre des perspectives de réflexion incroyables. Et qui laisse voir la découverte de Bray comme la plus proche explication scientifique et implacable de l'épidémie d'obésité. C'est d'ailleurs pour cela que l'industrie agroalimentaire tente depuis quelque temps de désamorcer la bombe et de détourner le débat.

*

Le meilleur moyen d'éviter une polémique est de rendre le sujet en question incompréhensible au commun des mortels. La confusion étant la plus efficace alliée de ceux qui ne souhaitent pas remettre en question la situation actuelle, l'entretenir s'impose.

La méthode est toujours la même. Il s'agit de brandir une étude contre une autre, d'organiser une bataille stérile d'experts, de brouiller le message jusqu'à le rendre inaudible. De jouer sur le fait que les médias, par un hypocrite souci d'équité, donneront la même valeur à deux arguments.

Le dernier exemple en date remonte au 5 décembre 2006. Le *Wall Street Journal* publie un article sur la compagnie Jones Soda Co. Ce fabricant de sodas, distribué par Target, l'une des chaînes de supermarché les plus importantes du pays, vient d'annoncer sa décision de ne plus utiliser l'HFCS et de revenir au sucre de canne. Jones Soda Co. justifie ce retour en arrière par la volonté de « proposer au consommateur une alternative meilleure pour la santé [212] ».

Argument sincère ou astuce commerciale, l'intérêt est ailleurs. Il réside dans la réponse des représentants des

---

212. Betsy McKay, « A Soda Maker, touting Health, moves to Sugar », *Wall Street Journal*, 5 décembre 2006.

géants de l'agroalimentaire. Après avoir largement expliqué les « véritables » motivations commerciales supposées de ce concurrent traître – en vrac, surfer sur l'air du temps, vendre son produit plus cher... –, la contre-offensive s'est faite en deux temps. Deux coups. Le premier, pas nouveau, consista à affirmer que l'HFCS était un « produit naturel ». Une argutie habile puisqu'en réalité, les industriels profitent d'une faille du système américain qui ne définit pas précisément la notion de produit naturel. Une lacune qui fait enrager Michael Jacobson, président du Center for Science in the Public Interest : « Prétendre qu'un soda fait avec du sirop de glucose-fructose est " naturel " n'est rien d'autre qu'un mensonge, tonne-t-il. L'HFCS n'est pas quelque chose que vous pouvez préparer dans votre cuisine à partir d'un épi de maïs. Ou alors, c'est que vous êtes équipé de centrifugeuses, d'hydroclones, de colonnes industrielles échangeuses de cations et quelques seaux d'enzymes[213] ».

La deuxième manche consiste à mettre en avant les travaux de chercheurs de Boston consacrés à la présence d'acide gras dans le sang. Des conclusions qui n'exonèrent pas l'HFCS, mais le mettent seulement sur un pied d'égalité avec le sucre. Selon ces études, les deux produits augmenteraient la présence de triglycérides dans le plasma dans des proportions similaires. Si j'utilise le conditionnel, c'est que l'enquête chérie par l'industrie agroalimentaire n'a pas encore été... publiée. Elle ne le sera que lorsqu'un groupe d'experts en aura étudié la validité. Ce qui prendra peut-être un peu plus de temps que prévu : le comité d'experts doit en effet se prononcer sur une situation complexe. Les recherches ont en effet été sponsorisées non par une université mais par... Pepsi-Cola[214].

_____

213. Voir http://www.cspinet.org/new/200605111.html

214. Si aujourd'hui la compagnie défend l'HFCS qu'elle utilise dans la totalité de sa gamme, il se murmure que PepsiCo préparerait une série de produits sans conservateur chimique ni... HFCS. Ce qui est certain, c'est que

*

Outre ces arguments pour le moins discutables, il reste encore une ultime ligne de défense. Celle de la dernière chance qui consiste à discréditer les sceptiques en les cataloguant parmi les adeptes des théories de la conspiration. En usant d'un argument destiné à les assommer censé être imparable : si l'HFCS était dangereux pour la santé, jamais, au grand jamais, les officines gouvernementales de régulation n'auraient accepté sa mise sur le marché.

Voilà qui ne prouve évidemment rien. On pourrait, comme contre-exemple, évoquer la saga du DDT, ce pesticide générateur de prix Nobel qui, avant de finir trente ans plus tard sur la liste des produits interdits en raison de sa trop forte toxicité sur l'environnement[215], fut autorisé et loué par toutes les instances officielles.

Mais en vérité, citer ce type de cas n'est même pas nécessaire. Car, depuis 1983, le sirop de glucose-fructose appartient à la catégorie des produits qualifiés de « généralement reconnus comme sûrs » (« *globally recognized as sure* » en anglais, ce qui donne ironiquement le sigle GRAS). Ce qui signifie quoi ? Que l'HFCS, malgré sa présence massive dans l'alimentation outre-atlantique, n'a en fait jamais été testé ! Le FDA, l'organisme de régulation des produits alimentaires aux États-Unis, a tout simplement estimé que le fructose et le glucose étant deux produits connus et sans risque, il n'y avait ni à tester les effets de leur transformation industrielle ni à prendre en compte des études extérieures avant d'approuver leur commercialisation !

---

si le pari de Jones Soda Co. s'avère payant, les géants du soda s'engouffreront à leur tour dans cette brèche profitable.

215. Voir http://www.wwf.be/detox/fr/problem/lessons.htm

46. Exporter

Toutes ces polémiques, études, contre-études pouvaient sembler fort lointaines, vues de l'Hexagone. Après tout, l'HFCS était un problème purement américain, ne concernant pas le reste du monde...

Erreur.

Si, pendant longtemps, l'obésité avait été considérée comme une spécificité des États-Unis, désormais, la crise s'était métamorphosée en pandémie. En Chine, le diabète était devenu la deuxième cause de décès, l'Afrique était atteinte et l'Europe paraissait copier le pire du modèle d'outre Atlantique. Il était donc légitime de savoir si l'HFCS – désormais identifié comme l'un des agents toxiques responsables de la deuxième phase de la crise américaine – pouvait exporter ses propriétés nocives.

La réponse se trouve du côté du Japon, pays dont la courbe de progression de l'obésité ressemble le plus à celle des États-Unis. On y observe en effet une première phase, qui débute lentement mais sûrement après la Seconde Guerre mondiale, puis, comme au Fat Land, une accélération subite dans les années 1980.

Ne l'oublions pas, si les chimistes de Clinton Corn Processing Company furent les premiers à réussir l'hydrolyse du maïs, c'est dans des laboratoires nippons que la recette de l'HFCS 42 avait été finalisée. Conséquence, en 2006, l'ex-empire du Soleil levant est le deuxième consommateur de sirop de glucose-fructose du monde[216]. Fabriqué à partir de maïs importé des États-Unis et de pommes de terre cultivées sur place, l'HFCS, malgré la concurrence domestique du sucre, s'octroie désormais 25 % du marché des édulcorants.

*

L'exemple japonais confirme la thèse d'une crise d'obésité en deux phases, la distribution massive du HFCS jouant ici le rôle de catalyseur déclenchant la seconde étape.

Aux États-Unis, et au Japon donc, les services sanitaires doivent dorénavant faire face aux conséquences de cet état de fait. La solution proposée par Bray, même si elle paraît d'une logique enfantine, est loin de faire l'unanimité : « Si l'HFCS agit comme un agent proliférateur de la maladie, alors réduire l'exposition à l'agent devrait aider à réduire l'ampleur de l'épidémie[217] ».

Personnellement, imposer une législation sur l'HFCS aux États-Unis me semble impossible. Parce que derrière le sirop de glucose-fructose se cache l'enjeu politique et industriel de la gestion des stocks de maïs. Une situation dont les effets, nous allons le voir, dépassent le cadre de cette substance montrée du doigt.

Reste donc l'Europe. En fait, peut-être serait-il plus juste d'employer le passé. Car, année après année, offrant un nouveau débouché à nos stocks de blé, le sirop de glucose-fructose s'impose aussi sur le vieux continent. Ainsi, dans

---

216. Voir http://findarticles.com/p/articles/mi_m3796/is_1991_June/ai_11907810

217. George Bray, « Consumption of high-fructose Corn Syrup in Beverages may play a Role in the Epidemic of Obesity », *op.cit.*

l'édition 2006 du guide *Savoir manger,* on peut lire : « Nous découvrons aussi que les nouveaux ingrédients contenus dans les produits sont susceptibles d'amplifier [le] mécanisme de l'obésité. Par exemple, il n'est pas identique de consommer du sucre sous forme de saccharose ou de glucose, et sous forme de sirop de glucose-fructose[218] ». Plus loin, les docteurs Jean-Michel Cohen et Patrick Serog écrivaient : « Le nombre de produits contenant du sirop de glucose-fructose a augmenté de manière importante[219] ». Et d'étayer leur remarque en citant la présence du HFCS dans « les yaourts, les biscuits, les boissons sucrées, les glaces[220]... »

*

En fait, si ce sirop n'a pas encore totalement envahi l'alimentation européenne, c'est parce que les institutions de Bruxelles mènent une politique de protection de l'industrie sucrière traditionnelle. Ainsi, tout édulcorant contenant plus de 10 % de fructose est soumis à un quota. Mais cette particularité qui, en France par exemple, a longtemps offert un confort certain aux betteraviers, ne devrait pas résister à la mondialisation des marchés. Notamment parce qu'en mars 2006, George W. Bush, sous la pression des producteurs de maïs parmi lesquels se trouvait ADM, a obtenu une victoire majeure auprès de l'Organisation mondiale du commerce.

Depuis 2002, le Mexique taxait les boissons édulcorées à l'HFCS. Non pour des raisons sanitaires, mais pour limiter l'importation de ce maïs américain qui, grâce aux subventions, était vendu moins cher que celui cultivé sur place. Le

---

218. *Savoir manger, op.cit.*
219. *Ibid.*
220. *Ibid.*

prélèvement de 20 % permettait également de protéger la filière sucrière et d'écouler les stocks. Aujourd'hui, ce n'est plus le cas. L'OMC, au terme d'âpres discussions, a estimé que cette mesure « était discriminatoire et contraire aux règles de l'Organisation[221] ».

La décision a été accueillie triomphalement à Washington. Le président de l'Union des producteurs de maïs a même publiquement affirmé qu'il « s'agissait d'une victoire pour les producteurs américains[222] ». Pourquoi ? Parce que, désormais, le revers des Mexicains fait jurisprudence, ouvrant à des milliards de litres de sirop de glucose-fructose les frontières de bien d'autres marchés mondiaux.

*

Le sirop de glucose-fructose était né des stocks de maïs d'Earl Butz. S'il jouait le rôle que le whisky avait assumé dans les années 1880, cela n'était pourtant pas assez. Pour tout dire, seuls 6 % de la production annuelle de maïs se voyaient transformés en or jaune. Le reste ? Il fallait s'en débarrasser. Et, une fois de plus, en altérant notre nourriture.

---

221. http://www.theprairiestar.com/articles/2006/05/27/ag_news/updates/update40.txt

222. *Idem.*

47. Odeur

Arrivé à ce point de l'enquête, je voulus me remémorer les différentes raisons qui m'avaient conduit ici. Pourquoi ce parking vide d'un motel de l'Oklahoma s'inscrivait-il dans la logique de mes travaux ?

La ville de Clinton avait survécu grâce à la Route 66. Mais la construction, à quelques kilomètres, d'un réseau autoroutier et de voies rapides que l'on n'arrivait pas à quitter, l'avait transformée en une sorte de ville fantôme postindustrielle. La bourgade ressemblait au cruel miroir urbain d'une partie de l'histoire américaine.

*

Il est difficile de décrire une odeur. Disons, pour faire simple, que celle qui flottait au-dessus de Clinton était la pire chose à laquelle mon nez avait jamais été confronté. En tout cas, elle m'avait saisi bien avant d'arriver en ville. Elle était présente, enveloppant la région, la banlieue et le reste. Il n'était même pas nécessaire de sortir pour la noter sa présence. La vitesse et les filtres de ma voiture n'y pouvaient rien. En quelques minutes, j'en faisais partie. L'odeur avait happé mes vêtements, conquis ma peau, imprégné mes cheveux et mon souffle. Et là, alors que je me demandais comment éviter de faire les quelques pas qui me séparaient de l'hôtel, je venais de me souvenir : j'étais parti à la recherche des tonnes de maïs d'Earl Butz. Mon odorat ne me trompait pas, je les avais retrouvés.

*

L'odeur de Clinton n'est pas unique. On la retrouve en Utah, en Caroline du Nord, dans le Delaware, le Kentucky et certains coins du Texas. Certains diront que c'est celle de la modernité. Pour moi, à imaginer qu'elle en ait une, c'est plutôt celle de la pandémie d'obésité.

Depuis Clinton, ma mémoire olfactive associe en effet ce fumet âcre, puissant et écœurant à la crise dont je recherchais les clés. Un fumet qui émane directement des « fermes industrielles », là où les surplus de grains viennent gaver la viande qui nous rendra malades.

*

Le cercle vicieux pourrait se résumer ainsi : la surproduction de maïs subventionné pour des motifs politiques entraîne de l'obésité lorsque, gagnant en valeur ajoutée, le grain est transformé en HFCS. Quant aux surplus, grâce à leurs prix bas, ils alimentent le bétail. Le prix dérisoire du grain a permis de créer de véritables usines à bestiaux. Évidemment cette soudaine croissance a des conséquences désastreuses sur l'environnement et des répercussions tragiques pour les animaux. L'industrialisation augmente la production d'une viande peu coûteuse, saturée en graisse, en hormones et en antibiotiques. Au bout de la chaîne, il n'y a qu'une destination : nos assiettes !

Moralité ? La pandémie d'obésité est un problème complexe aux facettes multiples. Reprenons une dernière fois le cas du sirop de glucose-fructose. Déterminer ses effets sur le cerveau humain constituait une première étape. Découvrir la suite, c'était comme ouvrir une boîte de Pandore. Si l'HFCS est vecteur d'obésité, comment convaincre l'industrie agroalimentaire d'abandonner un produit autorisant 30 % d'économie sur le coût d'un ingrédient aussi essentiel que le sucre ? Qui plus est grâce à une substance aux qualités permettant la commercialisation de portions plus attirantes sans sacrifice de marge ? Comment expliquer à ADM et aux autres gros producteurs d'HFCS que leurs stocks de maïs n'auraient plus de valeur ajoutée ? Comment inciter un élu de Washington à voter contre les prochaines subventions de la filière alors qu'il risque de perdre de généreuses contributions à sa prochaine campagne ?

On le voit, à mieux y réfléchir, blâmer nos appétits incontrôlables et condamner nos comportements de fainéants est bien plus aisé que de remettre en cause un système où beaucoup trouvent leur compte.

48. Environnement

La première réalité de l'élevage industriel est quantifiable. À l'échelle mondiale, elle correspond à une multiplication par quatre de la production de viande dans les cinquante dernières années. 20 milliards de têtes de bétail éparpillées sur la planète, soit plus de trois fois la population humaine.

Une fois encore, les États-Unis assument dans ce domaine leur rôle de première puissance avec 60 millions de vaches, 100 millions de porcs, 300 millions de dindes et 7,6 milliards de poulets[223]. Non, je vous l'assure, il ne s'agit pas d'une erreur de frappe : chaque année défilent dans les abattoirs américains plus de poulets qu'il y a d'êtres humains sur Terre.

Évidemment, à un tel niveau, il faut oublier toute vision pastorale. Désormais, les fermes industrielles entassent jusqu'à 30 000 têtes d'une espèce.

*

223. Voir l'ouvrage de John Robbins, *The Food Revolution*, Conari Press, 2001.

Cette multiplication de viande sur pied entraîne d'innombrables dégâts écologiques. L'eau, par exemple, est utilisée pour abreuver les animaux, les rafraîchir en plein été et nettoyer leurs enclos. Dans les onze états de l'Ouest américain, 70 % des ressources d'eau sont englouties par l'élevage du bétail. La demande est telle que, depuis quelques années, les éleveurs puisent directement dans la plus grande réserve phréatique des États-Unis, accélérant la désertification constatée dans de nombreuses régions.

Le pétrole est un autre acteur de cette industrialisation. Michael Pollan a demandé à un économiste de calculer la quantité de carburant nécessaire à la préparation du grain alimentant une vache jusqu'à son arrivée à l'abattoir. En moyenne, une bête avale 12 kilos de maïs par jour pour un poids moyen de 90 kg. En fin de vie, une vache aura donc nécessité l'équivalent de 132,5 litres de pétrole rien que pour l'acheminement de sa nourriture[224].

Autre cercle vicieux, la surproduction de céréales entraîne une surexploitation de bétail qui, à son tour, nécessite encore plus de grains. Pour répondre à cette demande, l'agriculture s'est donc industrialisée elle aussi, en recourant massivement aux herbicides et pesticides.

*

Comme souvent, une idée reçue est confortable. Dans une sorte de jugement de Salomon, elle prétend que la balance entre les dégâts suscités par les pesticides, herbicides et autres engrais chimiques, et leurs bienfaits, penche en faveur de ces derniers.

---

224. Voir Michael Pollan, *The Omnivoire's Dilemma*, The Penguin Press, 2005. Pollan révèle également que la fabrication de l'HFCS est une importante source de gaspillage des ressources naturelles. Afin de transformer un boisseau de maïs, il faut près de 20 litres d'eau. Chaque calorie produite nécessite d'en brûler 10 autres sous forme de pétrole.

Ce concept est toutefois difficile à entériner lorsqu'on se retrouve face à la « Dead Zone » du golfe du Mexique[225]. En surface, rien ou presque ne trahit l'ampleur des dégâts. Au contraire même, à première vue, certains coins des côtes de la Louisiane semblent transformés en sanctuaire pour espèces sauvages. Mais, en réalité, c'est une véritable hécatombe qui se produit sous le niveau de la mer. Dans un espace aussi vaste que le New Jersey, atteignant certaines années[226] plus de 2 millions d'hectares, la vie aquatique est devenue impossible, étouffant à cause du manque d'oxygène. En termes scientifiques, on nomme cette situation l'hypoxie[227]. Mais, pour les membres d'associations tentant de préserver ce qui est encore possible, la zone morte de la Louisiane a un autre nom : « Le véritable prix du burger à 99 cents[228] ».

La comparaison n'est pas choquante, tant les faits la confirment.

Pendant près d'un siècle, le delta du Mississippi a été la poubelle de l'industrialisation, sans que soient mis en péril les fonds marins du golfe du Mexique[229]. Mais depuis trente ans, la donne a changé avec l'apparition des engrais chimiques à base d'azote[230]. En 1950, le monde consommait

---

225. Voir http://www.smm.org/deadzone/

226. L'étendue de la Dead Zone dépend des conditions climatiques.

227. L'hypoxie des eaux douces, saumâtres et marines, souvent causée par les activités humaines, peut conduire un milieu aquatique à l'anoxie (privation totale de dioxygène) et au phénomène plus ou moins durable de zone morte (disparition des formes de vie supérieures). De nombreuses causes récentes d'hypoxie fragilisent les écosystèmes et la santé à cause de la production accrue de toxines dangereuses pour l'homme dans les milieux pauvres en dioxygène. Dont certaines sont susceptibles d'être accumulées par les poissons, coquillages (huîtres, coques, moules...), mammifères marins, oiseaux littoraux que l'homme consomme. Voir http://fr.wikipedia.org/wiki/Hypoxie

228. Entretien avec l'auteur.

229. Richard Manning, *Against the Grain*, North Point Press, 2004.

230. En anglais *nitrogen*. Souvent traduit à tort en français par « nitrogène ». Voir http://fr.wikipedia.org/wiki/Azote

5 millions de tonnes d'azote par an. Aujourd'hui l'agriculture en utilise seize fois plus. 80 millions de tonnes, dont beaucoup se retrouvent dans nos rivières et créent des zones mortes comme en Louisiane. Une série d'études de l'USDA a ainsi démontré que 50 à 70 % des quantités utilisées « s'échappaient » dans l'environnement via l'eau d'arrosage.

Le lien pourrait sembler lointain avec le coût d'un cheeseburger et, in fine, la crise de l'obésité ; mais en fait, il en est le résultat. Qui ne se traduit ni par le tour de taille ni par le taux de cholestérol.

*

Le recours à l'azote a explosé durant les dernières décennies pour deux raisons.

La première concerne les pays en voie de développement où par crainte de rendements trop faibles, on abuse de tels engrais. Ainsi, mal informés, les paysans du Mexique surdosent. Alors que le magazine *Science* recommande une utilisation maximale de 180 kg d'azote par hectare, leur consommation moyenne est de 300 kg l'hectare[231].

La seconde explication nous concerne davantage. Aux États-Unis, le maïs est le premier consommateur d'engrais chimique, de pesticide et d'herbicide. À lui seul, ce grain jaune monopolise 57 % de la production totale des herbicides et 43 % des pesticides. Or il faut se souvenir que l'essentiel de la culture de cette céréale sert à nourrir du bétail qui, à son tour, devient une viande bon marché. Le véritable coût du Big Mac apparaît alors. À la fin des années 1990, le Army Corps of Engineers a lancé un programme visant à pister les pollueurs susceptibles d'être responsables de la zone morte du golfe du Mexique. En 2004,

---

231. Richard Manning, *Against the Grain*, *op.cit.*

la publication de leur travail[232] a été largement ignorée par un pays concentré sur la « guerre contre le terrorisme ». Pourtant les résultats de ces ingénieurs militaires sont instructifs. Sans surprise, le premier responsable est l'azote. Un engrais chimique provenant à 75 % d'une zone regroupant six États et formant le Corn Belt, la ceinture du maïs. Six États dont le grain vient nourrir les futurs hamburgers vendus à prix plancher dans les fast-foods du Fat Land.

232. *Review of the U.S. Army Corps of Engineers Restructured Upper Mississippi River-Illinois Waterway Feasibility Study*, 2004.

49. Merde

Cette odeur avait un nom. Dans le jargon de l'élevage industriel, on appelle cela des « lagons ». Une référence paradisiaque pour le moins ironique puisque les responsables du fumet pestilentiel planant sur Clinton étaient d'immenses étangs débordant de merde.

*

La pollution qui tue lentement les côtes de la Louisiane ne provient pas seulement de l'engrais utilisé pour accroître la production de maïs. Elle tient aussi au refus de gérer les déchets produits par les millions de têtes de bétail. Pour en mesurer l'ampleur, il faut savoir qu'une vache produit 30 kg d'excréments par jour. Quand leur nombre approche celui de la population française, on imagine l'enjeu que cela représente. Quant à la volaille, elle donne 6 milliards de tonnes de déjections par an. Le pire, ce sont les porcs, concentrés par dizaines de milliers dans des « fermes » semblables à celles situées à proximité de Clinton. Chaque jour, un cochon produit trois fois plus de déchets qu'un être humain. Si cette caractéristique restait gérable à l'époque des exploitations familiales, elle ne l'est plus lorsque certaines « usines » regroupent jusqu'à 500 000 bêtes[233].

Le sort de ces excréments ne fascine pourtant pas grand monde. Rien de ce qui se passe derrière ces enclos modernes n'intéresse d'ailleurs l'opinion publique. Or, nous sommes tous concernés. Pas seulement parce que ces déchets organiques en surnombre détruisent notre environnement ou changent radicalement notre rapport au monde animal, mais parce que, en bout de course, la viande sur pied qui les produit est responsable de l'obésité, avec son lot d'ennuis cardio-vasculaires, de résistance aux antibiotiques et de cancers.

*

Si personne ou presque ne cherche à effectuer ce voyage en terres d'élevage industriel, c'est parce que l'ignorance constitue pour beaucoup la meilleure garante de notre tranquillité et de notre confort. Avant de savoir, je plantais moi-même ma fourchette dans un steak avec insouciance. Mais plus maintenant. Et je ne le regrette en rien. Le périple des côtes de la Louisiane aux plaines de l'Oklahoma m'a permis de comprendre l'enjeu de mes choix. Nous vivons dans un monde où nous consacrons plus de temps et d'énergie à sélectionner le bon iPod, le meilleur téléphone portable et le dernier pantalon à la mode qu'à choisir intelligemment nos aliments. C'est une erreur. Manger représente une étape essentielle, cruciale. Et si en trente ans, nous nous sommes débarrassés de cette responsabilité, nous avions tort. Car, en la confiant à des multinationales – dont le seul intérêt est le profit –, nous avons abandonné une part de nous-mêmes. Et ce qui se passe derrière les murs des fermes industrielles est le terrible miroir de notre échec.

---

233. C'est le cas dans l'Utah où une « ferme industrielle » du groupe Smithfield Foods « produit chaque année plus de matières fécales que le 1,5 million d'habitants de Manhattan ». *Rolling Stone*, 14 décembre 2006.

50. Porc

Il existe deux tons de lagons : le fluorescent et le foncé. Pas marron ni noir, mais rose. La couleur est étonnante, et ne cadre pas, a priori, avec l'odeur ou la provenance des éléments qui la composent. Pourtant, cette teinte est logique. Elle résulte des conditions d'élevage des porcs.

Le mélange puant est en effet constitué d'excréments, d'urine, de sang, mais aussi de cadavres de porcs et porcelets et... de millions de bactéries.

*

Il y a vingt ans, les lagons n'existaient pas. La majorité des déchets était réutilisée comme engrais. Un processus rendu caduc par l'industrialisation de la production de viande. Désormais, les terrains entourant les « fermes » ne sont même plus assez vastes pour recycler la quantité de déjections produite chaque année par les animaux. Smith-field Foods, le numéro un de la production de viande de porc, doit par exemple tous les ans gérer plus de 26 millions de tonnes de déchets. Comme leur épuration est compliquée et chère, l'industrie a préféré opter pour le lagon. Certains d'entre eux, ouverts aux quatre vents, atteignent les 10 000 mètres carrés, avec une profondeur de 9 mètres. L'idée est basique : on les remplit jusqu'à la gorge et, ensuite, on en creuse d'autres.

Autre solution : espérer. Attendre, par exemple, qu'un ouragan emporte le tout, comme cela arriva en Caroline du Nord en 1990. L'ouragan Floyd a causé une catastrophe écologique deux fois plus grande que celle de l'Exxon Valdez, les éléments déchaînés ayant entraîné le déversement de 500 millions de litres d'excréments dans les rivières de l'état. Quinze ans plus tard, les effets de ce cataclysme sont toujours visibles : la vie aquatique ne s'est jamais remise de la disparition de plus de 10 millions de poissons, l'eau est impropre à la consommation et dangereuse à la baignade.

Du côté de Smithfield Foods, le bilan de l'ouragan est bien différent. Grâce à Floyd, il n'a pas été nécessaire de creuser d'autres lagons : ceux vidés par la tempête n'ont pas encore fini d'être remplis.

*

Smithfield Foods n'est pas seulement le numéro un du porc, c'est aussi la société la plus polluante des États-Unis. Depuis le début des années 1990, l'Environmental Protection Agency (EPA) a relevé plus de 2 500 000 mille infractions aux divers codes protégeant l'environnement américain imputables à cette compagnie. 64 d'entre elles sont devenues des amendes. Un taux ridicule qui s'explique d'un côté par un processus administratif lent et doté de peu de moyens ; et de l'autre par le considérable pouvoir financier de Smithfield Foods. Si ADM est incontournable dans le grain, Smithfield Foods l'est dans le porc, vendant chaque année près de 3 millions de tonnes de viande. Ce succès s'accompagne évidemment de contributions aux campagnes de certains candidats. Qui, majoritairement républicains, sont unanimement opposés à toute régulation handicapant l'industrie animale. Et lorsque Smithfield Foods n'a pas de cheval électoral sur lequel miser, il organise des campagnes à coups de millions de dollars contre ce qu'il nomme « les candidats antiporcs ».

De temps en temps pourtant, Smithfield Foods se voit condamné. En 1997, en Virginie, la firme a été obligée de verser 12,6 millions de dollars. S'il s'agit de la plus grosse amende jamais payée, ce chiffre fait sourire Joseph Luter III, propriétaire de l'entreprise. Après tout, cela équivaut à son salaire annuel hors bénéfice (19 millions de dollars en 2005) et à seulement 0,035 % des ventes annuelles de Smithfield Foods [234].

*

Le plus inquiétant, c'est que Luter soit devenu gourmand. Désormais, la première marche du podium américain ne lui suffit plus. Il rêve du monde. Et plus précisément de l'Europe. En 1999, Smithfield Foods et ses méthodes de production ont envahi la Pologne. Avec des conséquences similaires. D'abord, la concentration d'élevages à bas prix a poussé à la faillite les porcheries locales. Puis les habitants vivant à proximité des centres de production ont fait la « connaissance » des lagons. En 2003, à Byszkowo, une fosse s'est même déversée dans le système d'eau potable. Résultat, le lac voisin est devenu marron et certains habitants ont développé des infections cutanées et oculaires [235].

*

L'an prochain, Smithfield Foods, satisfait de son expérience polonaise, compte investir 800 millions de dollars

---

234. *Rolling Stone, op.cit.*
235 Voir http://www.citizen.org/documents/SmithfieldFR1-05.pdf

sur cinq ans en Roumanie[236]. Le but de Luter n'est pas de nourrir l'ancienne Europe de l'Est mais d'envahir, sous des dizaines de labels et de marques, le fort lucratif marché de l'Europe de l'Ouest. Et, comme aux États-Unis, d'offrir des tonnes de côtes de porc bien grasses à petit prix.

---

236. Voir http://www.cee-foodindustry.com/news/ng.asp ?id=70416-smith field-romania-pork

51. Concentration

Je connais le poids des mots. Et loin de moi l'idée de les priver de leur force en les banalisant. Mais rien ni personne ne me fera changer d'avis. L'industrialisation de l'élevage à la mode américaine[237] est la conceptualisation, à des fins purement commerciales, du camp de concentration. Un lieu réservé à certaines espèces, où la seule porte de sortie est l'abattoir.

Je l'écris d'autant plus librement que je ne suis ni végétarien ni membre d'une association de protection des animaux. Je m'exprime ici en ma seule qualité de témoin. Un spectateur qui essaie, désormais, de consommer avec éthique.

*

Pour comprendre, il nous faut revenir au rose des lagons. À ce mélange toxique d'excréments et de sang.

Avant d'empoisonner l'air, l'eau et la terre d'une région, ce liquide visqueux est récupéré sous la porcherie. Le sol, constitué d'une série de traverses de métal espacées, laisse passer les déchets. Autrement dit l'urine et les matières fécales. Mais

---

237. J'écris « américaine » car, ici, les lois sont bien plus laxistes que dans l'Union européenne où le droit des animaux est mieux respecté.

aussi les cadavres des porcelets écrasés sous le poids d'une truie. Ou le sang de cochons qui, rendus fous par la chaleur et la promiscuité, se sont transformés en cannibales – des situations fréquentes, liées directement à l'entassement.

Les producteurs ont imaginé des solutions pour éviter ces « désagréments ». Elles n'ont rien de très poétique. La truie est maintenue dans une sorte de cage qui empêche tout mouvement. Dès lors, elle peut mettre bas sans étouffer sa portée. Les porcs, eux, se mangent de moins en moins. Ils sont toujours aussi agressifs et déphasés, mais n'ont plus de dents : celles-ci ont été arrachées, sans anesthésie bien évidemment, à leur arrivée dans les lieux. Au moment même où, d'ailleurs, toujours sans traitement contre la douleur, on leur coupe la queue. Pourquoi ? Parce que les producteurs ont remarqué que les animaux dont le seul horizon au bout du groin est le postérieur d'un de leur semblable avaient tendance à grignoter la queue pendante située à quelques centimètres d'eux !

Évidemment, il n'y a rien de médical derrière ces procédures. Du reste, les éleveurs n'essaient même pas de trouver des excuses. Ces ablations sont poussées par la seule nécessité de protéger le capital. Une logique d'entreprise revendiquée jusque dans les pages des revues spécialisées : « Ce que nous essayons de faire est de modifier l'environnement de l'animal pour maximiser le profit. [...] Il faut cesser de penser le cochon comme un animal. Il faut le traiter comme une machine dans une usine[238] ».

*

C'est en suivant la même logique que l'on passe le bec des poulets de batterie à la lame brûlante. Privées de cet appendice essentiel, riche en terminaisons nerveuses et outil

---

238. *Hog Farm Management*, cité in *Food Revolution*, *op.cit.*

essentiel de communication de l'espèce, les poules continuent à s'attaquer certes, mais les dégâts sur « l'appareil de production » ne sont plus aussi importants.

En fait, le véritable problème de l'élevage de volailles ne se situe pas là. Il réside dans le nombre de morts prématurées d'animaux avant même l'arrivée à l'abattoir. D'où des « pertes » sèches, si l'on reprend la logique productiviste à outrance.

Pour répondre aux désirs d'escalopes bien blanches, bien tendres, bien juteuses et volumineuses du Fat Land, l'homme a altéré le processus d'évolution du poulet. Il ne s'agit plus désormais de produire de la volaille, mais de la volaille obèse. Voilà trente-cinq ans, il fallait vingt et une semaines pour que le poulet atteigne le poids permettant sa mise sur le marché. Désormais, gavé aux grains et aux hormones, sept semaines lui suffisent pour atteindre le volume nécessaire afin de figurer dans un menu de n'importe quel fast-food. Bien évidemment, l'organisme de ces volatiles n'est pas « adapté » à une telle cadence. « Leur croissance est en effet si rapide que le cœur et les poumons ne sont pas suffisamment développés pour supporter le poids du reste du corps[239]. » Un déséquilibre qui entraîne un « taux de décès énorme[240] ».

Cette obésité a une autre conséquence. Qui, sous un prisme machiavélique, « justifie » le peu d'espace attribué aux volatiles. À l'âge de six semaines, 90 % des poulets, dindes et dindons élevés de cette manière sont écrasés par leur poids et ne peuvent plus se déplacer. Et leur masse, destinée à garantir le meilleur prix de vente, est telle qu'ils ne parviennent même plus à se reproduire naturellement. Résultat, chaque année, 300 millions de dindes naissent... grâce à l'insémination artificielle !

239. *Feedstuffs Magazine*, cité in *Food Revolution, op.cit.*
240. *Ibid.*

52. Commodité

Si le porc est assimilé à une machine et la volaille l'équivalent d'un obèse stérile, la vache est devenue, elle, une commodité. Une masse divisée d'avance entre matière comestible et parties recyclables. Avant ce livre, j'ignorais même que cela était quantifiable. Ainsi, 43 % de son poids termine dans nos assiettes, tandis que 36 % envahissent notre quotidien. À écouter les spécialistes, tout – ou presque – est bon dans la vache : « Sa peau est une source pour les chaussures, les bagages et les portefeuilles. Le poil de ses oreilles devient le poil de pinceaux pour peindre. Le poil sur le reste de son corps est utilisé dans la confection de mobilier et de cordes à violon. Ses os servent à confectionner des manches de couteau. Ses sabots fournissent de la gélatine pour bonbons, desserts et maquillage. Ils sont aussi utiles dans la confection des pellicules photographiques ou encore de la colle. Ses organes et ses glandes permettent de produire cortisone, insuline, hormone, goudron, et chimiquement transformés, aident nos pneus à rouler sans trop chauffer. Sa graisse est là, dans les savons, les chewing-gums et les bonbons [241] ».

---

241. Buck Levin, *Environmental Nutrition*, HingePin, 1999.

*

Et le lait ? Il n'a évidemment pas échappé à la révolution industrialo-alimentaire des trente dernières années. En 1970, il y avait 650 000 laiteries aux États-Unis. Aujourd'hui, elles sont 90 000. À l'époque, on comptait en moyenne 20 têtes par laiterie. En 2004, ce chiffre s'élève à 100. Plus intéressant encore, le nombre de vaches laitières a diminué de presque un tiers tandis que la production de lait, elle, s'est accrue de 40 %. Ce paradoxe s'explique facilement : en trente ans, le rendement par tête a doublé. Il n'y a aucun miracle à cette augmentation : l'industrie a simplement trouvé les moyens de pousser les vaches à produire plus.

Mais avant d'expliquer comment, il convient d'évoquer les conséquences. La première concerne la qualité du lait. Lorsque l'on compare celui produit à la chaîne et celui dit « bio », lié à des animaux qui paissent encore dans les prés, on le découvre plus pauvre en vitamines A et B, en antioxydants et en acide linoléique[242], cet acide gras inhibiteur du cancer, plus particulièrement celui du sein[243].

La seconde, répercussion directe de l'espérance de vie de la vache laitière, termine dans nos estomacs. Voilà trente ans, un animal pouvait vivre vingt ans. Mais, aujourd'hui, après cinq années à produire en continu du lait, un bovin est retiré du circuit. Pour finir en hamburger à 99 cents.

Du moins, afin d'être exact, pour devenir l'un de ses composants. En décembre 2003, le département de l'Agriculture américain publiait une étude consacrée au bœuf haché industriel. L'USDA révélait ainsi que 500 grammes de viande contenaient la chair de plusieurs vaches. Un

242. http://fr.wikipedia.org/wiki/Acide_linoléique
243. Voir http://www.iterg.com/IMG/pdf/Acidesgrasetcancerdusein.pdf

chiffre qui pouvait varier d'une douzaine à... quatre cents bovins[244] ! La même année, justifiant les difficultés à contrer les intoxications alimentaires, les CDC confirmaient que « des centaines, voire des milliers de bêtes contribuent à un seul hamburger » ! Des chiffres stupéfiants, qui laissent plus que perplexe sur les conditions de fabrication d'une telle viande hachée...

*

Les ressources du génie humain dans le domaine du retour sur investissement ne cessent de surprendre.

Les cochons se mangent entre eux ? Arrachons-leur les dents ! Les poules se picorent ? Coupons-leur le bec ! Les vaches laitières, à force de traites multiples, développent la mastite, une infection douloureuse des mamelles qui entraîne de regrettables « pertes annuelles de plusieurs millions de dollars[245] » ? Alors inventons ni plus ni moins une nouvelle vache !

Le 3 avril 2005, un article de *Nature Biotechnology* annonçait en effet que « des chercheurs [avaient] fabriqué des vaches transgéniques sécrétant de la lysostaphine à des concentrations comprises entre 0,9 et 14 mg par ml dans le lait[246] ». La lysostaphine ? C'est une enzyme produite à partir d'un staphylocoque qui augmente « la résistance des bovins à l'infection[247] ». En clair, des scientifiques du Kentucky avaient cloné une vache dotée d'un ADN génétiquement modifié pour qu'elle continue à produire du lait à des cadences infernales mais en tombant moins souvent malade.

244. *Washington Post*, 14 décembre 2003.
245. http://www.genopole.org/php/fr/actualites/actualite.php ?oid_actualite =985&etat=A
246. *Idem.*
247. *Idem.*

La vache OGM n'est toutefois pas encore au point. Comme le souligne un des chercheurs français du Génopole, il faut encore évaluer « les conséquences pour l'homme de la présence permanente d'un antibiotique dans le lait de vache, et aussi l'apparition de formes mutantes du staphylocoque[248] ». Une précaution dont les compagnies agroalimentaires américaines ne s'encombreront peut-être pas longtemps.

L'avenir de la nourriture étant, nous le verrons, aussi peu appétissant que son présent, il est d'ailleurs fort probable que cet exemplaire perfectionné de la bonne vieille Marguerite débarque plus rapidement dans nos assiettes que ce que l'on imagine.

*

En attendant, puisqu'il faut bien qu'une vache produise annuellement 8 600 litres de lait, les « éleveurs modernes » ont recours aux hormones pour augmenter la cadence de production et aux antibiotiques pour essayer d'éviter la coûteuse mastite.

Des substances liées à l'industrialisation de l'élevage qui renvoient directement aux lagons de Clinton.

---

248. http://www.genopole.org/php/fr/actualites/actualite.php ?oid_actualite =985&etat=A

53. Phénomène

En 1986, les CDC ont lancé une vaste série d'enquêtes consacrées aux accidents du travail. Depuis, chaque année, l'organisme dissèque des histoires spécifiques qui se sont soldées par des morts, tente de les comprendre et essaie d'imaginer des procédures pour éviter qu'elles se reproduisent. La lecture des chapitres consacrés à l'agriculture, et plus particulièrement du Fatality Assessment and Control Evaluation (Face) évoque un morbide inventaire à la Prévert[249]. Une litanie de façons de mourir à faire rougir de honte n'importe quel tueur en série. Même américain. On y découvre des hommes coupés en deux, écrasés, décapités, perforés, broyés, aspirés, électrocutés, concassés, étranglés et brûlés. Et d'autres qui meurent le nez dans la merde, asphyxiés par l'odeur des lagons[250].

---

249. Voir http://www.cdc.gov/niosh/injury/traumaagface.html

250. Parmi les nombreux rapports d'enquête, citons :
— « Hog Farmer dies from Asphyxiation after Manure Pit Agitation ». Voir http://www.cdc.gov/niosh/FACE/stateface/ia/03ia058.html
— « Farm Owner and Son asphyxiated in Manure waste Pit ». Voir http://www.cdc.gov/niosh/face/In-house/full9229.html
— « A 15-year-old male Farm Laborer dies after the Tractor he was operating overturned into a Manure Pit ». Voir http://www.cdc.gov/niosh/face/In-house/full200018.html

*

Le véritable problème de ces fosses à purin géantes, c'est que, paradoxalement, elles ne contiennent pas de purin mais un liquide visqueux, épais et rose, autrement plus toxique. Il contient notamment du monoxyde de carbone, du phosphore, du cyanure, du sulfure d'hydrogène, du méthane, de l'ammoniaque et des nitrates. Une combinaison mortelle de gaz et de poisons à laquelle il faut ajouter une centaine d'agents pathogènes microbiens tels la salmonelle. Un seul petit gramme de la substance des lagons peut contenir jusqu'à 100 millions de bactéries coliformes, ces « petites choses » qui, une fois introduites dans l'eau potable, se feront une joie de transmettre le choléra.

La matière fécale des porcs et des vaches n'a pas toujours été aussi dangereuse. Il y a quelques années, avant que l'alimentation s'industrialise, elle était même utilisée sous forme d'engrais. Ce changement a ses origines dans les étables. Sous les ventilateurs.

*

La circulation de l'air est devenue une priorité de l'élevage industriel. Sans ventilation, branchée 24 heures sur 24, les animaux s'asphyxieraient sous leurs propres gaz. Et les effets de la chaleur. Non que l'Oklahoma soit une région particulièrement chaude, mais des dizaines de milliers de porcs regroupés dans un espace restreint font rapidement monter la température au-delà des 30 °Celsius. Or c'est cette promiscuité qui a rendu le porc, la volaille et la vache toxiques. Parce qu'elle entraîne la prolifération des parasites, microbes, champignons, allergies et autres pathologies. Pour protéger leur capital sur pattes, en plus des hormones de

239

croissance, les éleveurs n'ont rien trouvé de mieux que d'asperger les animaux d'insecticides et de les shooter aux antibiotiques. Et, puisqu'on ignore ce que 100 000 porcs pourraient précisément développer comme maladies, on pratique la prévention à large spectre, en traitant tout.

*

Les lagons de l'Oklahoma, de la Caroline du Nord, de l'Utah, voire de la Pologne et de la Roumanie, sont loin de votre salon certes. Mais, en réalité, ils s'avèrent beaucoup plus proches de vous que vous le croyez.

En décembre 2006, le magazine américain *Consumer Report* publiait une enquête effarante sur la viande de poulet. Qui expliquait que 43 % des échantillons testés par l'association consumériste trois ans plus tôt étaient porteurs de salmonelle et/ou de *Campylobacters*. Lesquels, selon l'OMS, « sont une cause importante d'affections diarrhéiques chez l'être humain », l'organisme officiel ajoutant qu'« on considère en général qu'il s'agit de la source bactérienne de gastro-entérite la plus courante dans le monde[251] ». Problème majeur, en 36 mois, le taux de poulets infectés est passé à... 83 %.

En plus du risque de tomber malade en avalant des volailles insuffisamment cuites, *Consumer Report* pointait un autre danger : « La plupart des bactéries que nous avons testées [...] résistaient à un ou plusieurs antibiotiques [...] Les résultats de l'étude suggèrent que certaines personnes rendues malades par la consommation de poulet pourront avoir besoin d'essayer plusieurs antibiotiques afin d'en trouver un qui fonctionne[252] ». Les recherches montraient ainsi que 20 % des *Campylobacters* résistaient dorénavant

---

251. http://www.who.int/mediacentre/factsheets/fs255/fr/
252. *Consumer Report*, décembre 2006.

au ciprofloxacin, cet antibiotique utilisé contre les infections bactériennes. À la fin de l'année 2001, ce médicament avait pourtant les honneurs de l'actualité puisqu'il permet de traiter les victimes d'attaques à l'anthrax [253].

Le recours massif et constant aux antibiotiques dans l'élevage industriel rend donc peu à peu la batterie de remèdes à notre disposition inefficaces contre les bactéries véhiculées par les animaux. Si, pour l'instant, les effets les plus visibles se limitent à une recrudescence de gastro-entérites compliquées à traiter, la perspective d'un scénario semblable à celui de la grippe aviaire est possible.

Et, une nouvelle fois, comme pour la pandémie d'obésité, il faut sortir des modes de pensées classiques pour se prémunir du pire. Si la recherche de nouveaux produits alimentaires est nécessaire, si l'isolement des batteries d'élevage constitue une obligation, aucune de ces mesures ne traite réellement la nature même du problème : notre appétit pour la viande bon marché.

C'est cette habitude seule qui justifie l'élevage industriel. Il faut donc sortir des discours hypocrites tels que celui, bien prudent, développé par l'OMS : « Dans presque tous les pays développés, l'incidence des infections humaines à *Campylobacter* a augmenté constamment pendant plusieurs années, sans que l'on connaisse la raison de ce phénomène [254] ».

Cette raison est au contraire aisée à comprendre. Chaque année, quasiment 7,6 milliards de poulets américains passent leurs journées entassés les uns sur les autres sans bouger, avec pour unique activité celle de picorer ce qui se trouve à portée de leur bec mutilé. Or il n'est pas nécessaire de visiter une de ces « fermes modernes » pour comprendre ce qu'ils absorbent. Élevées les pattes dans la merde de leurs congénères, ces volailles avalent ni plus ni moins ce qui va devenir le mélange toxique des lagons.

253. http://www.fda.gov/cder/drug/infopage/cipro/
254. http://www.who.int/mediacentre/factsheets/fs255/fr/

54. Venin

Le destin de Booker, petite ville au nord du Texas, est définitivement placé sous le signe de la viande. Après tout, c'est déjà pour cette activité qu'en 1919 la ville a quitté l'Oklahoma, pour migrer, pierre après pierre, quinze kilomètres plus au sud. Là où passaient la voie de chemin de fer et les convois de wagons à bestiaux à destination de Chicago.

Aujourd'hui, Booker ressemble à des centaines d'autres cités texanes. À l'intersection des State Highways 15 et 23, elle s'étale le long d'une courbe. À gauche, le centre avec son église, son école, ses bâtiments administratifs et quelques boutiques. Ici comme ailleurs, la Chambre de Commerce verse sans grand succès des primes en liquide pour une création d'emploi. Le dynamisme de la ville n'y gagne guère et la population stagne, mais qu'importe. La différence, c'est que les 1 315 habitants de Booker semblent avoir le sens de l'humour. À l'entrée de leur cité, un faux panneau d'autoroute annonce fièrement : « Booker, neuf prochaines sorties ».

*

En fait, le passé, le présent et l'avenir de la ville se situent sur son côté gauche, en bordure des rails. Parce qu'il y a quelques années, bataillant pour sa survie, Booker s'est lancée dans l'élevage industriel. Les porcheries bien sûr, mais également les *feedlots,* des centres d'engraissement pour bœufs, étapes obligatoires avant leur entrée à l'abattoir.

Concentration oblige, l'entreprise Booker Packing Co (BPC) se situe à deux pas. Étendu sur 2 500 mètres carrés, BPC est un abattoir ultramoderne qui, en ces temps de vache folle et de peurs alimentaires, a investi dans des techniques permettant un meilleur traitement de la viande. En moyenne, BPC « transforme » 600 têtes de bétail chaque jour. Un rythme presque artisanal en comparaison des centres du Middle West où la cadence, infernale, dépasse les 400 bœufs à l'heure[255]. C'est d'ailleurs pour cette raison que BPC travaille avec de nombreux petits éleveurs. Parmi lesquels Ranch Foods Direct, dont les bœufs sont élevés sans hormone ni antibiotique[256]

*

L'abattoir de Booker a une autre corde à son arc. Sous le nom de North Texas Protein, la compagnie s'est spécialisée dans la « récupération ». Le *rendering,* comme on le nomme ici, est l'activité la plus discrète de l'industrie de la viande. Elle est pourtant bien nécessaire puisque, chaque jour, dans les 276 unités du pays semblables à celle de Booker, on « recycle » les carcasses animales qui, sinon, iraient

---

255. Pour un – terrible – aperçu des conditions de travail et des risques sanitaires de l'abattage ultrarapide, lire *Fast Food Nation, op.cit.* Ou voir le film éponyme adapté du livre.

256. Ranch Foods Direct conseille sur son site Internet la lecture de *Fast Food Nation* et n'a pas hésité à attaquer le géant Tyson devant les tribunaux afin de mettre en lumière les risques d'une trop grosse concentration dans le secteur de l'élevage. http://www.ranchfoodsdirect.com/RFD_FAQs.htm

polluer le pays. Le *rendering* comprend deux étapes majeures.

D'abord des employés – souvent de la main-d'œuvre immigrée et précarisée – déversent les cadavres dans une énorme cuve, laquelle contient d'énormes mâchoires métalliques broyant le tout. Le mélange concassé est transféré dans une autre cuve, sous la responsabilité du « chef », dénomination qui ne relève d'aucune hiérarchie mais se réfère avec ironie au métier de cuisinier. Car son rôle consiste à rendre cette activité profitable, en supervisant la préparation d'une « soupe » franchement écœurante.

Après une heure de cuisson à 135 degrés, une épaisse masse jaune monte à la surface du mélange. Un suif précieux car, une fois récupéré, il va faire le bonheur de nombreuses industries. Plus particulièrement celle des cosmétiques, qui utilise cette graisse animale cuite dans les bâtons de rouge à lèvres, les déodorants et les savonnettes.

Le reste de la mixture donne son nom à la branche de BPC, North Texas Protein. À nouveau passé au broyeur, le surplus liquide se voit séché puis transformé en poudre. Une poussière grise, concentrée en protéines, prête à venir « enrichir » la nourriture du bétail élevé à la chaîne.

*

Nous le savons depuis la crise de la vache folle, mais le constater ainsi soulève toujours le cœur. Cette « poussière grise » montre que l'industrie agroalimentaire est parvenue à transformer les bovins en espèce cannibale, qui se nourrit des restes cuits de ses semblables.

Mais il y a pis encore.

La « soupe » ne contient pas uniquement des carcasses d'animaux d'abattoir. On y trouve aussi des litres de graisse issus de l'industrie du fast-food, provenant de restes de cuisson et d'huile de friture. La viande périmée des super-marchés termine également sa course dans cette mixture. Comme il faut faire vite et que les employés n'ont pas assez de bras, on la déverse dans la cuve sans même prendre le temps de la retirer des emballages et des barquettes en polystyrène expansé. Comme si cela ne suffisait pas, on y jette aussi les sacs verts venant des centres vétérinaires et des fourrières. Leur contenu ? Quelques-uns des 6 à 7 millions de chats et chiens euthanasiés chaque année aux États-Unis.

Est-ce tout ? Eh non, car la « recette » est complétée par le *roadkill*, les dépouilles de multiples espèces d'animaux écrasés ramassées en bordure de route !

Reste la dernière touche, l'assaisonnement final si je puis dire... Un renvoi direct aux 83 % de poules contaminées. En effet, depuis dix ans, le *rendering* inclut dans sa recette les plumes et matières fécales récupérées sur le sol des élevages en batterie.

La formule fait, paraît-il, des miracles. Parce que la tonne de « protéines » ne coûte que 45 dollars lorsque la même quantité de luzerne est trois fois plus chère. Ensuite parce que, comme l'a confié un jour l'éleveur Lamar Carter à *US News and World Report*, les protéines à « l'engrais » de poulet « transforment (ses) vaches en véritables boules de graisse [257] », augmentant ainsi leur prix de vente et son profit. De fait, le *rendering* génère chaque année près de 2,4 milliards de chiffre d'affaires.

*

Oublions un instant cette éprouvante recette. Oublions même toute moralité et tout écœurement pour nous concentrer sur un autre ingrédient de cette soupe aux protéines. Un

---

257. Septembre 1997.

« détail » qui n'en est pas un. Afin d'euthanasier les animaux, les vétérinaires leur injectent une solution concentrée de pentobarbital sodique, un produit qui ne disparaît pas après la « cuisson » de la soupe. Que devient-il ?

En outre, la majorité des cadavres provenant des fourrières portent des colliers antipuces, antiparasitaires à base de dimpylate. Cet insecticide ne s'évapore pas non plus malgré la chaleur des cuves de BPC.

Tout comme les traces d'hormones et d'antibiotiques détectées dans « l'engrais de poulet » et les intestins des porcs et des bœufs.

*

Il existe un proverbe apache qui dit qu'une fois que le serpent a mordu, sa victime devient vénéneuse. Son sens ne m'a jamais paru aussi clair que lorsque j'ai découvert l'utilisation commerciale du *rendering*. Pourquoi ? Parce que la composition de cette poudre à protéines est ignoble, mais également toxique. Parce qu'elle est l'aliment de base de bœufs qui, demain, seront transformés en hamburger à 99 cents. Parce qu'alors, ce venin sera au fond de nos estomacs.

55. Responsable

D'une certaine manière, la poudre grisâtre enrichie aux protéines est responsable de la mort de Kevin Kowalcyk. Sans elle, l'E.coli O157:H7 n'aurait jamais rongé les organes du jeune enfant au point de le plonger dans une agonie dantesque. Mieux que personne, Barbara, sa mère, m'avait résumé l'absurdité morbide de la situation : « Nous ignorions les risques que nous prenions à nourrir notre enfant avec un hamburger ».

Et encore, elle ne savait pas tout.

*

Chaque jour, environ 200 000 Américains sont empoisonnés par ce qu'ils mangent. 900 sont hospitalisés et 14 meurent[258]. Des chiffres hélas en dessous de la réalité. Car, bien souvent, une légère intoxication alimentaire ne justifie pas une visite chez les médecins – surtout aux États-Unis où cela coûte très cher – et ne vient pas grossir les statistiques. On estime ainsi qu'au moins un quart de la population américaine est intoxiqué chaque année par le

---

258. Voir *Chew this, op.cit.*

contenu de son assiette. Une proportion en constante progression.

L'essentiel des ennuis répertoriés sont des cas de salmonelles qui, le plus souvent, épargnent le malade. En 1995, selon le journal spécialisé *Meat and Poultry*, la bactérie avait quand même rendu malades plus d'1 million de consommateurs américains, la plupart s'étant contaminés en mangeant du poulet insuffisamment cuit.

L'Escherichia coli O157:H7 est, lui, plus rare. Les CDC avancent que cette bactérie vivant dans l'intestin des animaux contamine 73 000 personnes par an. Et en tue 61 [259]. Presque toutes sont des enfants et des personnes âgées. Si un adulte en bonne santé n'a guère à redouter une « rencontre » avec elle, les effets secondaires s'avèrent cependant graves dans certains cas, engendrant par exemple une paralysie des reins.

*

Ces derniers temps, même si l'infection figure encore loin derrière la crainte d'une attaque de requins [260], l'E.coli O157:H7 a gagné des places dans le classement des peurs américaines.

En septembre puis en décembre 2006, l'E.coli O157:H7 s'est retrouvée à la une de l'actualité. Une première fois à cause de la contamination de salades d'épinard prêtes à consommer. Une seconde pour l'infection des poivrons verts contenus dans des plats mexicains de la chaîne de fast-foods Taco Bell.

Si, entretemps, un observateur vigilant du site de l'USDA avait pu noter à l'échelon régional les « rappels » quasi permanents de marchandises, principalement de viandes,

259. http://www.cdc.gov/ncidod/dbmd/diseaseinfo/escherichiacoli_t.htm
260. *Time*, 4 décembre 2006.

seules ces deux grandes affaires ont grimpé jusqu'à la scène nationale. En donnant lieu à une bataille d'experts typiquement américaine puisque dérisoire et sans rapport direct avec les origines mêmes du mal.

Les salades contaminées de Californie constituent même un cas d'école. Dans cette guerre de communication, on a vu monter sur le ring deux protagonistes pugnaces. D'un côté Michael Doyle, spécialiste de la sécurité alimentaire à l'université de Géorgie pour qui cette crise n'était en rien une surprise. Selon lui, elle est une répercussion directe de la volonté des sociétés de diminuer les coûts de production en emballant « les salades immédiatement dans les champs après les avoir fait tremper dans un bain chloré[261] » au lieu de les transporter au préalable dans un centre à l'hygiène irréprochable. À l'en croire, les ensacheurs en sont réduits à travailler « directement dans la saleté[262] ».

De l'autre Kathy Means, porte-parole de Produce Marketing Association (PMA). Ce groupe, spécialisé dans le lobbying et la défense des cultivateurs de salades, n'accorde aucun crédit aux accusations de Doyle : « Le processus de mise en sachet ne se passe pas directement sur le terrain[263] », répond-elle. PMA met en outre en avant sa bonne foi, via un programme de « bonnes méthodes agricoles » fondé sur le volontariat. Elle a même édité un guide vantant des pratiques assainies telles que l'utilisation de matériel propre, le recours à des zones d'isolement des pelles, bêches et autres outils ainsi que le maintien d'une distance obligatoire séparant les allées de salades des toilettes portables réservées aux ouvriers.

Mais le mot de la fin dans ce combat revient à Alice Park, la journaliste de *Time* qui jamais, dans son dossier

---

261. « How Ready-to-Eat Spinach is only Part of the E.coli Problem », *Time*, 15 septembre 2006.
262. *Idem.*
263. *Idem*

spécial consacré au sujet, n'aura eu l'idée d'explorer les véritables raisons de l'existence de la bactérie. Rebondissant sur l'idée d'un cordon sanitaire plaçant à bonne distance les cabinets portables des plantes comestibles, elle écrit : « Il existe en revanche une chose que les cultivateurs ne peuvent pas contrôler, ce sont les déchets produits par les oiseaux et les animaux sauvages [264] ».

Salauds de volatiles !

---

264. *Idem.*

56. Bactérie

Sans que cela soit surprenant, l'E.coli O157:H7 est
« née » en même temps que la deuxième phase d'obésité.

En décembre 1981, une quarantaine d'habitants de White
City, dans l'Oregon, développèrent les mêmes symptômes
d'intoxication alimentaire. L'analyse de leurs selles révéla
la présence d'une bactérie inconnue. Toutes les victimes
avaient un point commun : dans un laps de temps réduit,
elles avaient mangé dans le McDonald's de la ville.

En mai 1982, alors que les autorités sanitaires de l'Oregon se demandaient toujours ce qui avait pu créer le problème, une dizaine d'habitants de Traverse City, Michigan,
tombèrent à leur tour malades. En montrant des symptômes
identiques à ceux des résidents de White City ayant eux
aussi mangé chez McDo quelques jours auparavant. Dans
leurs selles, les biologistes découvrirent une bactérie de la
famille des E.coli, la O157:H7.

Comme sa présence n'avait jusqu'alors jamais été notée
dans des empoisonnements alimentaires, les médecins igno-
rèrent d'abord cet agent bizarre, le pensant inoffensif. Il
fallut attendre juillet 1982 pour que le docteur Lee Riley,
épidémiologiste envoyé par les CDC, découvre l'origine du
mal. Par hasard, en analysant un échantillon de viande

hachée destinée au McDonald's de Traverse City conservé dans un abattoir de l'Ohio. L'examen fut formel : le morceau était contaminé à l'E.coli O157:H7. Laquelle rejoignit sur-le-champ la liste déjà trop longue des « bactéries les plus dangereuses du monde[265] ».

*

L'E.coli O157:H7 est une conséquence imprévue mais bien réelle des stocks de maïs subventionnés par Washington. Le résultat de l'industrialisation de l'élevage ayant pour but de fournir de la viande grasse à bas prix. Un dégât collatéral de la volonté des groupes agroalimentaires de vendre un hamburger à 99 cents. Un nouveau foyer attisant la pandémie d'obésité.

La bactérie se développe dans les intestins des porcs et des bovins, plus particulièrement ceux des vaches laitières. Ces mêmes bêtes qui, après quatre ou cinq ans d'exploitation, sont transformées, sans la moindre traçabilité, en morceaux de steak haché vendus entre deux morceaux de pain dans les fast-foods.

En parlant de traçabilité, la première affaire dévoilant l'existence d'E.coli O157:H7 a aussi montré combien la concentration des producteurs rend hasardeuse, pour les médecins et enquêteurs, la chance de remonter aux sources de l'infection. Dans les années 1960, l'Amérique comptait 13 000 abattoirs, contre moins de 300 aujourd'hui. L'activité est désormais regroupée dans des centres ultramodernes, rapides et performants. Dans lesquels la chair de 400 bêtes, provenant de plusieurs États, peut éventuellement se retrouver dans un même hamburger. Résultat, il a

---

265. Pour un récit complet de cette traque à la bactérie tueuse, lire « Looking for one of the World's most dangerous Toxin Bacteria », http://www.ericsecho.org/looking.htm

fallu sept mois au CDC (de décembre 1981 à juillet 1982), pour remonter non pas à l'origine – connaître le troupeau précis infesté s'avérait quasiment impossible – mais à l'abattoir où elle avait été hachée.

Or, si l'E.coli O157:H7 se montrait plus agressif et virulent, genre mutant transmissible, cette traçabilité quasi inexistante serait une catastrophe. Car depuis sa première apparition, les délais de recherche sont toujours aussi longs. Comment expliquer l'absence de quelconques progrès en vingt-cinq ans ? Eh bien, démontrant à nouveau leur puissance politique, les grosses entreprises impliquées ont fait fort. En effet, la viande est le seul produit national échappant à l'autorité du gouvernement Les rappels éventuels de lots impropres à la consommation ne peuvent être que volontaires, et non ordonnés par un État ou par l'USDA. Enfin, l'industrie de la viande juge seule des informations à partager avec les autorités sanitaires. Dans ce contexte, on imagine aisément que la rapidité de réaction en cas de crise et la transparence ne sont pas les vertus premières de ces compagnies.

*

Révoltant ? Certes, mais il y a pis encore. L'écriture de ces lignes me met en effet dans une situation de hors-la-loi. Au Texas, où je réside, mais également dans douze autres États[266].

Pourquoi ? À cause des « Food Disparagement Laws ». Ces textes ont été votés au début des années 1990 – soit en pleine épidémie européenne de vache folle – dans les États où l'élevage est dominant. Ils limitent sans équivoque la liberté de critiquer les conséquences de l'industrialisation fermière.

---

266. Voir http://www.cspinet.org/foodspeak/laws/existlaw.htm

Ainsi, au Texas, le *Civil practice and remedies code* comporte, dans sa quatrième partie appelée « *Liability in tort* » un chapitre 96 intitulé « *False disparagement of perishable food products* [267] » qui oblige un journaliste ou une association poursuivis par les groupes agroalimentaires à présenter les preuves de leurs propos au cours d'interminables procès. L'astuce est simple : en noyant les voix discordantes sous une vague de procédures, forcément longues et coûteuses, on rend quasiment impossible la remise en cause de certaines pratiques. Et l'explication, par exemple, de la responsabilité des éleveurs dans l'origine et la propagation de l'épidémie d'E.coli O157:H7.

*

Les mathématiques, elles, n'ont que faire de la biologie et des tribunaux.

6 % de la production de maïs née de la politique initiée par Earl Butz se transforment en HFCS. Et la consommation humaine de grains non transformés absorbe 6 % également. Que deviennent les 88 % restants ? Une partie part à l'exportation et le solde, l'immense solde, vient nourrir le bétail. Enrichi aux « protéines » préparées à Booker et ailleurs, ce grain devient très abordable. Sa consommation dans les *feedlots* du pays garantit un bétail bien gras. Du gras qui donnera son goût à la viande. La logique est donc implacable.

Sauf que, depuis des millénaires, les bovins ne se sont pas nourris d'aliments enrichis aux restes animaliers. La vache est un ruminant polygastrique. Son processus de digestion est différent du nôtre. C'est grâce à l'action de ses quatre estomacs qu'elle parvient à transformer l'herbe en

---

267. http://www.cspinet.org/foodspeak/laws/states/texas.htm

aliment. Une phase complexe tant mécanique que bactérienne, permettant de dégrader la cellulose des pâturages[268]. Dès lors, on le constate, ce système digestif n'est en rien conçu pour une alimentation à base de maïs. Conséquence, les estomacs bovins peinent à traiter le grain, dont une partie termine, non digérée, dans le petit intestin. Le maïs y fermente, transformant la flore intestinale des animaux en « soupe hautement acide[269] »...

Un milieu extrêmement favorable à la multiplication du virus E.coli O157:H7.

---

268. Voir http://babcock.cals.wisc.edu/downloads/de_html/ch01.fr.html
269. In *Raising less Corn, more Hell, op.cit.*

57. Nucléaire

La grande manipulation des éleveurs de bétail nourri au grain, c'est de tenter de nous faire croire que l'E.coli O157:H7 fait désormais partie du paysage. Qu'il est une donnée que nous, consommateurs, devons de toute façon intégrer et gérer. Impossible de les blâmer, ils ne font que reproduire en la matière la stratégie utilisée avec succès dans les crises de salmonelle. Résultat ? 1 million d'intoxications annuelles aux États-Unis contre seulement 800 en Suède, pays qui fut l'un des premiers en Europe à légiférer sur les dangers de l'élevage de masse.

Le concept de cette manœuvre d'évitement est simple : blâmer l'autre. Non pas les abattoirs, alors que la plupart du temps c'est là que la viande est contaminée – quand ce qui subsiste dans les intestins bovins entre accidentellement en contact avec le reste de la carcasse –, mais les consommateurs. À écouter les industriels, nous nous rendons malades parce que nous ne cuisons pas suffisamment nos aliments ou parce que nous utilisons des couteaux sales ayant été en contact avec de la viande crue !

Un comble !

Nucléaire

*

Petit flash-back à la fois significatif et édifiant.

Au début des années 1970, le secteur du nucléaire tenta d'améliorer son image pour séduire les Américains. Mission : dépeindre cette énergie comme le moyen sûr, propre et peu cher d'améliorer la vie quotidienne. Et le Departement of Energy fut le premier à déposer un brevet relatif à l'irradiation de la nourriture et à le faire valider par les organismes sanitaires.

La méthode consiste à exposer divers aliments à des rayonnements ionisants afin de détruire les micro-organismes qu'ils contiennent. « Ioniser » est le verbe employé par l'industrie agroalimentaire, parfois abusivement remplacé par le terme de « pasteurisation à froid ». Dans les deux cas, il s'agit toujours de véhiculer une image plus acceptable par le public, celui-ci n'étant guère prêt, évidemment, à encaisser qu'on irradie sa nourriture. Surtout via un accélérateur de particules ou par des sources radioactives tels le césium 137 ou le cobalt 60, comme certaines compagnies le font. En tout cas, employer d'autres mots, détourner l'attention, fut efficace puisque le procédé s'est généralisé sans trop de levées de bouclier.

*

Au départ, ce processus fut principalement utilisé sur les épices et les céréales, les radiations tuant les insectes souvent microscopiques nichés au cœur des aliments. Mais à partir du début des années 1980, l'ionisation a servi un processus plus commercial encore : ralentir la dégradation d'un produit. Les fruits et légumes traités mettent plus de temps à pourrir, ce qui rallonge leur période de conservation. De quoi ravir les producteurs.

L'irradiation de la viande est apparue, elle, plus tard, au milieu des années 1990 durant lesquelles la société californienne SureBeam l'expérimenta pour la première fois. Et aujourd'hui, le secteur de la viande, pensant avoir trouvé là un moyen de lutter contre les risques d'infections à la salmonelle et à l'E.coli O157:H7, y recourt fréquemment.

*

Évidemment, devant cette dérive, les interrogations surgirent. Quid de la qualité à court et à long terme des aliments ? Quid des répercussions sur notre santé ? D'emblée, soyons clairs : l'irradiation ne rend pas la nourriture radioactive. C'est pour cela d'ailleurs que, pendant vingt ans, les principales critiques se sont concentrées sur les risques d'accidents liés au processus d'ionisation. Un danger réel, comme l'a montré en 1988 une fuite d'eau radioactive dans un centre situé en Georgie[270]. 50 millions de dollars ont été dépensés par cet État pour réparer les dégâts et des traces de radioactivité ont été relevées dans les habitations proches. C'est du reste pour cela qu'en France les centres d'irradiation utilisant une source radioactive sont classés « Installation nucléaire de base » (INB), catégorie dans laquelle figurent également les réacteurs nucléaires.

*

Le passage à l'irradiation de la viande a, en revanche, tout bouleversé. En effet, la nature d'un produit soumis à des rayons radioactifs est modifiée. Comme l'explique Roland Desbordes, scientifique à la Commission de recherche et d'information indépendante sur la radioactivité

---

270. Autres exemples, en 1967 à Hawaii et en 1982 dans le New Jersey : du liquide contaminé a été déversé dans le système public des eaux usagées.

(CRIIRAD) : « L'aliment est mort sur le plan biologique, les tissus sont pulvérisés, l'ADN détruit[271] ». Concrètement, un produit irradié est en fait plus pauvre en acides aminés, acide folique et en vitamines A, B1, B6, B12, C, E, K et PP. Une perte variant selon la durée et la puissance de l'exposition, qui peut atteindre jusqu'à 80 % chez certains produits.

Ce n'est pas tout : en traversant un poulet – un des aliments les plus irradiés dans le monde –, le rayon ionisant bleu entraîne une recombinaison chimique qui donne naissance à de nouvelles molécules. L'irradiation des lipides – le gras de la viande de bœuf, par exemple – déclenche la formation de cyclobutanones, des molécules dont la toxicité pour l'homme a été mise en évidence par plusieurs travaux.

En 2002, une étude franco-allemande a ainsi démontré que certains cyclobutanones (les 2-alkylcyclobutanones) étaient toxiques et favorisaient le développement du cancer du côlon chez le rat[272]. Ces recherches ont déclenché une polémique dans le milieu scientifique lorsque, le 3 juillet 2002, le Comité scientifique de la nourriture (SCF), organisme en charge de la protection alimentaire au sein de la Commission européenne, rejeta les conclusions de cette équipe réunissant pourtant les meilleurs spécialistes du sujet. Avec une motivation pour le moins étonnante. Jamais dans son commentaire, le SCF ne remet en cause la découverte des chercheurs, autrement dit la toxicité des nouvelles cellules formées dans la viande suite à l'irradiation. Non, le reproche est plus spécieux : « Les effets négatifs relevés l'ont tous été au terme de recherches *in vitro*. Il est donc

271. La CRIIRAD fut la première association à publier les cartes officielles des véritables retombées de la catastrophe de Tchernobyl. http://www.criirad.org/

272. Dominique Burnouf, Henry Delincée, Andrea Hartwig, Eric Marchioni, Michel Miesch, Francis Raul, Dalal Werner, « Étude toxicologique transfrontalière destinée à évaluer le risque encouru lors de la consommation d'aliments gras ionisés », Karlsruhe, 2002.

inapproprié, sur la base de ces résultats, d'effectuer une étude de risque pour la santé humaine[273] ». En clair, on refuse de prendre en compte une menace sanitaire parce que l'étude qui l'a révélée, bien que validée par des scientifiques qualifiés, a été menée en laboratoire !

Dans une réponse au CSF, le groupe de chercheurs a maintenu sa position[274]. Laquelle inquiète la CRIIRAD : « Du moment où l'on observe des réactions chez le rat, dont le patrimoine génétique est similaire à 99 % à celui de l'homme, on peut se poser des questions... même s'il y a un pas entre le rat et l'homme. On ne peut donc pas conclure à l'innocuité de l'irradiation des aliments pour les humains[275] ».

Mais il faut tenir compte des données plus politiques. Actuellement, seuls huit pays de l'Union autorisent l'irradiation. À savoir la France[276], la Belgique, les Pays-Bas, la Pologne, l'Italie, le Royaume-Uni, la Hongrie et la Tchéquie. Mais, hors de l'Europe, trente-deux autres États l'ont acceptée, incitant même l'OMC à effectuer des pressions sur l'Union européenne pour étendre son utilisation. Pourquoi l'OMC agit-elle en ce sens ?

Selon des motivations de pur libéralisme, l'interdiction d'irradiation s'accompagne souvent d'une limitation des importations de produits ionisés, ce qu'elle considère comme une limite aux échanges mondiaux[277].

---

273. http://ec.europa.eu/food/fs/sc/scf/out135_en.pdf
274. Voir annexe.
275. http://www.criirad.org/
276. L'Hexagone compte sept centres d'irradiation. Six dépendent de la société lyonnaise Ionisos, installés à Dagneux (Ain), Pouzauges (Vendée), Sablé-sur-Sarthe (Sarthe), Orsay (Essonne), Chaumesnil (Aube) et Berric (Morbihan). Le septième, exploité par la société Isotron, se trouve à Marseille.
277. La France importe chaque année entre 6 000 et 10 000 tonnes d'aliments irradiés.

*

Au-delà de l'étude controversée de 2002, ce qui étonne le plus, c'est l'absence de travaux consacrés aux effets de l'ionisation au niveau mondial. Certes, on trouve des rapports plus rassurants, comme ceux publiés par l'université Texas A&M. L'ennui, c'est que l'Electronic Beam Food Research Facility, la structure de recherche ayant conduit cette étude, a été créé grâce à un don de 10 millions de dollars versé par SureBeam[278]. Et que, dépassant son rôle universitaire, le centre effectue même de l'ionisation commerciale, irradiant en effet une partie de la viande américaine[279].

En fait, à mieux y regarder, à part une étude s'étalant sur quinze semaines effectuée en Chine en 1987[280], il n'existe aucune recherche conséquente sur ce sujet majeur. Comme on n'en trouve pas sur les effets produits par cette alimentation modifiée sur les enfants et les bébés[281]. Un travail d'autant plus utile que les flocons et germes de céréales destinés aux produits laitiers infantiles sont systématiquement irradiés aux États-Unis, au Brésil et dans une vingtaine de pays. Des produits qui figurent d'ailleurs sur la liste des aliments ionisés importés en France. Tout comme les herbes aromatiques surgelées, les fruits secs, les volailles, les œufs, les crevettes, le fromage au lait cru et les cuisses de grenouille.

Pis, le processus de mise sur le marché américain, celui qui permet aujourd'hui à l'OMC de militer pour une

---

278. En juin 2005, Sadex, un groupe d'investisseurs texans, a racheté la compagnie.
279. Marion Nestle, *What to Eat*, North Point Press, 2006.
280. Elle démontra une augmentation des anomalies chromosomiques. Une situation à l'origine de cancers.
281. En fait, il en existe une seule datant de 1975, effectuée dans une clinique indienne. Elle démontre chez 80 % des enfants s'alimentant à partir de nourriture irradiée un dérèglement chromosomique de pré-cancer. L'étude porte sur un échantillon trop faible (15 personnes) pour apporter un jugement définitif.

commercialisation sans frontière des produits ionisés, est loin d'être un modèle de sérieux. En effet en 1982, le FDA, l'organisme fédéral chargé de l'approbation du processus d'irradiation, n'a pas pris le temps de lire et de valider les 441 études sur des animaux qui lui avaient été soumises, préférant n'en sélectionner que 7. Des rapports consacrés uniquement à des tests effectués sur des fruits et des légumes selon des dosages bien trop bas pour correspondre à une réalité. En 1993, sans que ses propos aient le moindre impact, Marcia van Gemert, la toxicologiste qui avait présidé la commission de la FDA sur l'irradiation, évoqua sans langue de bois les conditions de cette autorisation : « Ces études utilisées en 1982 par le FDA n'étaient pas adéquates. Elles ne l'étaient pas face aux standards (sanitaires) de 1982 et le sont encore moins face à ceux de 1993, permettant de déterminer la sécurité de n'importe quel produit, et plus encore lorsqu'il s'agit de nourriture irradiée [282] ».

*

Dans sa précipitation à nous faire ingurgiter de la viande passée aux rayons, l'industrie agroalimentaire doit faire face à un autre casse-tête : le taux d'ionisation n'est pas suffisamment puissant pour détruire certaines bactéries et prions (que l'on pense responsables de la crise de la vache folle). Bien entendu, elle profite de chaque crise pour demander une augmentation des doses maximales de rayons autorisées, arguant qu'il est de son devoir de pallier la tendance des consommateurs à ne pas assez cuire leur viande. Ce faisant, elle évite une fois de plus le débat sur les véritables causes des contaminations bactériennes.

---

282. Voir http://www.findarticles.com/p/articles/mi_m0FKA/is_n2_v60/ai_20220769

Néanmoins, un obstacle de taille subsiste pour elle : nos papilles gustatives. Qui résistent, elles ! Si l'irradiation est l'art de l'équilibre entre la sécurité alimentaire et le goût du produit, beaucoup comprennent qu'elle l'altère. Pour autant, résisterons-nous longtemps ?

58. Gaz

Le secteur de la viande a toujours été confronté à une équation commerciale difficile à résoudre : accroître les profits tout en garantissant au consommateur les prix de vente les plus bas possibles. En amont, l'intensification de l'élevage industriel a résolu une partie du problème ; puis l'irradiation a permis de limiter les cas d'intoxication et les coûteux rappels de marchandise qu'ils engendrent, tout en allongeant de plusieurs jours la « vie » du produit dans les rayons des supermarchés.

Mais il fallait aller plus loin encore. Les têtes pensantes du marketing ont donc trouvé une nouvelle idée : la viande préemballée.

Une fois encore, le concept est brillant : le steak est découpé et emballé dès l'abattoir dans des containers individuels en plastique standard. Pour la grande distribution, cette invention est une bénédiction. D'abord, l'uniformisation des formats permet un stockage et une mise en rayon plus aisés. Ensuite, les commerces n'ont plus besoin de payer une équipe de bouchers professionnels. Économie de temps et de main-d'œuvre, la panacée ! En deux ans à peine, Wall Mart, la plus grande chaîne de supermarchés du monde, est d'ailleurs arrivée à 100 % de viande préemballée. Les autres distributeurs suivent, puisque 60 % des vendeurs de viandes aux États-Unis recourent à cette méthode.

*

Autre atout, comme le produit est déjà conditionné, l'industrie de la viande peut le vendre un peu plus cher aux chaînes de supermarchés, donc augmenter son profit sans toucher directement au porte-monnaie du consommateur. La conséquence inévitable est qu'on lui propose alors des produits dérivés tout prêts, à base de viande « enrichie ».

Ce terme est une invention sémantique de commerçants désireux de camoufler leur mercantilisme derrière un vocabulaire positif. Il s'agit en fait, sous couvert d'offrir des morceaux plus goûteux, de traiter la viande avant emballage en la passant dans un bain d'eau, de sel et de phosphate de sodium, mélange qui augmente artificiellement son poids. En moyenne, la solution miracle représente 12 % de la masse pesée. Si bien que le consommateur, sans le savoir, achète un produit constitué pour un dixième d'eau salée. Les professionnels, pour justifier cette pratique, se retranchent derrière un pseudo-désir du public : « Nous avons en moyenne une préférence de 65 à 70 % pour le produit enrichi parce qu'il est plus tendre et plus juteux[283] ». Une attirance qui n'a aucun rapport avec la qualité même de la viande, mais provient du sel et du phosphate de sodium utilisés, lesquels entraînent une exsudation des jus plus prononcée, ce qui procure l'impression de meilleur goût. Les papilles gustatives de l'homme appréciant l'arôme du sel, on lui en donne à satiété.

---

283. http://walmart.nwanews.com/wm_story.php ?paper=adg&storyid= 149249

*

Si la viande « enrichie » constitue un grand pas vers des profits plus juteux encore, ce secteur est tracassé par une autre source de dépenses. Un chiffre colossal : chaque année, environ 1 milliard de dollars de marchandise est invendu. À cause d'une durée de conservation trop courte dans les rayonnages et d'une tendance naturelle de la viande à brunir.

Heureusement, grâce au monoxyde de carbone, ces désagréments seront bientôt de l'histoire ancienne.

*

En février 2005, Tyson Foods, géant de l'agroalimentaire, a inauguré son usine ultramoderne de Sherman, située à une centaine de kilomètres au nord de Dallas. Cette unité, dont le coût dépasse 100 millions de dollars, est spécialisée dans « l'atmosphère modifiée » énième terme inventé par les spécialistes de la communication pour rendre politiquement correcte une pratique très particulière.

L'usine texane traite uniquement la viande préemballée. Avec du gaz. Avant de sceller l'emballage, une machine gaze en effet le morceau. Avec un mélange associant du monoxyde de carbone, du dioxyde de carbone et de l'azote. Une décoction soi-disant sans danger pour le consommateur puisque s'évaporant à la cuisson. Cette technique étant récente, les travaux indépendants la concernant n'existent pas encore. Il faut donc – même si cela est extrêmement difficile – accorder crédit aux assertions d'innocuité proférées par les industriels.

Le gaz possède deux énormes avantages. D'abord, il allonge considérablement « l'espérance de vie » du morceau de viande, lequel peut rester jusqu'à deux semaines en rayon alors qu'une entrecôte non traitée voit sa date limite de consommation dépassée après quatre à cinq jours. Ensuite, au contact de la viande, le gaz déclenche une réaction chimique ; il attise et fixe la couleur du morceau qui garde sa teinte rouge vif, appréciée des consommateurs.

Pour se convaincre de l'efficacité du procédé, il suffit de faire une expérience à la portée de tous : placer à l'air libre et pendant 24 heures deux morceaux. L'un normal et l'autre gazé. Après une journée, la différence est flagrante. Le morceau sans CO_2 est devenu marron. L'autre ? Il n'a pas bougé. Comme si on venait de le sortir de son emballage, il arbore un rouge toujours aussi puissant, toujours aussi appétissant.

Appétissant... Voilà le problème de la « viande au gaz ». Depuis toujours, c'est l'aspect d'un steak qui détermine son achat et sa consommation. Nous refusons d'acheter tout morceau qui a bruni parce qu'à l'œil il ne nous semble pas comestible, parce que nos sens prennent le pas sur notre raison. Les professionnels sont donc parvenus à tromper notre instinct en proposant des produits d'apparence perpétuellement impeccable. Une « opération fraîcheur » qui s'avère d'autant plus efficace que la FDA ne considère pas le gaz comme un colorant. L'industrie n'a aucune obligation d'informer le consommateur de cette pratique.

*

Il existe un autre revers, grave, à ce qui est présenté comme un progrès. Un effet de cette technique qui a exaspéré Barbara Kowalcyk, la mère de Kevin, décédé comme on l'a vu dans d'atroces souffrances suite à une contamination par l'E.coli O157:H7.

En mai 1999, une étude a prouvé de manière incontestable que la viande traitée au gaz conservait son aspect rouge vif même lorsqu'elle était devenue impropre à la consommation[284].

Cette maman est désormais convaincue que l'industrie agroalimentaire, en trompant le regard, ce sens qui motive l'achat[285], place le consommateur en situation de risque. Surtout quand on sait que le CO_2 détruit la bactérie responsable des premiers signes visibles de détérioration des produits, mais pas celles qui se montrent réellement dangereuses pour la santé.

Sans surprise, les avocats défendant l'industrie de la viande répliquent à ces arguments que la couleur n'est qu'un indice parmi d'autres et que c'est au consommateur d'être vigilant, d'examiner l'étiquette, d'observer l'aspect de la boîte et de déterminer l'odeur du produit.

En bref, l'agroalimentaire abat une fois encore la carte de la responsabilité individuelle pour masquer ses propres excès.

---

284. Sorheim, Oddvin et al., « The Storage Life of Beef and Pork packaged in an Atmosphere with low Carbon Monoxide and high Carbon Dioxide », *Meat Science*, vol. 52, Issue 2, juin 1999.

285. Kohls, L.I. et al., « A Comparison of five different modified Atmosphere Package Methods for Retail Display-Ready Ground Beef », *2001 Animal Sciences Report*, The Department of Animal Sciences, Colorado State University. Voir http://ansci.colostate.edu/dp/msfs/lik011.htm

59. Fourrage

Les crottes d'oiseaux tombant sur les champs, l'ionisation, l'enrichissement, l'atmosphère modifiée sont des
écrans de fumée. Ayant pour fonction de masquer la responsabilité des grands groupes agroalimentaires.

*

En 1982, lorsque les CDC ont pour la première fois identifié l'E.coli O157:H7, le département de l'Agriculture a eu
du mal à confirmer que le bétail américain se trouvait à
l'origine de l'une des bactéries les plus dangereuses du
monde. Les tests effectués par l'USDA dans des dizaines
de troupeaux disséminés sur l'ensemble du territoire se
révélaient tous négatifs.

En 1998, le même ministère évaluait à 5 % le nombre
de vaches touchées par la bactérie. En 2002, une étude de
l'USDA affirmait que 38,5 % des laiteries américaines
hébergeaient au moins un animal porteur de la bactérie,
mais que seulement 4,5 % d'entre eux développaient la
forme mortelle pour l'homme.

Un an plus tard, une étude indépendante publiée dans le
Journal of Daily Science certifiait que « 30 % de la totalité

du bétail étaient porteurs de l'agent pathogène et que, dans certaines circonstances, ce pourcentage pouvait atteindre 80 %[286] ».

La prolifération de la bactérie est étroitement liée au développement de l'élevage industriel. D'ailleurs, les vaches ne sont plus les seules porteuses de l'E.coli O157:H7. Depuis quelques années, on l'a isolée dans l'intestin des porcs élevés en batterie, avec, d'après une étude japonaise, un taux de contamination semblable à celui des bovins. Plus inquiétant encore, l'E.coli O157:H7 s'est échappé des enclos des fermes industrielles. Des cas d'infections d'oiseaux, de daims, de chevaux et même de chiens ont été mis à jour. Ce qui n'exonère en rien l'élevage à grande échelle puisque ces chiens ont été contaminés après avoir mangé de la viande de bœuf crue. Quant aux autres espèces, d'aucuns évoquent une intoxication via la consommation d'eau. En septembre 2005, n'est-ce pas l'eau d'arrosage qui a été responsable de la présence d'E.coli dans les feuilles de salades d'épinard de Californie ?

Qu'on soit bien clair : l'eau n'a jamais été « porteuse », à l'origine, de la bactérie tueuse. Elle se contente de la transporter, une fois les lagons de merde déversés dans le lit des rivières.

*

Je crois que le plus révoltant dans tous ces exemples terrifiants, c'est la logique implacable qu'ils dévoilent. Celle qui conduit des scientifiques à cloner des vaches transgéniques pour éviter la mastite alors qu'il suffirait de limiter les montées de lait et le nombre de traites. Celle qui pousse

---

286. « Forage Feeding to reduce Preharvest Escherichia coli Populations in Cattle, a Review », *Journal of Dairy Science*, vol. 86, n° 3, 2003.

des éleveurs à imaginer de recourir au nucléaire pour irradier les aliments dans l'espoir de se débarrasser des bactéries dangereuses alors qu'une fois encore, il existe une solution toute simple.

Le 10 septembre 1998, des microbiologistes de l'université de Cornell publiaient les résultats d'une longue étude menée avec l'USDA. Et annonçaient le moyen d'éradiquer la bactérie E.coli O157:H7. Pour purifier l'intestin contaminé de la vache, injecter massivement des antibiotiques à l'animal – comme les éleveurs le font encore – n'avait aucun intérêt. Non, il suffisait, selon eux, cinq jours avant l'envoi de la bête à l'abattoir, de lui offrir ce que la nature a prévu pour elle : du fourrage. Et rien que du fourrage.

Le rapport expliquait même que ce bref retour aux sources de l'alimentation bovine « n'affecterait ni la taille de la carcasse ni la qualité de la viande. Et que le changement de régime pouvait se faire à un coût minime et sans trop d'inconvénient pour les exploitants de *feedlots* [287] ».

Dans leur simplicité, les microbiologistes de Cornell avaient négligé l'attrait des stocks de grains protéinés et la volonté rageuse d'une industrie adepte du statu quo. Finalement, la seule garantie à ses profits.

---

[287]. « Acid Relief for O157:H7 Simple Change in Cattle Diets could cut E.coli Infection », USDA and Cornell Scientists Report. Voir http://www.news.cornell.edu/releases/Sept98/acid.relief.hrs.html

60. Péril

L'étude de l'interaction entre une bonne alimentation et la santé humaine n'est évidemment pas récente. Et plus particulièrement celle liant la viande à notre espérance de vie.

Au début de la Première Guerre mondiale, les Danois consommaient beaucoup de viande de porc et de graisses animales. Et puis, le blocus allié contraignit le pays à modifier ses habitudes alimentaires. Le professeur Mikkel Hindhede fut alors nommé responsable de l'alimentation et mit en place une série de restrictions[288]. Afin de sauver les réserves de céréales, ce scientifique ordonna l'abattage de 80 % du cheptel porcin du Royaume et environ 20 % des bovins. Des matières grasses, les Danois passèrent donc au pain complet, aux céréales et aux légumes. Le lait gardait sa renommée, et le fromage venait agrémenter de temps à autre le repas mais la viande, elle, avait presque disparu des tables.

À la fin du conflit, Hindhede décida de mesurer les effets de sa politique sur la santé de ses compatriotes. Ce qui

288. Notons que Sir Jack Drummond occupa une fonction similaire en Grande-Bretagne pendant la Seconde Guerre mondiale. Ses travaux sur l'alimentation des Anglais sont proches de ceux de Hindhede. Sir Jack Drummond, son épouse et sa fille furent assassinés dans la nuit du 4 au 5 août

donna des chiffres étonnants. Non seulement le pays avait survécu au rationnement, mais le taux de mortalité n'avait jamais été aussi bas. Il fut de 10,4 pour 1 000 entre octobre 1917 et octobre 1918 alors qu'il n'avait jamais été inférieur à 12,5 de 1913 à 1914. « Une différence du taux de mortalité de 2,1 pour une population de 3 millions signifie 6 300 vies sauvées. En conséquence, le nombre de vies sauvées au Danemark grâce au blocus allié fut considérable[289]. » Jamais un pays européen n'avait même connu un pourcentage si faible. La conclusion du professeur Mikkel Hindhede fut évidente : « Cela signifie, alors, que la principale raison des décès est la nourriture[290] ».

*

La corrélation entre la consommation de viande et le risque de cancer s'est précisée dans les années 1970. Des nombreuses études, souvent rédigées avec une diplomatie toute scientifique, ont alors commencé à établir l'émergence d'un danger accru chez un adepte régulier, notamment de viande rouge. Un risque qui a progressé avec l'industrialisation du secteur.

La dernière enquête publiée sur le sujet date du 13 novembre 2006. Sa méthodologie est difficilement contestable tant son échantillon est large (90 659 femmes) et sa durée longue (douze ans). Ses conclusions sont simples et dévastatrices : les femmes mangeant une portion et demie de viande rouge chaque jour doublent le risque de développer un cancer du sein[291].

1952 à proximité de la ferme de Gaston Dominici. Voir du même auteur, *Dominici non coupable, les assassins retrouvés*, Flammarion, 1997.
289. http://www.european-vegetarian.org/evu/french/news/news961/denmark2.html
290. *Idem.*
291. http://archinte.ama-assn.org/cgi/content/short/166/20/2253

Fort de cette mise en garde, ce travail de recherche essaie aussi de comprendre à quoi tiennent ces écarts et pourquoi ce risque est plus prégnant qu'autrefois. Si l'hypothèse d'une dose trop importante de fer dans la viande rouge et celle d'une cuisson créant des carcinogènes[292] sont avancées, une troisième piste retient l'attention : les résidus d'hormones contenus dans la viande. Des hormones ajoutées par les éleveurs de bétail.

*

Entre 80 et 90 % du bétail américain reçoit des hormones de croissance par injection. Ce pourcentage atteint même 100 % chez les bêtes élevées industriellement. Il faut dire que l'enjeu est de taille pour les producteurs : alors que le coût d'une dose dépasse rarement 1 dollar, ses bénéfices se chiffrent entre 30 et 40 dollars supplémentaires quand on vend la carcasse. Soit une source de revenus représentant 542 millions de dollars par an. George Pyle, journaliste spécialiste du monde agricole, résume parfaitement la situation : « L'histoire est toujours la même. L'agrobusiness veut un retour maximum sur son investissement dans un temps minimum. [Quitte à utiliser] une substance qui n'a pas pu être testée dans toutes les circonstances et dont on ignore la façon d'interagir dans le vrai monde[293] ».

Bien évidemment, l'industrie de la viande conteste ces accusations. Selon elle, non seulement les hormones de croissance ne présentent aucun danger pour l'animal, mais elles ne se retrouvent pas dans la viande. Ce qui, on l'a vu, est faux. En toute logique, les hormones atterrissent bel et bien dans nos assiettes, en quantité suffisamment importante pour dérégler notre cycle hormonal. Et, comme nous le verrons, pour constituer une des causes de la pandémie d'obésité.

---

292. Le terme « cancérigène » peut être également utilisé.
293. Cité dans *Raising less Corn, more Hell*, *op.cit.*

*

Les hormones injectées dans le bétail et donc servies avec le hamburger à 99 cents sont en outre mises en cause dans l'augmentation du nombre de cancers du côlon, considéré comme celui ayant le taux de mortalité le plus fort. À nouveau, les études sont impitoyables. Chez une femme, le risque de développer un tel cancer est 250 fois plus important si elle consomme chaque jour de la viande rouge. Avec une seule portion par semaine, le risque est encore de 38 % plus élevé.

Du reste, depuis 1989, l'Europe interdit l'importation de viande de bœuf américaine lorsqu'elle contient des hormones de croissance. Cette restriction, qui représente un manque à gagner pour le commerce américain estimé annuellement à 117 millions de dollars, est à l'origine d'une guerre intense menée dans les coulisses de l'OMC.

Car, considérant la prudence européenne comme une atteinte au droit commercial et une forme de protectionnisme, les Américains ont porté plainte en 1996 devant la commission d'arbitrage de l'OMC. Comme dans l'affaire du HFCS, l'Organisation mondiale du commerce s'est rangée du côté des États-Unis en estimant que la consommation de viande aux hormones n'était en rien dangereuse pour l'homme. Et a ordonné à l'Europe d'ouvrir ses frontières.

Un an plus tard, l'Union refusait à nouveau de le faire, suscitant une nouvelle plainte des États-Unis. En 1999, l'OMC autorisait alors Washington à obtenir une compensation en récupérant des droits de douane sur les produits européens exportés aux États-Unis. Concrètement, cela signifiait que, tant qu'elle ne fléchirait pas, l'Europe serait condamnée à verser une amende annuelle de 117 millions de dollars.

En 2001, le Congrès américain recourut à une autre mesure pour inciter l'Europe à fléchir, celle de la « punition tournante ». Tous les six mois, la nature des produits touchés par les taxations douanières change, ce qui permet de gêner des pays peu concernés par l'importation de viande de bœuf mais sensibles à l'exportation de leurs propres produits. Et de semer la zizanie au sein de l'Union afin de faire céder le front résistant au bœuf aux hormones *made in USA*.

La stratégie est toujours active aujourd'hui. Dix ans après la première crise du bœuf américain, l'Union européenne continue de payer le prix de son indépendance sanitaire. En coulisses, le gouvernement de George W. Bush poursuit ses tractations au sein de l'OMC. Son argument ? Le monde entier apprécie le bœuf aux hormones des États-Unis. Ainsi le Japon, le Canada, la Chine, le Mexique, la Corée, l'Égypte et même le Moyen-Orient importent chaque année l'équivalent de plusieurs centaines de millions de dollars. Seule l'Europe le rejette.

Sachant, qu'à moyen terme, la stratégie de la « punition tournante » risque de porter ses fruits, l'Union a contre-attaqué devant l'organisme d'arbitrage de l'Organisation afin de faire lever les sanctions. La saga du bœuf aux hormones dans les assiettes européennes n'est donc toujours pas terminée.

*

Les hormones ne sont pas les seuls corps étrangers retrouvés dans la viande américaine. Les antibiotiques pimentent eux aussi la sauce. Qu'on les utilise contre les infections du type mastite ou pour leur effet combiné avec les hormones de croissance, une chose est sûre : ils ne disparaissent pas miraculeusement du paysage quand on passe à l'abattoir...

En 1993, une étude menée sur 2 734 carcasses prélevées dans les abattoirs de douze États a démontré que ces viandes étaient « enrichies » par 3 249 résidus d'antibiotiques. Plus récemment, un autre travail de recherche, mené par l'USDA, a estimé que 50 % de la viande de bœuf et de poulet consommée aux États-Unis abritait au moins deux résidus d'antibiotiques.

Des chiffres aisés à appréhender quand on sait que le bétail est le premier consommateur d'antibiotique mondial. En 2000, les Américains utilisèrent 1,3 million de tonnes d'antibiotiques pour se soigner. La même année, leur bétail en absorbait, dans un cadre non vétérinaire et donc hors traitement de maladies, 11 millions de tonnes.

Avec une telle présence dans l'alimentation, l'homme devient logiquement plus résistant aux traitements antibiotiques. Ce qui initie un cercle vicieux contraignant le corps médical à augmenter les doses pour nous soigner. Autre cercle infernal, les antibiotiques administrés aux animaux rendent plus coriaces les bactéries qu'ils transportent. « Sans l'ombre d'un doute, la résistance des bactéries pathogènes transportées dans la nourriture est due à l'utilisation massive d'antibiotiques dans l'élevage », affirme le CDC [294].

Le 8 mars 1999, le *New York Times* consacrait un article aux risques liés à la résistance accrue des bactéries de source animale se retrouvant dans l'alimentation. « Des études récentes ont démontré que les bactéries du poulet résistent désormais au fluoroquinolones [295], la plus récente classe d'antibiotiques que les scientifiques espéraient pourtant efficaces pour un long moment », affirmait l'auteur.

*

Hormones, antibiotiques, le menu ne pourrait pas être complet sans évoquer les déchets de l'agriculture de masse, ces pesticides qui, à leur tour, terminent dans nos assiettes.

---

294. CDC. Cité in *Food Revolution*, *op.cit.*
295. http://www.doctissimo.fr/asp/medicaments_def/visu_resultat_recherche2.asp ?med=fluoroquinolone

61. Pesticides

En 2001, l'USDA effectua une enquête nationale sur les pesticides contenus dans la viande de bœuf. L'ambitieux programme testa trois cents échantillons différents, aussi bien au niveau du foie, des muscles que du gras. Les biologistes du ministère de l'Agriculture découvrirent un seul résidu dans les muscles et aucun dans le foie. Le gras, en revanche, qui donne tout son goût au hamburger, n'était pas aussi pur. Les analyses révélèrent en effet la présence de pesticides autorisés par la législation dans douze échantillons. Mais surtout, plus d'une centaine d'autres étaient contaminés par des pesticides interdits parce que dangereux pour l'homme.

*

Depuis l'apparition de l'agriculture moderne, les pesticides ont envahi notre quotidien. La preuve, le 20 août 2006, dans la torpeur de l'été, l'Institut français de l'environnement (IFEN) publiait une synthèse sur leur présence dans les eaux [296]. Le communiqué de presse qui accompagnait le rapport ne laissait aucune place au doute : « Les

---

296. http://www.ifen.fr/publications/dossiers/d05.htm

analyses de pesticides dans le milieu naturel (eaux superficielles et souterraines), réalisées sur plus de 10 000 stations de surveillance, ont été collectées auprès des gestionnaires des réseaux d'observation en 2003 et 2004.

Elles révèlent que la contamination concerne l'ensemble du territoire (métropole et DOM) et touche aussi bien les eaux superficielles que les eaux souterraines, préférentiellement au niveau des zones anthropisées par l'agriculture et l'urbanisation.

En 2004, les pesticides sont présents dans 96 % des points de mesure retenus [les] eaux superficielles et dans 61 % de ceux concernant les eaux souterraines. Les niveaux de contamination sont souvent significatifs : en eaux de surface, 49 % des points de mesure ont une qualité moyenne à mauvaise et en eaux souterraines, 27 % des points nécessiteraient un traitement spécifique d'élimination des pesticides s'ils étaient utilisés pour la production d'eau potable. Ces valeurs sont très proches de celles figurant dans le sixième bilan annuel des pesticides dans les eaux, relatives à l'année 2002 ».

La dernière phrase illustre la position délicate du gouvernement français. Car la situation l'oblige à jongler avec les préoccupations écologiques d'une partie croissante de ses concitoyens et une réalité peu médiatisée : la France est le troisième consommateur mondial d'insecticides, fongicides et herbicides.

En réfléchissant bien, on constate que le rapport s'avère fort critique et inquiet face à l'évolution de l'eau française. Que cela soit dans les eaux superficielles ou les nappes phréatiques, le nombre de molécules chimiques relevées est en augmentation[297]. Cette présence massive de pesticides contribue à une qualité de l'eau jugée « moyenne à mauvaise » sur 49 % du territoire. Un fait qui met en péril la vie aquatique et, à terme, peut entraîner la constitution de zones

---

297. Les deux produits les plus fréquents sont l'atrazine, interdit depuis 2001 à cause de son effet carcinogène, et le glyphosate, un composant essentiel du Round-Up.

mortes, mais qui, en outre, rend la consommation d'eau potable impossible sans traitement préalable.

Les pesticides n'ont donc pas seulement conquis le gras des bœufs, ils ont aussi colonisé l'eau. Pis, ils se sont durablement installés dans nos assiettes. Avec, comme premières victimes, les enfants.

*

En 1993, le National Research Council se pencha sur la vulnérabilité des enfants aux substances chimiques après avoir constaté que les chiffres de tolérance utilisés par les organismes de régulation étaient généralement fondés sur des adultes. Les conclusions de son rapport ne s'avérèrent finalement pas surprenantes : les enfants sont plus exposés que leurs parents.

Il y a diverses raisons à cela. D'abord, comparativement à leur masse corporelle, ils mangent plus que les adultes. Ensuite, leurs systèmes nerveux et cérébral n'étant pas encore complètement développés, ils sont plus sensibles aux doses même faibles de pesticides.

Sept années plus tard, alors que l'administration Clinton puis celle de George W. Bush s'étaient engagées de leur côté à protéger les petits Américains, l'Environmental Working Group, association pour la protection de l'environnement, révélait l'ampleur des dégâts et comment les pesticides gangrenaient le régime alimentaire des enfants : « Plus d'un quart de million d'enfants âgés de un à cinq ans mangent chaque jour plus de 20 pesticides. Plus d'un million d'enfants âgés de un à cinq ans ingèrent chaque jour au moins 15 pesticides. Au total, vingt millions d'enfants âgés de un à cinq ans mangent chaque jour au moins 8 pesticides[298] ». Au final, chaque année, un enfant consomme plus de 2 900 résidus toxiques issus des pesticides utilisés dans l'agriculture moderne.

---

298. *How' Bout them Apples ?*, EWG, 2000.

Une vérité d'autant plus effrayante que les produits liés à cet empoisonnement sont des classiques de l'alimentation européenne. En pole position, comme véhicules parfaits de ces substances toxiques, on trouve en effet les pommes, les épinards, les pêches, les poires, les fraises, le raisin importé du Chili, les pommes de terre et les haricots verts. Rappelons-le : la France est le troisième pays au monde consommateur de pesticides. Il n'y a donc aucune raison que les chiffres américains ne s'appliquent pas chez nous de manière tout aussi impitoyable.

Les docteurs Philippe Grandjean et Philip Landrigan de la *Harvard School of Public Health* sont deux des plus importants spécialistes du sujet. Le 7 novembre 2006, *The Lancet* publiait le résultat de leurs recherches sur ce qu'ils nomment une « épidémie silencieuse [299] ». Analysant les effets sur les enfants de 202 produits chimiques, dont une majorité de pesticides, ces chercheurs concluaient que, même à petite dose, ils sont responsables de millions de problèmes neurologiques chez des jeunes sujets partout dans le monde, type retards mentaux, troubles de l'attention, paralysies cérébrales... Et de déplorer, comme en 1993, que « les régulations actuelles ne protègent toujours pas les enfants [300] ».

*

En vérité, il est très difficile d'échapper aux pesticides parce qu'ils apparaissent à tous les niveaux de la chaîne alimentaire. La viande, l'eau mais aussi le lait, les huiles, les céréales, le pain et les pâtes [301]. Et dans cette litanie, les légumes et les fruits occupent une place peu enviable.

---

299. P. Grandjean, P. J. Landrigan, « Developmental Neurotoxicity of industrial Chemicals », *The Lancet*, 8 novembre 2006.

300. *Idem.*

301. Une présence due essentiellement à l'utilisation d'insecticides dans les lieux de stockage du blé.

62. Tomates

Je me souviens avoir lu une interview intéressante de John Mellecamp. Le chanteur originaire de l'Indiana, depuis de longues années défenseur de l'agriculture traditionnelle américaine, soutient les petits fermiers contre les puissantes sociétés de l'agroalimentaire[302]. Et si j'ai oublié l'essentiel des propos tenus, une partie de l'article m'est revenue en mémoire alors que j'avançais dans mon enquête. Mellecamp, évoquant les excès de la révolution verte, expliquait qu'il avait compris que la situation était grave lorsque les étals de fruits et légumes s'étaient mis à ressembler à des rayons de jouets. Jamais, précisait-il, la forme des tomates n'avait été aussi parfaite et leur couleur aussi rouge.

J'avais entamé ce voyage au pays de l'obésité en constatant que ce que j'observais en Amérique se reproduisait en Europe. En cherchant les raisons de cette exportation de la pandémie, j'étais remonté à son origine pour finalement comprendre que l'obésité était la conséquence d'un drame et non sa cause. Qu'elle relevait des changements profonds et radicaux de notre alimentation. Comprendre le vrai

---

302. Il organise depuis plus d'une décennie le Farm Aid, une série de concerts caritatifs destinés à rassembler des fonds pour les fermiers en difficulté.

prix du hamburger à 99 cents avait donc été une nécessité. Et là, en songeant à John Mellecamp, la prochaine étape me semblait évidente : comprendre pourquoi nos tomates ressemblaient désormais à des jouets parfaits.

*

Finalement, j'avais été naïf. Ou, plus simplement, une telle question ne m'avait jamais traversé l'esprit. Originaire d'un département relativement agricole où chacun – ou presque – cultive encore son coin de potager, j'avais une vision assez simple de la chaîne alimentaire. Résultat, suivre le parcours de la viande dans les méandres de l'agro-business m'était déjà apparu comme une révélation. Celui de la tomate se montra plus étonnant encore.

La culture des fruits et légumes est une grande consommatrice de pesticides, herbicides et fongicides. La règle est globalement basique : plus un produit est proche du sol, plus il est traité. Et lorsqu'il n'a pas de protection naturelle, il exige encore plus d'attention. La fraise, par exemple, est l'un des fruits qui reçoit la plus grosse quantité de produits chimiques. En comparaison, un chou, protégé par plusieurs couches de feuilles, en absorbe beaucoup moins. Le problème devient plus préoccupant encore pour notre santé lorsqu'il s'agit d'un fruit ou d'un légume doté d'une peau que nous consommons. Cette dernière, source importante de bienfaits nutritionnels, conserve en effet les pesticides, même après lavage.

Si l'on suit ces règles, on constate que la tomate figure à la fois dans les trois catégories : celle des fruits près du sol, sans protection et à peau ! Donc parmi les plus exposés aux pesticides.

Avant de me pencher sur cette question, je croyais connaître le processus de culture des tomates. Il était question d'arrosage, de soleil, d'engrais sûrement, puis de cueillette. Les tomates passaient ensuite chez un grossiste avant de terminer dans les réseaux de distribution. Évidemment, la réalité est bien plus complexe. À l'échelle industrielle, bien souvent, cette culture dépend d'abord grandement des fertilisants. Des engrais minéraux produits par l'industrie chimique.

Ainsi, elle est la première consommatrice de sulfate de potassium, lequel est couplé avec du chlorure et du nitrate. Aux États-Unis, les producteurs de tomates utilisent en moyenne 185 kg de ce mélange par acre, quand le maïs en consomme « seulement » 25 kg à surface égale. La tomate est également gourmande en phosphore, apporté sous forme de phosphates d'ammonium ou de calcium. Cultivée industriellement, elle en consomme 80 kg par acre. Un chiffre qui la place au quatrième rang parmi les produits nécessitant le plus de phosphore. Pour l'azote, elle arrive au treizième rang. Ce composé est apporté par l'intermédiaire d'un cocktail contenant aussi de l'ammoniaque, du nitrate ou de l'urée. Alors que la culture du maïs – dont les effets nocifs sont visibles dans la zone morte au sud des côtes de la Louisiane – exige 58 kg par acre de cette mixture, la tomate, elle, se montre plus « gourmande » avec 74 kg.

Ces différents engrais sont répandus avant la plantation, comme fertilisants mélangés à la terre, puis lors de la « fertigation ». Ce barbarisme, combinaison des mots fertilisant et irrigation, résume bien la technique : via des systèmes de régulation est libéré, à intervalles réguliers, un mélange d'eau et d'engrais.

Évidemment, tout cela ne manque pas d'effets négatifs sur l'environnement et la santé, puisque ces procédés appauvrissent les sols en détruisant l'humus et toute activité biologique.

Si les nitrates et l'azote ont une toxicité avérée, le risque majeur de tous ces produits reste la pollution de l'eau et, à terme, des nappes phréatiques. Quant à la tomate elle-même, elle absorbe une partie de tous ces composants chimiques [303]. Au bout de la chaîne, nous y sommes aussi exposés.

La culture industrielle de ce fruit utilise en outre une forte quantité d'herbicides. Les producteurs de Floride ont par exemple recours à quatorze produits utilisés en amont de la plantation puis à mesure de la croissance de la plante, en pulvérisation.

Même chose pour les insecticides. À titre d'exemple, il faut savoir qu'en 1997, les producteurs de tomates californiens ont vaporisé 133 000 kg de 22 produits différents.

Enfin, l'industrie de la tomate est la plus grande consommatrice de fongicides, ces produits phytosanitaires conçus pour tuer toute forme de champignons menaçant la croissance d'une plante. La tomate étant particulièrement exposée à ce risque, on la « protège » de façon massive. En

---

303. On peut aussi noter ces propos : « L'utilisation des engrais entraîne deux types de conséquences qui peuvent comporter des risques sanitaires (atteinte à la santé de l'homme) ou des risques environnementaux (dégâts sur les écosystèmes). Le risque sanitaire le plus connu est celui relatif à la consommation d'eau riche en nitrate (fertilisation en azote) par le nourrisson. Le risque environnemental le plus cité est celui de la pollution de l'eau potable ou de l'eutrophisation des eaux, lorsque les engrais, organiques ou minéraux, sont répandus en trop grande quantité par rapport aux besoins des plantes et à la capacité de rétention des sols (fonction notamment de sa texture), et que les éléments solubles sont entraînés vers la nappe phréatique par infiltration, ou vers les cours d'eau par ruissellement.
Plus généralement, les conséquences de l'utilisation des engrais, qui peuvent comporter des risques et qui sont soumises à la critique, sont les suivantes : effets sur la qualité des sols, leur fertilité, leur structure, l'humus et l'activité biologique ; effets sur l'érosion ; effets liés au cycle de l'azote et à la toxicité des nitrates ; effets liés au cycle du phosphore ; effets liés aux autres éléments nutritifs (potassium, soufre, magnésium, calcium, oligo-éléments) ; effets liés à la présence de métaux lourds (cadmium, arsenic, fluor) ou d'éléments radioactifs (significativement présents dans les phosphates, et dans les lisiers de porc pour les métaux lourds) ; effets sur les parasites des cultures ; eutrophisation des eaux douces et marines ; effets sur la qualité des produits ; pollution émise par l'industrie des engrais ; utilisation d'énergie non renouvelable ; épuisement des ressources minérales ; effets indirects sur l'environnement du

Californie, les producteurs utilisent presque 4 millions de litres de ces mixtures essentiellement composées de soufre et de cuivre, donc nocives.

Mais les – mauvaises – surprises ne s'arrêtent pas là.

*

Les pieds de tomate entament leur croissance sous des bâches synthétiques. En soi, cette technique est compréhensible et rappelle les serres d'autrefois. Mais le vrai problème, c'est qu'une fois inutiles, ces morceaux de plastique sont laissés à l'abandon dans les sillons. Où ils s'abîment en libérant des constituants chimiques dans le sol où poussent... les tomates.

La cueillette constitue un autre sujet d'étonnement. Mécanique lorsqu'il s'agit de récolter pour fabriquer les sauces, jus et autres ketchups, elle est encore manuelle pour les tomates fraîches. Néanmoins, les pratiques industrielles ont changé les habitudes. Le fruit n'est plus cueilli lorsqu'il est mûr – sa vie sur les étals de supermarchés serait trop courte –, mais vert. Puis entreposé dans des hangars réfrigérés, dont la température ne dépasse pas une dizaine de degrés. Le but ? Ralentir le processus de maturation et repousser d'environ deux semaines la date limite de consommation.

*

D'aucuns diront que tout cela, on le sait. Peut-être. Mais la suite des traitements est bien plus grave... et bien moins connue.

Afin de débarrasser les tomates d'éventuels germes, on les trempe dans un bain de chlore. Même si l'immersion se

fait de la mécanisation de l'agriculture ». Voir http://fr.wikipedia.org/wiki/Engrais

limite à deux minutes, le fruit absorbe une partie du liquide. Surtout si sa surface présente des « blessures » permettant une infiltration [304].

Vient ensuite le temps du stockage en chambre de maturation durant deux à trois jours. C'est dans cette atmosphère saturée de gaz d'éthylène que ce fruit – comme beaucoup d'autres – prend ses couleurs. Certes, l'éthylène est un gaz naturel produit par les plantes. Mais son emploi à grande échelle pour colorer des végétaux ne manque pas d'effets indésirables, dont l'augmentation de l'amertume de la carotte et de la fibrosité de l'asperge [305]. Par ailleurs, il est recommandé de ne pas dépasser les 72 heures de maturation sous peine de voir se développer des champignons. Or cette précaution est souvent ignorée, parce qu'il faut rendre présentables des fruits cueillis de plus en plus tôt, donc de plus en plus verts [306].

*

Débute ensuite la phase « cosmétique » du processus. Afin d'améliorer l'allure de la tomate, de la rendre plus « appétissante », on la traite au colorant artificiel. L'orange, cueillie également verte, est victime du même régime. Avant de la commercialiser, on injecte en effet dans sa peau un colorant assurant une couleur uniforme qui correspond à l'imaginaire du consommateur [307].

Forcément, le procédé étonne. Mais, à en croire les distributeurs de fruits et légumes, tout cela est normal. Aussi, lorsque j'ai fait part de ma surprise à un responsable de la

---

304. http://edis.ifas.ufl.edu/HS131

305. Pour une liste plus complète, voir http://www.pronatura.com/telechargement/ethylene.pdf

306. http://edis.ifas.ufl.edu/HS131

307. Les cerises aussi sont colorées afin d'obtenir la teinte qui, selon les producteurs, correspond à l'attente des acheteurs.

filière, sa réponse a été la même que celle d'autres confrères :

— C'est vieux comme le monde. Les Égyptiens coloraient déjà leur vin !

Le plus amusant est qu'il s'agit précisément de l'argument mis en avant par la FDA pour justifier l'usage de ces colorants artificiels[308]. Autre point commun à ces différents gardiens d'une certaine « tradition », un ton méprisant, celui que l'on réserve à l'ignorant.

Mais, *mea culpa*, tomate verte, hangar réfrigéré, bain au chlore, chambre de maturation, colorant artificiel, voilà qui est bien loin de l'idée que je me faisais de la production des fruits et légumes. Désormais, le rythme des saisons et le taux d'ensoleillement semblent être devenus des concepts pour le moins obsolètes.

*

Avant d'atterrir dans nos assiettes, et même d'être mises en vente, les tomates industriellement cultivées doivent subir une autre transformation : le paraffinage. En clair, il s'agit de l'application d'une cire sur un fruit ou un légume, étape qui permet de « rehausser leur apparence et de favoriser leur rétention en eau lors de la mise en marché[309] ». Donc d'augmenter sa valeur, puisqu'une tomate d'apparence parfaite se vend mieux. Empêcher l'évaporation d'eau lors de la mise en étal évite aussi les « rides » et permet de conserver la masse du fruit le plus longtemps possible. La tomate n'est-elle pas achetée au poids[310] ?

---

308. http://www.cfsan.fda.gov/~dms/col-regu. html

309. La couche de cire sert également de protection contre les coups reçus durant le transport. http://www.agr.gc.ca/cal/epub/1532f/1532-0004_f. html

310. À l'inverse, L'USDA a développé une variété de tomate produisant moins d'eau. Elle est utilisée par les fabricants de ketchup et de sauces, lesquels diminuent ainsi leurs coûts de fabrication.

Donc, la tomate, comme « les carottes, les betteraves, les concombres [est traitée] à la paraffine en émulsion froide, au pinceau ou par pulvérisation[311] ». L'ennui, c'est que ces cires sont désormais dénoncées par certains chercheurs. Ainsi, Buck Levin, professeur à l'université de Kennmore, les classe comme faisant partie des toxines qui polluent notre alimentation[312]. Et remarque que certaines sont dérivées du pétrole tandis que d'autres contiennent des savons pour les adoucir.

*

Le parcours d'une tomate cultivée selon les méthodes dites modernes est ahurissant, écœurant même mais, hélas, pas exceptionnel. Du recours massif aux produits chimiques pour favoriser et accélérer sa croissance aux nombreux « trucs » utilisés lors du conditionnement, elle partage le même sort que la grande majorité des fruits et légumes. Je ne cherche pas à titiller la fibre de la nostalgie en décrivant ce processus mais à montrer combien cette évolution est l'une des conséquences de la révolution alimentaire des trente dernières années. Un effet collatéral identique à celui frappant l'industrie de la viande. Or, n'ayons pas peur de le dire, en exigeant des produits à bas prix tout au long de l'année, nous avons notre part de responsabilité dans cette dérive. Certes, comme les tomates dans l'eau chlorée, nous baignons souvent dans l'ignorance. Une méconnaissance fatale à l'étude des risques liés à la « consommation » de pesticides.

---

311. À noter que certains fruits et légumes sont enduits d'une couche de paraffine chauffée à 135 °Celsius. http://www.agr.gc.ca/cal/epub/1532f/1532-0004_f. html
312. Buck Levin, *Environmental Nutrion*, HingePin, 1999.

63. Dépendance

Il existe différentes manières de démontrer l'inutilité de l'utilisation de pesticides et les risques qu'elle engendre.

Certains choisissent, avec brio, de démonter point par point l'argumentation des gardiens de la révolution verte. À écouter les tenants de l'industrialisation à tout crin, sans les pesticides, l'humanité courrait à sa perte, souffrant de malnutrition. Amatyra Sen, universitaire de Cambridge, est parti en guerre contre cette assertion en expliquant que « la famine caractérise l'état de certaines personnes n'ayant pas assez de nourriture, et non pas qu'il n'existe pas assez de nourriture[313] ». Ses travaux, endossés par l'ONU et salués par un prix Nobel d'Économie, attestent bien que la faim dans le monde ne relève pas d'un manque de ressources mais d'une inégalité de distribution !

D'autres, encore, ont définitivement remis en question l'argument de vente des pesticides, selon lequel en protégeant et fertilisant chimiquement les fruits et légumes, ils garantissent une meilleure production que l'agriculture biologique classique. De nombreuses études, conduites aux

---

313. Amatyra Sen, *Poverty and Famines : an Essay on Entitlement and Deprivation*, 1981.

États-Unis mais également en Suisse en 2001, ont en effet prouvé que, sans l'aide de produits chimiques, on parvenait globalement aux mêmes rendements. En 1990, une enquête comparative effectuée sur 205 fermes fit ressortir une différence maximale de 10 % en défaveur de l'agriculture biologique. Une autre, consacrée au soja, affirmait dix ans plus tard qu'un champ non pollué produisait 97 % de la quantité obtenue avec les coûteux ajouts chimiques. Et en juillet 2005, le Rondale Institute a enfoncé définitivement le mythe grâce à un travail étalé sur vingt-deux ans, effectué non pas en laboratoire mais sur des terres exploitées. Conclusion : aucune différence de rendement entre l'agriculture biologique et celle utilisant des pesticides. Plus étonnant encore, en année de sécheresse, les champs « à l'ancienne » fournissent 22 % en plus de fruits et légumes !

David Pimentel, lui, s'est intéressé aux conséquences économiques des pesticides. Comme j'avais tenté de le faire en décortiquant le véritable prix du hamburger à 99 cents, ce chercheur de l'université de Cornell a estimé que le recours à ces substances coûtait chaque année 10 milliards de dollars à la société américaine [314]. La France se classant après les États-Unis et la Chine dans cette consommation chimique, on peut envisager une addition nationale de quelques centaines de millions d'euros. Un autre chiffre mis en avant par Pimentel retient l'attention : tous les ans, pour traiter les victimes humaines de cette dépendance chimique, la société américaine débourse 1,1 milliard de dollars.

*

Le sujet est éminemment sensible. Aux États-Unis, les associations de consommateurs et les groupes environnementalistes mènent depuis dix ans une guerre de longue

---

314. David Pimentel, *Environmental and Economic Costs of the Application of Pesticides Primarily in the United States*, College of Agriculture and Life Sciences, Cornell University, Ithaca, juin 2005.

haleine contre les géants de l'agriculture. Un combat dont nous, Européens, devons tirer des enseignements. Dans dix ans, comme pour la crise d'obésité, nous devrons à notre tour affronter les mêmes enjeux que les Américains et nous méfier des outils utilisés par les industriels de l'alimentation.

*

En 2001, le gouvernement français lançait le Plan nutrition national santé (PNNS)[315]. Parmi les premières recommandations destinées à lutter contre l'obésité, figurait une consommation accrue des fruits et légumes. Un thème largement développé depuis dans des campagnes publicitaires et auprès des établissements scolaires. La consommation de fruits et légumes est effectivement bénéfique à notre santé. Il est même scientifiquement prouvé que l'incidence des cancers, des maladies cardio-vasculaires, de l'ostéoporose, du diabète et du cholestérol est plus faible lorsque notre alimentation s'avère riche en fruits et légumes.

En 1991, dix ans plus tôt donc, le gouvernement américain lançait, lui, le programme « 5-a-Day » afin d'inciter les citoyens à consommer au moins cinq fruits et légumes par jour. Là encore, l'idée semblait tomber sous le bon sens. Sauf que les producteurs avaient du mal à cacher leur joie : les revues spécialisées donnaient en effet comme conseil aux groupes contrôlant la distribution d'augmenter leur chiffre d'affaires en utilisant notamment le logo de la campagne[316].

À la rigueur, ce détournement d'objectif pouvait être considéré comme un moindre mal. Mieux, comme une sorte

---

315. Voir http://www.sante.gouv.fr/htm/pointsur/nutrition/sommaire.htm
316. Voir « Banana Laws and Potato Heads », *Rachel's Environment & Health News*, 14 février 1996.

de bénéfice après une bonne action, puisque, dans une logique de marché, il est difficile de condamner un profit lorsqu'il dépend d'un produit bon pour la santé.

Mais voilà, l'usage massif de pesticides soulève une question qui reste taboue. Partant du principe que la totalité des fruits et légumes vendus en supermarché contiennent des résidus chimiques, faut-il suivre les recommandations de consommation édictées par des organismes officiels ? Aux États-Unis, comme en France ?

*

Plus que le regret de voir s'enrichir encore un peu plus les compagnies et corporations contrôlant la chaîne alimentaire, c'est l'hypocrisie de ces dernières qui a incité quelques groupes à agir dès janvier 1996. En effet, la toxicité des pesticides est un sujet que ses utilisateurs évitent comme la gale. Et lorsque, contraints, ils se décident à l'aborder, c'est pour détourner la question : « Personne ne s'est jamais retrouvé malade pour avoir consommé des produits frais traités rigoureusement avec les outils de protection des récoltes [317] ».

C'est pour cela que, jouant la carte de la provocation, deux associations ont acheté des espaces publicitaires dans des revues professionnelles de l'industrie. Avec un message comparant le nombre de victimes par armes à feu à celui lié à la consommation de pesticides et au slogan sans ambiguïté : « Plus de gens meurent tués par leur salade [318] ».

Au-delà de la joute verbale, cette campagne a suscité la même levée de boucliers et les mêmes réflexes protectionnistes de lobbying que celles lancées contre l'industrie de

317. Bob Carey, président de Produce Marketing Association, cité dans *Rachel's Environment & Health News*, *op.cit.*
318. *Ibid.*

la viande. Le secteur a en effet répliqué en exigeant le vote d'une loi « transformant en crime toute critique de la nourriture non basée sur des preuves scientifiques irréfutables [319] ». Comme on l'a vu, il s'agit à nouveau de refroidir les journalistes trop curieux et, surtout, d'étouffer les actions des associations de consommateurs ne disposant quasiment jamais de moyens financiers suffisants pour faire face à des procédures judiciaires [320]. Une position assumée ouvertement par les industriels [321].

Mais alors, afin de se confronter à l'esprit de cette loi et d'essayer de clore ce débat une bonne fois pour toutes, existe-t-il oui ou non une preuve scientifique irréfutable prouvant que la consommation de fruits et légumes aux pesticides peut être mortelle ?

*

Le 3 mars 1863, Abraham Lincoln créait par décret présidentiel la National Academy of Sciences (NAS). Depuis, cette société honorifique rassemble l'élite scientifique mondiale, puisque parmi ses 2 000 membres et 350 correspondants étrangers, on compte plus de 200 titulaires de prix Nobel [322]. Difficile donc de faire plus incontestable. Sa mission ? « Enquêter, examiner et expérimenter n'importe quel sujet scientifique » à la requête du gouvernement américain.

En 1987, l'organisme publiait, sous la direction de Richard Wiles, un rapport exhaustif consacré à la présence de pesticides dans la nourriture [323]. Dont le chapitre 3 évaluait précisément, et sur cinquante pages, les risques de

---

319. *Ibid.*

320. Ainsi, en Floride, la loi prévoit une amende triplant le montant estimé des dégâts causés par une fausse accusation.

321. Marion D. Chartoff and Michael C. Colby, « Agribusiness leads Effort to Silence Activists », *Safe Food News*, 1994.

322. http://www.nasonline.org/

323. Richard Wiles and others, *Regulating Pesticides in Food, the Delaney paradox*, Washington, D.C. ; National Academy Press, 1987.

cancer liés à la consommation d'aliments produits à l'aide d'herbicides, fongicides, insecticides et autres engrais chimiques. Avec une rigueur toute scientifique, le NAS estimait que 62,5 % des herbicides utilisés en toute légalité par l'agriculture américaine étaient cancérigènes, tout comme 35 à 50 % des insecticides. Et que 90 % des fongicides – oui, 90 % – l'étaient aussi.

Ces chercheurs, analysant scrupuleusement et uniquement les effets quantifiables de la moitié des produits à effets cancérigènes, parvinrent en outre à évaluer précisément le nombre de cancers liés aux pesticides retrouvés dans la nourriture. Chaque année, selon eux, 20 800 Américains[324] contractent ce mal. Un chiffre qui, parce qu'il se limite à 53 % des pesticides cancérigènes, constitue en somme un minimum. Le NAS, partant du principe que pour 10 nouveaux cas annuels de cancers, on compte 5 victimes, concluait que plus de 10 000 citoyens décédaient tous les ans, victimes de cette dépendance chimique. Et, pour la première fois, confirmait sans contestation que nous vivons dans un monde toxique.

*

Le plus étonnant, à la lecture des recherches des scientifiques du NAS, c'est la permanence d'une situation qui, au final, semble ne surprendre personne. Ces chiffres, équivalents à trois « 11-Septembre » par an, confirment une idée déjà dans l'air. Ils nous glacent et inquiètent un temps, puis disparaissent de nos centres d'intérêt et d'attention. Notre refus d'envisager les moindres conséquences sur l'organisme de cette alimentation modifiée s'accompagne d'un laxisme des gouvernements et d'une irresponsabilité

---

324. Le chiffre est basé sur la population de 1986. Ramené à celle de 2006, il dépasse 25 000 par an.

civique des fabricants et utilisateurs de pesticides. On pour-rait imaginer que n'importe quelle enquête de cette nature, montrant qu'au moins la moitié des substances autorisées sont cancérigènes, déboucherait sur des interdictions, puis sur une remise en cause de ce système dont les dégâts se chiffrent en milliards ! Eh bien non.

Pourquoi ? Parce que les producteurs de pesticides profi-tent d'une aberration : la mise sur le marché des produits qu'ils commercialisent est antérieure aux travaux scienti-fiques attestant leur dangerosité. En outre, selon la loi, ces recherches ne suffisent pas, l'EPA, agence en charge des questions d'environnement devant réévaluer le produit. Un processus long et coûteux pour un organisme miné par les intérêts particuliers.

De fait, le 24 mai 2006, neuf représentants syndicaux s'exprimant au nom des neuf mille employés de l'EPA adressaient un courrier à Stephen Johnson, l'administrateur de l'agence. Sur six pages, leur lettre énumérait les difficul-tés rencontrées pour arriver à légiférer sur ces substances et disait : « Les préoccupations des industries de l'agriculture et des pesticides passent avant notre responsabilité de proté-ger nos citoyens. [...] L'Agence doit assurer la sécurité sani-taire des enfants et des bébés [...] et s'assurer que nos enfants ne soient plus exposés aux pesticides dont l'action peut endommager de manière permanente leur système ner-veux et leur cerveaux [325] ».

Sous couvert d'anonymat, les employés de l'EPA se montrèrent même plus directs. Ils mirent ouvertement et directement en cause l'administration Bush, dont les liens avec les industries chimiques sont établis depuis longtemps. Et expliquèrent que l'EPA refusait de prendre en compte les études indépendantes effectuées pourtant par des univer-sitaires de renom parce que préférant se satisfaire de celles fournies... par les industriels.

---

325. Voir Annexe.

Ce laxisme a des conséquences sur le reste du monde. Les fabricants utilisent leur présence sur le territoire américain depuis plusieurs décennies pour arguer d'une prétendue non-dangerosité et obtenir des autorisations d'exportation. Lesquelles permettent aux mêmes produits d'empoisonner le sol, les rivières, la faune, la flore, l'air et la nourriture du monde entier. Aussi bien en Afrique, marché émergeant, qu'en Europe où, rappelons-le une fois encore, la France est le troisième pays consommateur de ce type de substances.

*

En affinant les travaux du NAS, en mesurant, aliment après aliment, le taux de toxines que ceux-ci contiennent, Buck Levin est allé plus loin pour quantifier notre consommation quotidienne de produits toxiques. Du petit déjeuner au dîner, selon ses calculs, nous avalons en moyenne chaque jour cinq résidus différents d'antibiotiques, deux résidus issus de la pétrochimie, un résidu provenant de l'industrie du plastique, un de silicate – l'amiante –, puis un autre sous forme de colorant toxique, cinq issus d'éléments chimiques dont du mercure et de l'arsenic. Sans oublier, justifiant les craintes du NAS, vingt et un résidus différents apportés par les pesticides[326]. Bon appétit.

---

326. Voir *Environmental Nutrion, op.cit.*

64. ADN

Une histoire parfaite pour briser la torpeur de l'été. L'actualité ayant un petit coup de mou, l'affaire des hot dogs mutants jouerait parfaitement son rôle de sujet médiatique en attendant le retour des requins tueurs et les soirées sans culotte de Britney Spears.

À en croire un article appelé à faire un bref tour du monde via les agences de presse ou Internet[327], Sydney Mirvish, un chercheur de l'université du Nebraska, venait de mener « une étude chimique sur la capacité mutagène des saucisses de hot dogs » lesquelles « contiendraient des nitrosamines, substances résultant de la combinaison de nitrites – utilisés comme agents conservateurs pour les aliments – avec les protéines de la viande, et capables d'altérer le matériel génétique ». Conséquence avancée : « Le risque d'être atteint d'un cancer, notamment du côlon, augmente proportionnellement avec la quantité de nitrosamines avalée[328] ».

---

327. Ainsi Libération.fr publia, le 16 août 2006, un résumé de la dépêche américaine. Son titre illustrait l'esprit de l'ensemble : « La mutation du mangeur de hot dogs ».

328. http://www.liberation.fr/actualite/instantanes/histoiredujour/198886. FR.php

Après avoir donné la parole au scientifique, par esprit d'équilibre, on demanda une réaction à un représentant de l'industrie agroalimentaire : « Une conclusion qui déplaît à l'organisation professionnelle de la viande. L'American Meat Institute s'est insurgé contre les résultats de cette étude qui " ne reflète en aucun cas la réalité de la fabrication des hot dogs ". L'organisation dénonce le taux élevé de nitrite (utilisé comme agent conservateur des aliments) utilisé [par] le professeur Mirvish [dans ses échantillons de tests] " bien plus élevée que dans les viandes traitées de nos jours". Et en conclut dans un communiqué que " cette étude ne peut être utilisée pour remettre en question la sûreté des hot dogs [329] " ».

La réplique est classique. Et l'édifice de l'ensemble aussi, qui met au même niveau deux points de vue et laisse au lecteur le loisir de tirer ses propres conclusions. Ce qu'il ne fait jamais évidemment. L'histoire, sérieuse ou pas, a contribué en tout cas au climat de confusion régnant sur le sujet avant de rapidement tomber aux oubliettes.

Tout cela n'est pas le fruit du hasard, mais la poursuite d'une stratégie inventée par les industriels du tabac. Pendant trente ans, avant que certains « repentis » se décident enfin à rendre publics des documents clés, les cigarettiers ont agi de la même manière. Une étude prouvait le rôle du tabagisme sur le cancer des poumons ? Un représentant de l'industrie montait au créneau et, d'une pirouette, la tournait en ridicule.

Depuis le début des années 1990, l'industrie agroalimentaire, sentant se refermer sur elle le poids de sa responsabilité dans la crise d'obésité, a opté pour les mêmes armes. Richard Linklater, réalisateur de l'adaptation cinématographique de *Fast Food Nation*, une enquête de référence sur l'industrie de la bouffe rapide, a été lui-même victime de

---

329. *Idem*

ces méthodes. « Voilà comme ça marche, raconte-t-il : tu t'affiches comme étant le représentant d'une des deux faces du sujet. Et du coup, les médias transforment cela en débat. Peut-être la planète se réchauffe et peut être que non ? Peut-être que l'évolution existe ou peut-être que c'est le créationnisme ? Et comme cela, chacun croit ensuite ce qu'il veut[330]. »

Durant la promotion de son film, passé presque inaperçu aux États-Unis, Linklater a même pu prouver que McDonald's avait engagé une agence de « relations publiques » chargée de gérer ces « faux » débats.

Le choix de McDo s'était porté sur The DCI Group qui avait, jusque-là, deux faits d'armes à son palmarès. Primo, ridiculiser Al Gore et son film *An Inconvenient Truth* en réalisant une parodie diffusée sur le net via le site You Tube. Secundo, détruire John Kerry durant la campagne présidentielle de 2004 en montrant des témoignages remettant en cause son héroïsme durant la guerre du Viêtnam.

Autre méthode employée pour discréditer le travail d'Eric Schlosser et Eric Linklater, la création d'un site Internet jouant sur la confusion des titres[331]. Et, flirtant avec le bon vieux temps de l'agit-prop, la présence de « citoyens soi-disant concernés » lors des débats organisés autour du film. Des contradicteurs en réalité rémunérés[332].

Linklater et Schlosser ne représentent ni des cas isolés ni des situations extrêmes. Ainsi, l'ensemble des journalistes, auteurs, activistes, scientifiques et victimes rencontrés tout au long de cette enquête racontent les mêmes faits d'attaques en tout genre. Il faut noter également que, dans une réjouissante unanimité, ils m'ont tous mis en garde, m'expliquant qu'à la sortie de *Toxic*, je devrais m'attendre au même traitement.

---

330. In *Mother Jones*, novembre-décembre 2006.
331. http://www.bestfoodnation.com
332. In *Mother Jones*, novembre-décembre 2006.

*

Revenons un instant sur les saucisses de hot dogs dont la consommation engendrerait la mutation de notre matériel génétique. Le principal problème de cette mise au même niveau d'égalité de deux points de vue est qu'elle ne s'accompagne pas d'une vérification des arguments utilisés. À en croire les propos de James Hodges, représentant de l'American Meat Institute Foundation, les travaux de Mirvish sont inutilisables. D'après lui, son « dosage » ne correspondrait pas aux usages de l'industrie. Et, surtout, il s'agirait « d'un rapport préliminaire[333] ».

En réalité, le professeur Sidney Mirvish, vétéran de la recherche contre le cancer, a commencé ses travaux sur le sujet huit ans avant cette parution. Son premier rapport, liant les nitrosamines au cancer du côlon, a été publié durant l'été 2001 par l'*American Institute for Cancer Research*. Il ne condamnait pas la consommation de saucisses en elle-même mais remettait en cause le processus de conditionnement destiné à augmenter la durée de conservation, quand les nitrosamines sont ajoutées à la viande. C'est donc dans cette voie que Mirvish engagea la suite de ses recherches. En novembre 2002, dans le journal de *The American Society for Nutrional Sciences* – une publication où chaque article est préalablement révisé par un groupe de pairs –, Mirvish avait résumé son travail en ces termes : « Évaluer les preuves que la viande rouge préparée industriellement est une cause de cancer du côlon et que la viande préparée industriellement est un facteur de risque pour les cancers chez l'enfant et le diabète de type 2[334] ». Durant l'été 2006,

---

333. *LiveScience*, 14 août 2006.
334. http://jn.nutrition.org/cgi/content/abstract/132/11/3526S

cette fois dans le *Journal of Agricultural and Food Chemistry*, Mirvish livra donc la dernière étape de ces travaux[335]. Afin d'étayer la thèse d'un rôle joué par les nitrosamines, le chimiste et son équipe avaient analysé le contenu de dizaines de marques de saucisses différentes. Conclusion ? Le taux de nitrosamines variait d'une marque à l'autre. Entre celle en contenant le moins et celle le plus, Mirvish notait une concentration... 240 fois plus importante dans la seconde.

Au-delà des nitrosamines elles-mêmes, les recherches de Mirvish ont prouvé qu'un ajout pratiqué par l'industrie est responsable d'une partie des cancers du côlon. Un problème qui pourrait se voir aisément résolu si on aboutissait à une uniformisation des quantités d'agents conservateurs utilisés. Si une marque en ajoute 240 fois moins qu'une autre et que son produit continue à se vendre, cela montre qu'il n'y a, *a priori*, aucun risque pour l'industrie de réduire sa consommation de nitrosamines.

Mais non. Au lieu de s'emparer du travail de Mirvish et d'annoncer un changement dans leur processus de préparation, les fabricants préfèrent dénigrer ces recherches en les réduisant faussement à un simple rapport préliminaire alors qu'elles constituent l'aboutissement de huit ans de travaux. Et, une fois encore, après avoir écarté la menace, ils continuent à se satisfaire du statu quo.

*

En Europe, les nitrosamines, qui résultent de la combinaison des nitrites présentes dans les agents conservateurs et les protéines de la viande, sont au centre d'un enjeu... politique. En effet, alors que l'OMS classe la substance parmi

---

335. http://pubs.acs.org/cgi-bin/abstract.cgi/jafcau/2006/54/i15/abs/jf0604788.html

la liste des produits cancérigènes, le Comité scientifique de l'alimentation humaine de la Commission européenne n'a toujours pas déterminé la dose journalière admissible. En clair, l'industrie alimentaire est libre d'utiliser la quantité de nitrites qu'elle souhaite. Une situation qui irrite le Danemark, où la législation nationale sur l'usage des nitrites est la plus restrictive d'Europe. Le gouvernement danois estime d'ailleurs que l'industrie alimentaire en abuse, recourant à un dosage supérieur aux besoins de conservation. Un peu comme les agriculteurs mexicains qui surdosent leurs champs de pesticides au cas où...

Dans l'Hexagone, le cancer du côlon est un véritable problème sanitaire. En effet, « l'incidence estimée du cancer du côlon en France est de 34 000 nouveaux cas par an[336]. En vingt ans, l'incidence a augmenté d'environ 40 %[337] ». Une progression aux coûts humains et économiques élevés, puisqu'en 2002, le traitement de la maladie était évalué à 28 000 euros par cas[338]. Face à ces chiffres, le gouvernement affiche une position étonnante. Si, d'un côté, il souhaite « un réexamen au niveau communautaire des conditions d'emploi des nitrites et des nitrates[339] », sur le terrain il ne semble guère pressé, puisqu'il admet estimer « souhaitable d'attendre les résultats des études de consommation des additifs alimentaires faites par les États membres avant d'entreprendre ce réexamen. L'AFSSA sera saisie pour évaluer les risques liés à l'utilisation de nitrites et nitrates dans les aliments, et le cas échéant pour revoir les normes actuellement appliquées[340] ».

---

336. Dont 4 000 cas annuels rien qu'en Île-de-France. http://www.irdes.fr/Publications/Bulletins/QuestEco/pdf/qesnum98.pdf

337. http://www.caducee.net/DossierSpecialises/cancerologie/cancercolon.asp

338. http://www.irdes.fr/Publications/Bulletins/QuestEco/pdf/qesnum98.pdf

339. http://www.sante.gouv.fr/htm/actu/ssssp/nitros.htm

340. *Idem.*

*

Les nitrosamines issues des conservateurs ajoutés par l'industrie ne sont pas un cas unique. D'autres produits déclenchent une mutation de notre ADN. Buck Levin, le chercheur de l'université de Kenmore, a passé de nombreuses années à étudier ce qu'on appelle la génotoxicité. Dans la liste des coupables, il cite le pentachlorophénol (PCP)[341], résidu de pesticide que l'on retrouve dans le gras et le foie des poulets, mais aussi le peroxyde de benzoyle, un composé chimique utilisé par exemple dans les colorations pour cheveux présent lors du processus de blanchiment de la farine. Sans oublier le bisulfite de sodium qui, sous le code E222, est largement employé comme conservateur dans les produits laitiers, les jus de fruits ou les boissons alcoolisées[342].

341. www.ineris.fr/index.php ?module=doc& action=getFile&id=203
342. *Environmental Nutrition, op.cit.*

65. Trans

Il existe un point commun entre l'augmentation de la taille des portions, la volonté de parvenir à contrôler nos cerveaux, le recours de plus en plus systématique au sirop fructose-glucose, la concentration de l'élevage, la pollution des fruits et légumes, l'utilisation de conservateurs toxiques... Tous dessinent la face cachée de l'industrialisation de l'alimentation. Des coulisses où, sur l'autel du profit, on sacrifie notre santé.

Le cas des acides gras « trans » en est sans doute l'exemple ultime. Difficile en effet de trouver pire que l'autorisation d'utiliser un produit dont plus personne n'ignore que la consommation est dangereuse.

*

Les acides gras trans trouvés dans l'alimentation proviennent de trois sources. Dont seule la première est naturelle, puisque le fruit de la transformation bactérienne des acides gras insaturés chez les ruminants. L'homme les consomme donc sous forme de produits laitiers et de viande rouge, la graisse de bœuf en contenant par exemple 4,5 % et le lait environ 3 %.

La deuxième manière de créer des acides gras trans est le chauffage d'huiles à haute température, une friture à bain profond pouvant entraîner un changement moléculaire des acides et leur transformation en trans.

La dernière façon, majoritaire aux États-Unis et en voie de l'être dans le reste du monde, est également issue d'une mutation moléculaire liée à un processus exclusivement industriel : l'hydrogénation catalytique partielle d'huiles végétales.

Inventée en 1902 par le scientifique allemand Wilhelm Normann, cette méthode permet de rendre les huiles solides ou semi-solides. Ce qui facilite leur conservation et ralentit les risques d'oxydation, donc de rancissement. L'huile partiellement hydrogénée est arrivée dans nos assiettes dès 1909. Cette année-là, Procter&Gamble, célèbre société américaine, achetait les droits de la découverte. Et, sous la marque Crisco, commençait à commercialiser une margarine issue de ce procédé.

À l'époque, personne ne s'intéressait aux acides gras trans. Et la margarine hérita d'une réputation de produit sain par comparaison aux graisses animales. En outre, Procter&Gamble assura sa diffusion grâce à la distribution de millions de livres de recettes de cuisine dont l'ingrédient vedette était son Crisco.

Au milieu des années 1960, l'huile partiellement hydrogénée connaît un nouvel essor. Les restaurants se multipliant, leurs managers optent pour ce produit moins cher qui se conserve plus longtemps. Et puis, en 1985, l'apothéose. Parce que cette huile rend les frites bien plus craquantes, les biscuits bien plus fondants et permet aux barres chocolatées de se conserver plus longtemps, on la retrouve partout. Elle est même présente dans 40 % de l'alimentation américaine. Y compris dans des produits surprenants comme les vitamines. Les industriels ont en fait saisi son intérêt : rallonger l'espérance de vie des produits.

L'exemple le plus visuel de ce « miracle » est disponible dans la section « bonus » du DVD de *Super Size me*. Où l'on voit, huit semaines après leur acquisition chez McDonald's – l'un des plus gros utilisateurs de la planète –, des frites conservées à l'air libre garder leur aspect originel. Sans la moindre trace de moisissure !

*

L'arrivée de l'huile partiellement hydrogénée dans la nourriture rappelle celle du HFCS. Et son essor coïncide avec la seconde phase de la crise d'obésité. Depuis quelques années d'ailleurs, des scientifiques s'interrogent sur le rôle des acides gras trans dans la prise de poids.

Ainsi, à l'université de Wake Forest en Caroline du Nord, Kylie Kavanagh a étudié durant six ans les effets de la consommation d'acide gras trans par cinquante et un singes. Ses conclusions, publiées en juin 2006, sont passées inaperçues. À tort, bien sûr. Des cobayes recevaient quotidiennement un menu équilibré, avec 8 % des calories provenant d'acides gras trans, un niveau semblable à celui d'un consommateur régulier d'aliments frits ou issus de fast-foods. Un autre groupe absorbait la même quantité de nourriture, mais avec un minimum d'acides gras trans.

Au final, les animaux ayant mangé des acides gras trans ont grossi. Un apport de poids essentiellement localisé dans la zone abdominale, facteur de risque pour le diabète de type 2 et les problèmes cardio-vasculaires. Kavanagh ne cacha pas sa surprise : « C'est un choc, dit-elle. Malgré tous nos efforts pour qu'ils ne prennent pas de poids, ils ont quand même grossi. Et presque toute cette graisse se situe sur leur ventre. Continuer, c'est aller tout droit vers le diabète[343] ».

---

343. « Why fast-foods are bad, even in Moderation », *The New Scientist*, 26 juin 2006.

Si les travaux de Kavanagh constituent, pour l'instant, la seule publication consacrée au lien entre consommation d'acides gras trans et obésité, ils sont pris au sérieux par le reste de communauté scientifique. Ainsi Dariush Mozaffarian, de la Harvard School of Public Health, affirme : « Le temps où nous pensions aux acides gras trans seulement en terme de calorie est terminé [344] ».

*

Si le rôle des acides gras trans semble prépondérant dans certains cancers, comme celui de la prostate [345] ou différents dérèglements du foie, c'est son action avérée dans les maladies cardio-vasculaires qui représente un danger mortel.

---

344. *Idem.*

345. Jorge Chavarro, Meir Stampfer, Hannia Campos, Tobias Kurth, Walter Willett et Jing Ma, *A prospective Study of Blood trans fatty acid Levels and Risk of Prostate Cancer*, Harvard School of Public Health, Boston, 2006.

66. Tueur

Au milieu des années 1980, les urgences des hôpitaux américains durent affronter une recrudescence des crises cardiaques. Assez rapidement, le *trans fat* [346] fut dénoncé, puisque présent dans maints cadavres autopsiés.

Mais il a fallu attendre 1994 pour que, dans des termes d'une effrayante clarté, l'une des plus importantes autorités sanitaires du pays dénonce les acides gras trans.

*

Walter Willett est le directeur de département nutrition de la Harvard School of Public Health de Boston. Son étude sur l'impact de l'huile partiellement hydrogénée sur la santé représente aujourd'hui encore une référence[347]. Il y démontre de manière implacable que les acides gras trans agissent doublement sur le cholestérol. D'un côté, ils engendrent un développement accru du mauvais et, de l'autre, empêchent notre organisme de produire le bon. L'effet est tellement grave que le scientifique publie une estimation

---

346. Nom américain des acides gras trans.
347. Walter Willett et Albert Ascherio, « Trans fatty Acids, are the Effects only marginal ? », *American Journal of Public Health*, 1994.

volontairement prudente du nombre de victimes des acides gras trans. Chaque année, d'après lui, au moins 30 000 Américains décèdent de problèmes cardio-vasculaires dus à la consommation d'huile industriellement hydrogénée. Depuis, ce chiffre a été affiné. Et approche les 100 000 victimes annuelles. Bien entendu, il faut ajouter « le nombre bien plus important de personnes atteintes d'affections cardio-vasculaires non mortelles [348] ».

Inquiet de l'ampleur du risque, Willett concluait ses travaux avec une recommandation ferme : « Nous sommes en faveur d'une élimination ou d'une régulation stricte des acides trans gras dans l'alimentation américaine [349] ».

*

Sept ans plus tard, suivant la voie ouverte par Willett, ce fut au tour du vénérable NAS de rendre publiques ses conclusions. Non seulement, les acides gras trans n'apportent aucun bénéfice à l'organisme humain mais ils sont tellement dangereux que le NAS estime que leur consommation devrait être de... zéro gramme. Mais l'institut remarque qu'il s'agit d'une impossibilité à cause du fait de la présence, naturelle, des acides gras trans dans les laitages et la viande rouge.

*

Quoi qu'il en soit, douze ans après le cri d'alarme de Willett, cinq ans après la condamnation sans appel du NAS, malgré en outre la publication de dizaines de travaux scientifiques tout aussi effrayants, le tueur est toujours en liberté. Et pas seulement aux États-Unis.

---

348. *Idem.*
349. *Idem.*

67. Mollesse

En 1994, l'étude de Walter Willett débutait par une présentation historique des acides trans gras. Où le chercheur remarquait que la « consommation d'huile partiellement hydrogénée avait énormément augmenté aux États-Unis » durant la deuxième moitié du XXᵉ siècle. Il notait même – nous étions en 1994, rappelons-le – l'émergence d'une tendance inquiétante : « Les pays du tiers-monde connaissent actuellement une augmentation importante de l'utilisation d'huile partiellement hydrogénée [...] En Inde, par exemple, une matière grasse d'origine végétale contenant 60 % de trans est utilisée. [...] Ces produits [sont même] devenus des ingrédients basiques de la nourriture[350] ». Or que sait-on douze ans plus tard ? Que New Delhi connaît un taux record de crises cardiaques chez les moins de cinquante ans.

*

L'acide trans gras n'a pas seulement gagné le tiers-monde. Il s'est également imposé dans l'alimentation européenne.

---

350. *Idem.*

Dans l'édition 2006 du guide *Savoir manger*, les docteurs Cohen et Serog notent à plusieurs reprises la présence accrue d'huile partiellement hydrogénée dans les biscuits, les pâtisseries et les pâtes à tartiner vendus en France. Ils dénoncent également le soi-disant recours bénéfique des fast-foods à l'huile de colza, en expliquant que « cette huile est hydrogénée et contient beaucoup de ces acides gras trans qui augmentent le taux de mauvais cholestérol et diminuent le taux de bon cholestérol sanguin[351] ». À leur énumération inquiétante, il convient hélas d'ajouter d'autres produits comme les barres chocolatées, ainsi que la majorité des plats préparés, tous fortement soutenus commercialement par des campagnes publicitaires.

En fait, seuls le Danemark et le Canada paraissent avoir pris la mesure du risque. Ainsi, en 2003, le Danemark a été le premier pays à bannir l'usage de l'huile partiellement hydrogénée. Une restriction qui ne touche pas les acides gras trans issus des produits laitiers, même si le gouvernement local recommande plutôt la consommation de lait écrémé ou demi-écrémé. Hélas, malgré les tentatives de Copenhague d'obtenir l'adhésion des autres pays de l'Union à sa politique anti-trans, l'Europe ne suit pas.

En 2004, dix ans après Willett, l'Autorité européenne de sécurité des aliments émettait en effet un avis où, si elle confirmait le risque, on se contentait de recommander une baisse individuelle de la consommation.

*

Cette mollesse est particulièrement révoltante.

À quoi tient-elle ? Pour partie, aux pressions exercées sur les organismes de régulation, aussi bien par les politiques que les industriels. L'exemple de l'OMS est, à ce sujet,

---

351. *Savoir manger, op.cit.*

frappant. Depuis des années, l'Organisation tente de placer l'élimination des huiles partiellement hydrogénée dans le Codex. Le Codex, créé en 1963 par l'OMS et le FAO, « élabore des normes alimentaires, des lignes directrices et d'autres textes [352] » utilisés par plus de cent cinquante pays dont les États-Unis. Mais, à cause de la Maison-Blanche, cette recommandation n'arrive pas à passer. En janvier 2004, le secrétaire à la Santé, Tommy Thompson, avait même fait le voyage à Genève, siège de l'OMS, en compagnie de représentants de l'industrie américaine, pour s'assurer que l'on ne restreigne pas les activités commerciales du secteur [353]. À la place, le gouvernement américain préfère mettre en avant – quelle surprise ! – la nécessité d'une plus grande... responsabilité individuelle. Sensible aux « encouragements amicaux », l'OMS a donc cédé. Comme en 2003 quand l'industrie du sucre l'avait menacée de demander au Congrès américain de limiter son apport financier si elle « n'adoucissait » pas son texte sur la responsabilité du sucre dans la crise d'obésité.

Le pire, c'est que l'Europe s'aligne sur les réserves *a minima* et sur l'argument fallacieux des indispensables efforts de... chacun.

En effet, douze ans après Willett, la seule mesure appliquée concerne une disposition hypocrite sur l'étiquetage [354]. Désormais le taux de *trans fat* est indiqué sur les produits, concession lâchée du bout de lèvres par les lobbies de la malbouffe.

---

352. http://www.codexalimentarius.net/

353. http://www.foodnavigator.com/news/ng.asp ?id=49190-consumer-group-attacks

354. Si la présence de *trans fat* est inférieure à 0,5 gramme, le produit peut porter la mention sans acides trans gras. Le problème – comme au Canada où la limitation s'entend pour 0,2 g – c'est que cette limitation s'entend par portion. Un paquet de biscuits contient plusieurs portions. Sans la savoir, un consommateur peut donc augmenter dangereusement sa consommation d'huile partiellement hydrogénée.

*

Les méthodes de l'industrie agroalimentaire *made in USA* ne m'étonnaient guère. Après tout, elles expliquaient l'immobilisme des autorités de ce pays, ce refus d'agir qui, d'après l'hypothèse la plus conservatrice de Willett, a, depuis 1994, entraîné la mort de 360 000 Américains, qui, si l'on calcule en partant du chiffre de 100 000 victimes par an, révèle que l'acide gras trans a tué plus d'un million de personnes ces douze dernières années ici. Bien plus que ce qu'Oussama Ben Laden ne fera jamais. Soit. Mais pour moi, le plus surprenant ne venait pas des États-Unis, mais de l'autre côté de l'Atlantique. De la France.

68. Tendance

Le 4 avril 2005, l'Agence française de sécurité sanitaire des aliments (AFSSA) publiait un impressionnant rapport de 216 pages consacré aux « Risques et bénéfices pour la santé des acides gras trans apportés par les aliments ». Et proposait des recommandations sur ce sujet dont les médias français commençaient enfin à se faire l'écho.

Cette étude fourmillait d'informations capitales. On y apprenait par exemple que le taux d'acides gras trans dans les aliments français contenant de l'huile hydrogénée pouvait grandement varier pour un même produit d'une marque à l'autre. Ainsi, en 1999, certaines céréales contenaient 2 % de trans lorsque d'autres atteignaient un taux de 52,1 % ! Et le même genre d'écarts se constatait dans le pain, les viennoiseries, les pâtes à pizza, les crackers, les gâteaux, les soupes déshydratées...

On découvrait aussi que, dans des proportions inverses à celles des États-Unis, la première source d'acides gras trans s'avérait de source naturelle, provenant à 60 %, des produits laitiers et de la consommation de viande rouge.

Corroborant les craintes de Willett, l'AFSSA précisait en outre que les *trans fat* avaient dorénavant gagné l'ensemble de l'alimentation européenne. Et que si la France se trouvait au niveau de l'Allemagne, les Pays-Bas étaient le premier pays consommateur et l'Espagne et l'Italie les derniers.

Bien évidemment, l'AFSSA confirmait leur toxicité : « L'état actuel des connaissances nous enseigne que la consommation des acides gras trans à des niveaux qui dépassent 2 % de l'apport énergétique total est associée à une augmentation significative des risques de maladies cardio-vasculaires[355] ».

Pourtant, l'intérêt du rapport résidait ailleurs. Et concernait directement nos enfants.

*

Si, en France, la consommation des trans représente en moyenne 3 % des apports lipidiques et 1,3 % de l'apport énergétique total (noté AET), certaines catégories de consommateurs en absorbent beaucoup plus. Ainsi « pour les forts consommateurs de matières grasses (définis ici comme les 5 % de la population ayant la plus forte consommation), les apports en poids sont doublés : pour le sexe masculin ils sont proches de 6 g/j, pour le sexe féminin de 5 g/j (soit 2 % des AET)[356] ». Et d'ajouter : « La tranche d'âge la plus consommatrice est celle des garçons de douze-quatorze ans avec une moyenne de 3,5 g/j et des forts consommateurs à un niveau d'apport de presque 8 g/j, soit 2,5 % de l'AET[357] ».

En somme des adolescents qui, sans que nous ne nous en soyons rendu compte, ont réussi l'impensable : devenir malgré eux de petits citoyens américains, puisque l'AFSSA précisait que ces valeurs correspondaient aux « niveaux moyens de consommation évalués aux États-Unis[358] ».

---

355. http://www.afssa.fr/ftp/afssa/basedoc/CP.pdf
356. http://www.afssa.fr/ftp/afssa/basedoc/QR.pdf
357. *Idem.*
358. *Idem.*

Et quand l'AFSSA élargit son échantillon démographique à l'ensemble des garçons entre trois et quatorze ans, elle dévoila un pourcentage qui dépassait celui « associé à une augmentation significative des risques de maladies cardio-vasculaires » !

Les principaux coupables ? Les huiles partiellement hydrogénées utilisées par l'industrie agroalimentaire dans les produits destinés aux enfants et aux adolescents. L'AFSSA précisait même que « les produits de panification industrielle, viennoiseries industrielles et biscuits, sont placés en seconde position parmi les aliments contributeurs : ils apportent [...] près de 30 % » des trans totaux chez l'enfant.

*

Voilà qui est effrayant. Car ce rapport dessinait, il y a presque deux ans, une tendance réellement inquiétante. Celle d'une jeunesse française qui avait rattrapé les habitudes de consommation du Fat Land, ce pays où l'huile partiellement hydrogénée constitue un facteur d'obésité et de cancer. Ce pays où le trans tue entre 30 000 et 100 000 personnes par an.

Il ne restait donc plus qu'à se précipiter sur les recommandations concluant ce rapport alarmant... et à constater comment l'industrie agroalimentaire avait remporté une nouvelle victoire.

69. Défaite

La défaite des autorités sanitaires s'affichait en cinq points. Cinq points comme cinq vaines recommandations. Dont quatre étaient consacrées à la « fameuse » responsabilité individuelle. Quant à la dernière, plus pitoyable encore, elle confiait notre santé... au bon vouloir de l'industrie agroalimentaire.

*

Il faut débuter par l'un des points qui, presque au terme de mon enquête, me révolte le plus. Parce qu'il est, pour moi, la confirmation que ce que j'ai entrevu de pire aux États-Unis arrive en France.

L'AFSSA écrit : « Par souci de cohérence avec la baisse de consommation des viennoiseries, pâtisseries, produits de panification, barres chocolatées et biscuits, il faut encourager les industriels de la margarinerie et des matières grasses destinées au secteur de l'agroalimentaire à diminuer les teneurs en acides gras trans de leurs produits[359] ».

« Encourager les industriels » ?

---

359. *Idem.*

C'est ce qu'a essayé la ville de New York pendant un an. Les autorités sanitaires de Big Apple avaient en effet demandé aux restaurateurs et aux industries d'être *volontairement* raisonnables. Leurs réponses, devant les caméras, furent unanimes. La main sur le cœur, le sourire aux lèvres, tous promirent. Le sujet étant grave, les fast-foods allaient réduire l'usage d'huile partiellement hydrogénée. Et, *bien évidemment*, les vendeurs de beignets et les 24 000 restaurants les imiteraient. Bien sûr... Mais un an plus tard, constatant que *personne* n'avait respecté les engagements médiatiques, New York fut la première ville des États-Unis à légiférer et à interdire totalement, dès 2007, l'usage d'huile partiellement hydrogénée.

« Encourager les industriels » ?

Comme les membres de la pâtisserie industrielle par exemple, cette branche qui, en juillet 2002, écrivait sur le site destiné à ses membres : « Malgré l'attention que les médias ont porté sur les " dangers " des acides gras trans dans l'alimentation, les consommateurs ne semblent pas être vraiment concernés. Pour l'instant, attendre et voir est l'attitude la plus juste [360]. »

« Encourager les industriels » ?

C'est ce que les associations de consommateurs et les autorités sanitaires ont fait lorsque, en 2002, McDonald's a annoncé à grand renfort de publicité une décision historique : cesser l'emploi d'huile partiellement hydrogénée. Une promesse solennelle faite aux consommateurs. Une promesse non tenue. Quatre ans plus tard, rien n'a changé. Une portion de frites contient en moyenne 10,2 grammes d'acides gras trans, soit plus du triple que ce que l'on recommande de ne pas dépasser en France !

« Encourager les industriels » ?

Soit. Mais pourquoi cette mollesse alors, qu'une fois obligés, ceux-ci s'adaptent sans problème ? McDonald's, Burger King,

---

360. http://www.bakingbusiness.com/refbook_results.asp ?ArticleID=37124

Taco Bell et compagnie ne fermeront aucun de leur établissement lorsque l'interdiction new-yorkaise deviendra une réalité. Au jour J, à l'heure H, ils utiliseront une huile sans trans. Comme ils l'ont fait au Danemark où désormais la même portion de frites en contient moins de 0,3 gramme !

« Encourager les industriels » ?

Y croire revient à se voiler la face. Pourquoi ? Parce que, et c'est vieux comme le monde, l'argent constitue le nerf de la guerre. Et que jamais aucun encouragement ne remplacera les économies réalisées grâce à l'huile partiellement hydrogénée. Car là réside le sale petit secret que l'industrie agroalimentaire ne veut surtout pas partager. L'huile partiellement hydrogénée est un vrai miracle. Non seulement sa conservation est plus longue ; non seulement elle résiste mieux aux hautes températures, celles nécessaires à la cuisson des frites par exemple ; non seulement ses capacités sont telles que l'on change une huile deux fois moins souvent qu'une huile sans acides gras trans ; mais surtout, *surtout*, son prix à l'achat est moindre. Une huile sans acides gras trans coûte 19 000 dollars de plus par an et par restaurant. En 2006, McDonald's gérait plus de 31 000 restaurants dans le monde[361]. 19 000 dollars par établissement, 31 000 restaurants... Pour McDo, le prix de l'encouragement s'élève donc à 589 millions de dollars annuels. Alors, les belles paroles...

*

Waterloo, morne plaine. La défaite était totale. Les quatre autres recommandations de l'AFSSA reposaient sur le même concept : la responsabilité individuelle. D'un côté, nous faisons face à un produit capable de tuer chaque année 100 000 personnes aux États-Unis, mais de l'autre, l'organisme en charge de notre protection nous recommande de

---

361. http://www.mcdonalds.ca/en/aboutus/faq.aspx

« consommer des steaks hachés à 5 % de matières grasses de préférence à des steaks hachés à 15 % de matières grasses, ce qui permet de réduire les apports en acides gras trans totaux de 0,1 g/j[362] ». Ou encore, de « réduire de 30 % au moins la consommation de certains aliments contributeurs d'acides gras trans (viennoiseries, pâtisseries, produits de panification industriels, barres chocolatées, biscuits) de faible intérêt nutritionnel[363] ».

Je n'ai aucun grief personnel contre les auteurs du rapport de l'AFSSA. Ils sont tous, j'en suis convaincu, d'éminents scientifiques soucieux de la santé de leurs concitoyens. Mais, il faut l'avouer, cela me semble difficile d'être plus déconnecté de la réalité que dans ces quelques lignes.

Alors que, plus tôt, le rapport s'inquiète à juste titre de la trop grande consommation de trans provenant d'huile partiellement hydrogénée chez les enfants et les adolescents français, voilà maintenant que les recommandations tournent autour du « manger moins ». Or l'inefficacité d'un tel discours chez l'adolescent est évidente. Et c'est pour cela que l'obésité galope à une vitesse fulgurante. Les produits sont consommés par les jeunes d'après des critères qui n'ont rien à voir avec leur valeur nutritionnelle. N'est-ce pas, en outre, placer énormément de responsabilités sur la tête d'enfants et d'adolescents que de leur asséner qu'afin d'éviter une crise cardiaque fatale dans quelques années, ils doivent renoncer à leur barre chocolatée !

Enfin, comme Willett lui-même l'a énoncé, le concept du marché libre où chacun fait des choix citoyens n'a de sens que si ce marché ne contient pas de produits toxiques. Et l'acide gras trans en est un.

*

---

362. http://www.afssa.fr/ftp/afssa/basedoc/QR.pdf
363. *Idem.*

La prochaine étape me paraît évidente. La France et l'Europe, refusant de suivre l'exemple danois, opteront pour le modèle américain. À savoir, celui de l'étiquetage. Les produits porteront un jour, c'est sûr, leur taux d'acides gras trans. Comme aux États-Unis où, depuis le 1er janvier 2006, cette « information » est obligatoire.

Mais cet étiquetage n'a pas grand effet. C'est d'ailleurs pour cela qu'il ne gêne pas tellement l'industrie agroalimentaire. La preuve ? On la décèle dans le communiqué triomphant de la FDA, qui se félicite justement de l'efficacité de l'étiquetage de *trans fat* : « La FDA estime que trois ans après le début effectif, en janvier 2006, de l'étiquetage des acides gras trans, il devrait prévenir annuellement entre 600 et 1 200 crises cardiaques et sauver entre 250 et 500 vies [364] ».

Entre 250 et 500 vies ? Mieux que rien, certes, mais une goutte d'eau. Car si, dans trois ans, la mention de la présence d'acides gras trans sur les étiquettes devrait sauver entre 0,25 % et 0,5 % des futures victimes de l'huile partiellement hydrogénée, autant jouer au loto.

*

Face au risque mortel des acides gras trans, il n'existe qu'une position acceptable à mes yeux : l'interdiction.

Les exemples du Danemark et bientôt de New York montrent qu'une fois contraints, les industriels s'adaptent, sans même augmenter le prix de vente de leurs produits.

La réponse n'est ni individuelle ni industrielle, mais politique. Et, de fait, le vainqueur de l'élection présidentielle d'avril 2007 en France devra faire un choix moral. Sous peine de voir la jeunesse française continuer à être la première victime d'un empoisonnement alimentaire fatal, connu et, jusqu'à présent, toléré.

---

364. http://www.cfsan.fda.gov/~dms/qatrans2.html

70. Cercle

Le voyage touchait à sa fin. Pour être honnête, mes pas m'avaient conduit à prendre des chemins de traverse, dont j'ignorais jusqu'à l'existence en entamant mes recherches. Par moments, j'avais même craint de m'y perdre. En fait, mon sujet m'avait dépassé. Ou, plus exactement, il avait dépassé les limites de mes croyances. Je m'étais engagé sur cette route dans l'espoir de remonter aux racines de la pandémie d'obésité, et j'avais découvert que cette dernière relevait en fait du symptôme. Celui, de plus en plus visible, de l'industrialisation de la nourriture.

Une révolution s'était jouée, qu'au plus grand bénéfice de certaines compagnies nous avions complètement ignorée. Pis, à force de matraquage et de manipulations médiatiques, l'industrie agroalimentaire avait réussi à nous faire croire que nous étions les seuls responsables de nos dérives alimentaires.

Le plus cocasse dans tout cela, c'était de m'être engagé dans un cercle vicieux. Alors que je croyais m'éloigner de mon sujet, je m'en rapprochais en vérité. Comme si les portions géantes, les sodas, les lagons, les pesticides et les acides gras trans ne faisaient qu'un, je revenais sur la définition même de l'obésité. Et, une fois encore, les réponses demeuraient à Bâton Rouge.

*

En traitant la pandémie pour ce qu'elle était, autrement dit une épidémie à l'échelle mondiale, George Bray avait élargi le cadre de ma réflexion. Il avait démontré, comme d'autres, que la crise avait été si soudaine que la surconsommation et la sédentarisation ne parvenaient pas à l'expliquer, et qu'une fois débarrassés du dogme du « Big Two », il convenait de comprendre l'obésité comme le résultat d'une interaction entre l'homme et son environnement. Mon enquête avait tenté d'établir combien celle-ci était toxique et, de fait, dangereuse pour le genre humain.

En suivant les traces du sirop de fructose-glucose et en apprenant ses dégâts sur le cerveau humain, je m'étais approché du modèle proposé par Bray. Celui où un agent contaminant propage l'épidémie dans l'organisme.

Lorsqu'en épidémiologiste, Bray avait tenté d'établir la liste des différents agents responsables, il avait évoqué deux autres pistes. Et il fallait les explorer.

*

« De nombreux médicaments peuvent causer une prise de poids. Qui incluent une variété d'hormones [365]. » Le scientifique de Bâton Rouge n'avait pas été seul à évoquer le rôle de certains médicaments dans le processus d'obésité. À Birmingham, Scott Keith, lui aussi peu convaincu par la théorie du Big Two, les avait cités dans les possibles coupables. Mieux, il avait remarqué que l'utilisation de ceux entraînant des prises de poids avait augmenté ces trente dernières années.

---

365. *Beyond Energy Balance, op.cit.*

Bray émettait toutefois une réserve. Il ne pensait pas, sauf pour les corticoïstéroïdes[366], que cette consommation justifiait l'ampleur de la pandémie. Keith, lui, ne s'embarrassait pas de cette prudence.

Les deux chercheurs dressaient en tout cas la liste des produits aux effets les plus évidents. En tête, les stéroïdes, les hormones et les corticoïdes. Autant de substances injectées aux animaux élevés industriellement dont les résidus se retrouvent dans notre alimentation. Les porcs, poulets et vaches étant dorénavant les premiers consommateurs de ce type de produits, avec, par exemple, une consommation d'antibiotiques huit fois supérieure à celle des citoyens américains, on a de quoi s'inquiéter. L'explosion notée par Keith est donc liée à la naissance de l'élevage industriel. Et de fait, la présence de ces substances dans les assiettes confirme, une nouvelle fois, le rôle d'agent de propagation des bêtes qui se retrouvent sur nos tables.

*

George Bray, sous le terme générique de « toxines », réunit l'ensemble des produits chimiques conservés par l'organisme. Or, et c'est particulièrement terrible, les cellules de graisse sont de formidables réserves d'éléments toxiques. Où, selon ce chercheur, on a trouvé des révélateurs de goût comme le glutamate monosodique (E621)[367] « dont les recherches animales en laboratoire ont démontré qu'il produit de l'obésité[368] », des résidus chimiques souvent issus des pesticides utilisés dans l'agriculture moderne, voire des édulcorants intenses comme l'aspartame et différents conservateurs d'aliments.

---

366. http://physiomax.com.free.fr/corticoides.htm
367. http://www.eufic.org/page/fr/page/FAQ/faqid/glutamate–monosodium-aliments/
368. *Beyond Energy Balance, op.cit.*

Le constat de Bray était on ne peut plus honnête : « Distribuer des conseils de régime est insuffisant et ne devrait pas être encouragé. [...] Croire que cela peut être [un problème] réglé par l'individu, c'est passer à côté de l'argument démontrant combien ces facteurs environnementaux [...] produisent l'actuelle épidémie d'obésité [369] ».

*

La pandémie d'obésité, et les effets dramatiques l'accompagnant, n'est cependant en rien une fatalité. Son éradication ne passera assurément pas par un appel aux vertus individuelles. Même si « manger moins et bouger plus » relève du conseil plein de sens, ce dernier est éminemment insuffisant pour répondre à la crise.

La priorité, désormais, est de traiter le cœur du problème : comment vivre et que faire d'un monde devenu toxique ?

Cela tombait bien, mon étape suivante me conduisait à y répondre.

---

369. *Idem.*

71. Réponse

Le doute n'était plus permis. La similarité parfaite. Les résultats de novembre corroboraient ceux de juin.

Chensheng Lu, lui, se montrait perplexe.

Peut-être, après tout, s'agissait-il d'un échantillon d'exception ? D'une étrangeté scientifique.

Peut-être...

Mais restaient les chiffres. Et Lu, en passionné de mathématiques, ne pouvait les ignorer. Après tout, l'ensemble de son travail tournait autour d'eux. En réalité, Chensheng Lu était obsédé par leur utilisation. Il était même persuadé que placés dans la bonne problématique, ils étaient la solution à nos problèmes.

Alors, peut-être, finalement, tout cela avait-il un sens. ?

Peut-être Lu venait-il de mettre à jour un véritable phénomène ?

Une découverte qui, pour l'heure, le dépassait.

Il fallait pourtant, désormais, le confirmer.

Et si Chensheng Lu avait raison, alors il venait de trouver *la* réponse.

*

Chensheng Lu, chercheur à l'université de l'État de Washington[370], est spécialisé dans les effets des polluants chimiques sur le corps humain. En 1998, celui que ses collègues américains avaient rebaptisé « Alex », venait de trouver le moyen de concilier sa rigueur scientifique et sa volonté de réflexion hors des sentiers battus.

Depuis quelques années, Lu se consacrait à la présence récurrente des pesticides, et plus particulièrement des organophosphates[371], dans nos organismes. Cinq ans plus tôt, il avait lu le rapport du National Research Council[372] (NRC) qui révélait que les enfants étaient les premières victimes de l'utilisation en agriculture de ces produits chimiques. Il avait donc choisi de se pencher sur la question et Seattle lui paraissait le terrain de recherche parfait. Parce que le sud de la ville, du côté du King County, était fortement peuplé et urbanisé, tandis que le nord se montrait plus rural, avec des fermes proches.

Cette géographie particulière avait donné une idée au chercheur : s'il comparait des échantillons d'urine des enfants vivant dans les deux zones, il parviendrait à savoir si ceux demeurant à proximité d'une zone agricole étaient plus exposés ou pas à la pollution.

Au printemps et à l'automne 1998, saisons de forte utilisation des pesticides, Lu et son équipe réussirent, avec l'aide des parents, à recueillir des échantillons provenant de 110 enfants âgés entre deux et cinq ans. Sans surprise, la

---

370. Depuis, Lu a rejoint la Rollins School of Public Health de l'université d'Emory en Géorgie.

371. « Produit organique de synthèse par estérification de l'acide phosphorique qui sert dans l'élaboration des insecticides et fongicides. Les plus connus sont le parathion, le malathion, le dursban... Plus sélectifs et plus biodégradables que les organochlorés, ils s'accumulent néanmoins dans l'environnement et le contaminent. » Voir www.histoiredeau.umontreal.ca/ MenuA/en.php ?recordID=341

372. *Pesticides in the Diet of Infants and Children, op.cit.*

présence de métabolites[373] de pesticides se vit établie[374]. L'inattendu, en revanche, ce fut de voir que ceux élevés en milieux urbains présentaient un taux plus élevé que les autres. Lu l'expliqua par deux facteurs. *Primo* parce que les pesticides se trouvaient aussi en ville, des parcs publics aux moquettes traitées contre les insectes, *secundo* – et surtout – comme l'avait avancé le NRC en 1993, parce que la nourriture représentait la principale source de contamination.

Certes, Chensheng savait que ces taux étaient considérés comme tolérables. L'ennui, c'est que sur un organisme en devenir comme celui d'enfants, de faibles quantités multipliées par 365 jours ne pouvaient rester sans effet.

Un autre résultat capta l'attention de Lu. Tous les enfants de Seattle avaient des métabolites. Tous... sauf un. En juin comme en novembre, ses échantillons s'étaient révélés négatifs, ses urines ne contenaient aucune trace de ces substances nocives. Et Lu devait maintenant comprendre pourquoi.

*

La réponse s'avéra aussi surprenante que logique. Les parents de cet enfant non contaminé cuisinaient exclusivement des produits bio. Leurs fruits et légumes ne provenaient pas de l'agriculture industrielle mais de fermes certifiées *organic*[375]. Un choix parental dicté par la volonté clairement affichée de prévenir de tels risques.

---

373. La métabolite est le produit de la transformation d'une substance de l'organisme. In http://fr.wikipedia.org/wiki/Métabolite

374. Chensheng Lu, Dianne E. Knutson, Jennifer Fisker-Andersen, Richard A. Fenske, *Biological Monitoring Survey of Organophosphorus Pesticide Exposure at Preschool Children in the Seattle metropolitan Area, Department of environmental Health*, University of Washington, Seattle, Washington. Cité dans *Environmental Health Perspectives*, volume 109, n° 3, mars 2001.

375. Terme américain désignant les produits issus de la culture biologique.

Les questions se bousculèrent toutefois dans l'esprit de Chensheng Lu. Comment prouver que cette nourriture était précisément à l'origine de ces résultats négatifs ? Peut-être, après tout, l'enfant présentait-il une particularité biologique ? En outre, si une alimentation bio garantissait l'absence de pesticides dans les urines, combien de temps fallait-il pour arriver à un tel résultat, l'enfant en question n'ayant jamais consommé d'aliments à la présence de résidus chimiques établie[376] ?

Mathématiquement, le challenge était excitant. Il fallait « seulement » établir le modèle le mieux adapté.

*

Pour réussir, il restait à sortir du cadre étriqué d'un laboratoire, dans la mesure où, si reproduire la situation sur un cobaye animal s'avérait possible puisque nous partageons l'essentiel de l'ADN du rat, les porte-parole de l'agriculture industrielle en profiteraient pour se répandre dans les médias, pour réduire à néant ses recherches par des procédés de communication habiles et longuement éprouvés.

Aussi Chensheng Lu envisagea une autre approche. D'abord, recruter une vingtaine d'enfants de trois à onze ans issus des écoles publiques de Seattle. Des écoliers qui consommaient uniquement de la nourriture ne provenant pas de l'agriculture biologique. Puis, pendant quinze jours, matin et soir, leurs parents allaient être mis à contribution pour prélever leurs urines. Ces deux semaines seraient divisées en trois phases. Durant les première et dernière, d'une durée de cinq jours, les volontaires mangeraient seulement des produits conventionnels, type pâtes, fruits, légumes, viandes, céréales, chips, pop-corn, pain, jus de fruit... Et dans l'étape intermédiaire, pour qu'il n'y ait pas un changement de régime, de modification du mode alimentaire, ils se

---

376. L'USDA liste ainsi les fruits, légumes et grains.

nourriraient des mêmes ingrédients, mais cette fois certifiés bio[377].

Enfin, et afin d'éviter toute contestation, les analyses seraient effectuées à Atlanta, au quartier général des CDC.

Lu avait pensé à tout, il lui fallait désormais attendre.

*

Les résultats furent sans appel. Au soir du premier jour de consommation de nourriture bio, les métabolites « diminuèrent pour atteindre un niveau non détectable[378] ». L'absence de pesticides dans les urines des enfants fut une constante pendant l'ensemble de la période, mais les métabolites réapparurent « dès la réintroduction d'une alimentation conventionnelle[379] ».

La conclusion de Lu s'imposait. Le premier, il venait de prouver qu'un « régime alimentaire bio fournissait un effet protecteur immédiat et spectaculaire contre les pesticides organophosphatés utilisés fréquemment dans la production agricole[380] ».

En démontrant également que le taux de pesticides dans l'organisme dépendait directement de notre alimentation, le chercheur bousculait le cadre du débat. Alors que – et à juste titre – d'Al Gore à Nicolas Hulot, on évoque surtout les pollutions de l'environnement, ce scientifique sérieux attestait que le plus grand péril se nichait dans notre assiette.

Mieux, en plus de nous alerter, cette étude offrait une solution.

---

377. Par sécurité, Lu fit vérifier la totalité des aliments bio afin d'être certain que leur certification ne soit pas erronée et qu'ils ne contiennent pas de pesticides. In « Organic Diets significantly lower Children's Dietary Exposure to Organophosphorus Pesticides », *Environmental Health Perspectives*, volume 114, number 2, février 2006.

378. *Idem.*

379. *Idem.*

380. *Idem.*

Avec un enjeu de taille. Lu écrivait d'ailleurs : « L'existence persistante de métabolites de pesticides organophosphatés dans l'urine lors des périodes où l'alimentation était conventionnelle soulève de graves questions quant aux risques chroniques liés à cette exposition [...] Les enfants dont l'alimentation est constituée de produits issus de l'agriculture biologique auront une probabilité plus faible de développer des problèmes neurologiques, un résultat commun des pesticides organophosphatés[381] ».

*

La base de données Findarticles.com regroupe plus de dix millions d'articles de presse parus dans les médias américains. Soucieux de voir comment les travaux de Chensheng Lu avaient été traités, j'y ai effectué une recherche. Résultat : six réponses. Trois issues de publications scientifiques ignorées du grand public, une d'un magazine spécialisé dans les médecines alternatives, une autre trouvée dans un quotidien de Chicago – trois lignes –et le dernier, un encadré du magazine *Parents*.

Je me dis qu'il devait y avoir une erreur. Que la démonstration de la manière de préserver la santé de nos enfants ne pouvait pas avoir seulement suscité l'intérêt de six publications. Pour en avoir le cœur net, j'ai plongé dans la plus grande base de données au monde, Nexis. Où, en provenance de plus de 32 000 sources, les professionnels peuvent bénéficier d'un fonds de 6 *milliards* d'articles ! Où on peut en outre élargir sa requête à la télévision, source d'information privilégiée de la majorité des terriens. Résultat ? Zéro. Selon Nexis, il n'y a pas eu un seul sujet consacré aux découvertes de Lu. Heureusement, les 6 milliards d'histoires de la presse écrite allaient évidemment combler cette carence, me disais-je.

---

381. *Idem.*

Après quelques secondes d'attente, la page s'afficha. Cette fois, il y avait huit références. Les six premières semblables aux articles de findarticles.com. Les deux autres provenant à la fois du quotidien concurrent de Chicago et du *Los Angeles Time*.

*

Le silence n'est pas la pire des insultes. Car il faut savoir que dans la période où les médias ignoraient les découvertes de Chensheng Lu, ils nous abreuvaient d'autres histoires. Bien moins compliquées et beaucoup plus amusantes.

Après tout, peut-être avais-je fait fausse route et l'essentiel se trouvait-il ailleurs ?

Peut-être Britney Spears, l'inoubliable interprète du titre *Toxic*, constituait-elle le meilleur antidote aux maux de notre société ? En tout cas, se polariser sur ses dessous et ses soirées alcoolisées, comme sur bien d'autres sujets plus que secondaires, était le meilleur moyen d'ignorer la réalité du monde dans lequel on vit. Et de détourner inconsciemment ou pas l'attention du public. Mais l'effet le plus décourageant était ailleurs : submergée par les réponse positives concernant Britney, la base de données Nexis se bloquait, me demandant, sans en saisir l'ironie, d'affiner mes recherches afin de pouvoir afficher ses résultats.

Épilogue

Le périple s'achevait. J'aurais aimé le terminer ailleurs que dans l'étouffante chaleur du sud du Texas.

*

Peut-être cette enquête aurait-elle dû se conclure du côté du Marin County, à quelques kilomètres de San Francisco. Où, avec Bill Niman, fondateur d'une série de ranches, j'aurais appris et apprécié la seule – et digne – façon d'élever le bétail.

Sans hormone, antibiotique, grain, protéine enrichie à la merde de poulet. Sans lagon aussi. Ici, comme dans les vignettes de l'époque pré-industrielle, les bêtes paissent en liberté, les veaux sont nourris par leurs mères et les cochons pas entassés les uns sur les autres.

À Niman Ranch, obtenir une viande de qualité se fait dans le respect de l'environnement et des animaux. Une philosophie qui rencontre un succès grandissant auprès des restaurateurs et des consommateurs avertis. Ce qui prouve qu'il existe une alternative à l'industrialisation du bétail et que l'on peut se nourrir sans risquer de terribles conséquences pour sa santé.

Épilogue

*

Sans aller aussi loin, j'aurais pu encore me rendre à Austin, au Texas. Pour passer quelques heures en compagnie de John Mackey, le créateur de la chaîne de supermarché Whole Foods. Il m'aurait raconté comment, ayant rejoint une communauté végétarienne à la fin des années 1970 pour y rencontrer des filles, il avait réussi à anticiper la montée en puissance de la vague bio. Depuis l'ouverture de sa première boutique en 1980, Whole Foods est un succès unique en son genre. Aujourd'hui ses 189 magasins, dont quelques-uns situés en Grande-Bretagne, garantissent à leurs clients une alimentation sans toxine ni pesticide. La viande et la charcuterie proviennent d'élevages éthiquement et écologiquement responsables. Pour lutter contre la pollution liée aux transports de produits frais, Whole Foods a même développé la production locale de l'agriculture biologique. Enfin, véritable pied de nez aux géants de la distribution, les employés de la compagnie sont payés le double de leurs confrères de Wall Mart. Ce qui explique pourquoi Whole Foods est aujourd'hui l'une des entreprises dont la qualité de travail est l'une des meilleures des États-Unis. Une sérénité démontrant qu'il est possible de pratiquer le capitalisme sans y abandonner sa conscience[382].

*

Quittant le Fat Land, j'aurais pu m'envoler, sans vraiment savoir ce que je devais en penser, vers l'université d'Utrech aux Pays-Bas. Et y rencontrer le docteur Henk Haagsman. Ce Néerlandais, professeur des sciences de la

---

382. Un credo assumé par le P-DG sur les pages de son blog : http://www.wholefoods.com/blogs/jm/archives/2006/11/conscious_capit.html

viande, est l'un des experts mondiaux d'une nouvelle discipline : la culture de viande *in vitro*. Non, il ne s'agit pas
d'une hérésie mais d'un véritable projet, doté de 2 millions
d'euros et destiné à déterminer si, grâce à l'utilisation des
cellules, on peut faire « pousser » de la viande. Donner
naissance à un produit moins gras, sans bactérie ni résidu
chimique. À une viande débarrassée de la pollution et des
conditions d'élevage honteuses. Haagsman, comme d'autres
chercheurs installés au Canada, aux États-Unis et en Australie, est persuadé que la viande en « boîte de Petri[383] » est
une réalité proche : « D'ici six ans nous devrions obtenir un
produit. Pas sous forme de steak, évidemment, mais plutôt
une viande hachée que l'agroalimentaire pourra utiliser sur
des pizzas ou dans des sauces[384] ».

J'aurais encore pu passer quelques jours à Tavistock,
dans le Devon, en Grande-Bretagne. Pour faire la connaissance d'habitants qui, récemment, grâce à leur désir d'avoir
une alimentation saine et à leur opiniâtreté, ont gagné une
bataille difficile. Après sept années d'efforts à tenter de
s'implanter et d'attirer les consommateurs, McDonald's a
fermé son unique établissement, faute de clients[385].

*

J'aurais pu...

Mais je ne souhaitais pas conclure sur une fin heureuse.
Non pas par passion du pessimisme, mais parce que notre
quotidien est aujourd'hui plus proche de l'horreur de Rio
Grande City que des attrayants rayons de Whole Foods.

---

383. Voir http://fr.wikipedia.org/wiki/Boîte_de_Petri
384. http://www.new-harvest.org/article09102005.htm
385. « McDonald's forced to shut from Lack of Patronage in healthy
Town », 6 décembre 2006. Voir www.thisislondon.co.uk

Épilogue

*

Plantée sur la Highway 83, Rio Grande City est l'une des dernières villes du Texas avant d'arriver au Mexique. Il déplaira sûrement à l'office de tourisme de le lire, mais il n'y a aucune raison de s'arrêter ici. Rio Grande est le chef-lieu du comté de Starr, l'un des plus pauvres des États-Unis. La route principale ressemble à un long fil de béton rongé par la décrépitude depuis fort longtemps. La poussière est omniprésente. Elle semble même incrustée dans le paysage depuis et pour toujours.

Il existe deux styles de maisons à Rio Grande City. Celles à l'abandon et les autres où, réfugiés derrières les barreaux qui protègent toutes les fenêtres, les 11 923 habitants vivent dans la crainte. La peur du soleil qui écrase tout neuf mois par an. La peur des voisins, des inconnus, des autres et plus particulièrement des gangs de la mafia mexicaine qui ont transformé l'endroit en lieu de passage. Et puis, la peur des troupes du Homeland Security aussi, en charge de vérifier les visas et de déporter les immigrés clandestins. À Rio Grande City, 95,89 % de la population est d'origine mexicaine. Les sans-papiers en représentent la majorité. Certains ont même peur de leurs enfants. Nés sur le sol américain, ils sont pourvus de la nationalité qui est refusée à leurs parents. Et ainsi, d'après les services sociaux de la ville, dès l'adolescence, nombre d'entre eux terrorisent la partie « illégale » de la famille. Un chantage au coup de téléphone de dénonciation pour une seule chose : manger.

McDonald's, Dairy Queen, Burger King, Whataburger, Wendy's, Pizza Hut, Little Ceasars Pizza, Subways, Taco Bell, Taco Bueno, Taco Palenque, Mexican Buffet, Chinese Buffet... aucune enseigne ne manque à l'appel. Et toutes proposent, en lettres géantes, des promotions difficiles à ignorer quand on vit sous le seuil de la pauvreté. Ici, le Coke géant est offert pour l'achat d'un menu. Là, contre moins de 5 dollars, le client est invité à manger autant qu'il le souhaite. Ailleurs, tous les matins, le petit déjeuner est doublé gratuitement.

À Rio Grande City, paradis du HFCS et du *trans fat*, tout est commercialement envisageable, envisagé et mis en pratique pour ponctionner les quelques dollars versés par l'aide locale.

Cette orgie alimentaire s'accompagne d'une terrifiante réalité. À Rio Grande City, la moitié de la population adulte souffre de diabètes de type 2.

Mais le pire, c'est pour demain.

À l'école maternelle, 24 % des enfants sont déjà en surcharge pondérale ou obèses. S'ils ne sont pas dès maintenant pris en charge, rien ni personne ne parviendra à les sortir du cercle infernal. Celui qui, à l'âge adulte, devenus diabétiques et amputés, leur fera attendre la crise cardiaque... comme une libération.

*

Or, dans l'Amérique d'aujourd'hui, personne ou presque ne s'intéresse à Rio Grande City. Ou à La Casita, Roma, Laredo, El Cobares, ces villes du sud du Texas qui subissent le même cauchemar.

Or, à Rio Grande City, 50 % des garçons âgés de dix ans sont trop gros. Beaucoup trop gros.

Peggy Visio, une nutritionniste du Texas Health Science Center de San Antonio, tente depuis des années de faire bouger les choses. Adepte de la téléconférence, elle a réussi à trouver un don privé destiné à financer un service reliant son bureau de San Antonio à l'infirmerie de l'école de la ville. Et là, par écran interposé, elle donne des conseils de nutrition aux familles. Sachant pertinemment qu'elle ne pourra empêcher le pèlerinage quotidien au fast-food[386],

386. Aux États-Unis, 33 % des enfants mangent tous les jours dans un fast-food.

elle tente d'orienter les ados vers les produits qui feront le moins de dégâts.

Lors d'un séjour récent à Rio Grande City, Visio et son équipe ont examiné les 2 931 enfants de la ville afin de quantifier ceux qui présentaient des risques élevés de diabète de type 2. Sur le papier, le pire de leurs scénarios prévoyait environ 600 cas. Mais à Rio Grande City, où deux cheeseburgers géants, une frite maxi et un Coca-Cola gargantuesque sont vendus à moins de 2 dollars, ils ont découvert 1 172 enfants en perdition. 1 172 futurs diabétiques.

Alors, Peggy a convaincu l'école de l'urgence. Après tout, chaque jour, les enfants y prennent leur petit déjeuner et leur déjeuner. Des collations largement arrosées des sodas en vente soit à la cafétéria, soit via les distributeurs, dans les couloirs de l'établissement.

Grâce à Visio et aux responsables de l'école, ces appareils de tentation ont été déplacés... dans la rue. Le personnel des cuisines a été formé pour offrir une nourriture moins grasse et moins sucrée. Les fruits frais ont commencé à apparaître sur les tables de la cantine et l'eau à repris une place qu'elle n'aurait jamais dû abandonner.

Mais voilà, nous étions à Rio Grande City. Et les étudiants ont expérimenté la démocratie directe. Ces citoyens en herbe, obèses ou en passe de le devenir, se sont mis en grève devant de telles décisions salutaires à leur santé. Soutenus par certains parents et professeurs, ils ont affiché leur colère à l'entrée de la cafétéria avec un mot d'ordre clair : « Non au régime ! Nous voulons manger des trucs cool ! »

*

Rio Grande City est un laboratoire. Un douloureux voyage vers le futur aussi. Ce qui s'y passe n'est ni une exception ni une aberration, mais un amer avant-goût de l'avenir. L'obésité, le diabète, l'attitude de ces étudiants sont ni plus ni moins le résultat des trente dernières années de dérive et de matraquage alimentaire. Trois décennies où l'industrie agroalimentaire a pris le contrôle de nos assiettes, brouillant les repères, changeant la nature même de la nourriture.

Pendant des siècles, manger a été une nécessité et un moment privilégié. Une excuse pour l'échange et la communication. Et, bien souvent, un moment de plaisir. Désormais, un plat, pour s'imposer, doit être pratique, s'engloutir seul et rapidement. Et, surtout, être soutenu par une campagne publicitaire.

*

Demain, le monde ressemblera à Rio Grande City et à ces élèves prêts à se battre pour continuer à se goinfrer. Déjà, dans certaines écoles primaires, les enfants apprennent à compter en additionnant les M&M's. Dans d'autres, ils refusent de manger les fruits frais sous prétexte qu'il est beaucoup plus tendance d'avaler un dessert coloré.

L'industrie agroalimentaire n'est pas seulement coupable d'avoir travesti la nature de notre nourriture. D'y avoir introduit le sirop de fructose-glucose, les additifs, les conservateurs, les résidus chimiques et les acides gras trans. Non, dans cette course au profit, certaines sociétés ont tout simplement tenté de s'emparer de l'âme d'une génération.

Ces mots sont à la hauteur de ma colère. Pas uniquement celle de l'auteur, celle d'un père aussi. Qui, chaque jour, tente de contrebalancer un pouvoir qui nous dépasse.

La responsabilité individuelle et celle des parents sont deux mensonges inventés par des spécialistes de la manipulation. Ou du marketing, c'est la même chose.

Les preuves ? Elles sont multiples. Petit voyage dans le temps. Dans les années 1930, Coca-Cola comparait ses atouts nutritionnels aux vertus vitaminées des fruits. Dans les années 1950, 7 Up expliquait comment, mélangé au lait du nourrisson, il favorisait la prise du biberon. À l'époque, à en croire les réclames, certains vins équivalaient même à un repas complet. Et puis, Camel était « la cigarette préférée des médecins ». Aujourd'hui les mêmes tentent de nous convaincre de l'importance de leurs contributions à notre bien-être, de leur sincérité dans la lutte contre le poids, de leur conscience humaniste ou de la non-dangerosité des OGM.

*

Demain, le monde ressemblera à Rio Grande City et à ses promotions permanentes sur la paire de hamburgers. Déjà, la crise d'obésité est devenue pandémie. Déjà les lagons des porcheries, le HFCS et le *trans fat* sont partis à la conquête de l'Europe.

L'Europe... Ou comment une idée juste, sensible, enthousiasmante et pacifiste, a perdu elle aussi son âme. L'Europe est devenue la nouvelle cour où manœuvrent les spécialistes du lobbying industriel. Où se pratique un sport dont les règles ont été inventées à Washington.

Et c'est ainsi que, le 9 novembre 2006, Markos Kyprianou, commissaire européen et membre de la Commission européenne chargé de la santé et de la protection des consommateurs, a publiquement félicité Coca-Cola et McDonald's pour leur engagement dans la lutte contre l'obésité.

Coke, McDo et les autres sont pourtant les fabricants de cigarettes d'aujourd'hui. Leur stratégie de communication est identique. La crainte majeure de ces géants de l'agroalimentaire, c'est que les gouvernements, sous la pression populaire, légifèrent. Car la contrainte leur fait peur. Aussi, pour éviter cela, ils jouent la diversion, la carte du volontarisme.

341

Dans le même esprit, Marlboro et Philip Morris financent aux États-Unis des campagnes publicitaires incitant les gens à ne plus fumer. Or, le budget de ces « ravalements de façade » n'atteint même pas 1 % des bénéfices engendrés par la vente de leurs produits.

McDo, Coke et les autres savent qu'ils sont les premiers responsables de la pandémie d'obésité. Alors, ils donnent le change, martèlent le message de la responsabilité individuelle et l'idée que toute nourriture a sa place dans un régime équilibré.

Lorsque je vois la campagne internationale de Coca-Cola annonçant sa décision de lutter contre l'obésité, je ne peux m'empêcher d'être cynique et de penser : c'est l'hôpital qui se moque de la charité.

L'engagement à ne pas faire de publicité à destination des moins de douze ans ? Du vent. Rien de neuf. Cela a toujours été le cas. Non pas parce que la Compagnie est « morale » mais parce qu'elle est très intelligente. Elle préfère sponsoriser l'équipe de France de football, lancer un site Internet avec NRJ, imaginer un casting inspiré de « Star Academy » dans tout le pays, pour capter l'attention de ces classes d'âges. Coca-Cola étant, en France, la marque préférée des jeunes, elle n'a pas besoin de s'adresser directement à eux puisqu'elle a réussi à devenir une figure incontournable de leur univers.

Les boissons sans sucre, les salades de McDo ? Tout cela est marginal. Le cœur d'affaire de McDonald's, ce sont les *heavy users*, les gros consommateurs de Big Mac et de frites. Le produit vedette de la Compagnie ? Coca-Cola Classic et son sucre.

*

Demain, le monde ressemblera à Rio Grande City et à son odeur permanente de friture.

Au terme de mon enquête, je ne sais même pas s'il est encore possible d'éviter le pire. Certes, les solutions existent. Mais, pour s'imposer, elles ont besoin de deux révolutions.

D'abord, celle de nos esprits. Avant d'être consommateur, nous sommes citoyens. Nos trois repas quotidiens sont autant d'occasions de voter. Voter pour ou contre un monde toxique. Voter en faveur d'un modèle viable pour l'environnement, notre santé, et moralement acceptable. Notre pouvoir est avant tout celui de l'achat. Plus qu'un bulletin dans une urne, la consommation d'un produit est devenue un geste politique. Le seul moment où le terme de « démocratie directe » a un sens concret.

Mais voilà, si mon pouvoir d'achat m'offre le privilège d'assurer aux miens une assiette sans danger, ce choix est réservé à une minorité. Car manger bien est désormais une source d'inégalité. Les pauvres sont aujourd'hui massivement représentés dans les rangs de plus en plus peuplés des obèses. Comme à Rio Grande City, leur pouvoir d'achat les cantonne quasi exclusivement à la nourriture industrielle. En confiant notre alimentation aux géants de l'agroalimentaire, nous leur avons laissé le droit d'installer des régimes d'apartheid nouveaux.

Et c'est pour cela que, même s'il est capital, un engagement individuel ne sera jamais suffisant.

Pour éviter que demain, notre monde ressemble à Rio Grande City, il faut que la classe politique se souvienne que, parmi ses devoirs, se trouve l'obligation de protéger la société des risques pathogènes.

La malbouffe tue. Il faut donc une intervention gouvernementale pour contraindre certaines compagnies à cesser de nous empoisonner. Le Danemark l'a fait. McDonald's, Coca-Cola et les autres n'ont pas quitté le pays pour autant et les Danois n'ont pas le sentiment – autre cheval de bataille des industriels – qu'ils sont privés de leur liberté individuelle.

Mieux encore, puisque la France s'apprête à voter, il est temps d'exiger des candidats qu'ils s'engagent dans cette lutte dont la victoire est la seule issue possible.

Et le combat sera âpre. Car, distribuer des bons points aux compagnies, inciter les individus à consommer plus de fruits et moins de graisse, est largement insuffisant.

Qui, à droite et à gauche, osera suivre les conseils de Philip James et repenser nos politiques agricoles ? Le président de l'Équipe internationale de lutte contre l'obésité, ancien conseiller de Tony Blair, a, dans son discours de Sydney, défini le seul cadre susceptible afin d'empêcher la propagation des Rio Grande City. « Nous n'avons pas affaire à un problème médical ou scientifique. Nous avons affaire à un énorme problème économique qui, de l'avis général, va submerger tous les systèmes médicaux de par le monde. Nous nous sommes concentrés sur l'utilisation de l'argent des contribuables pour surprotéger tous ces éléments de la chaîne alimentaire qui provoquent aujourd'hui l'épidémie d'obésité. La surproduction d'huile, de graisse et de sucre, largement due aux subventions publiques visant à protéger les revenus agricoles, contribue depuis des décennies à la crise sanitaire que nous connaissons aujourd'hui. »

*

Demain le monde ressemblera à Rio Grande City et au courage de Peggy Visio.

Demain, parce qu'il y va de notre survie, nous reprendrons le contrôle de nos assiettes.

Demain, parce qu'il est question de l'avenir de nos enfants, nous quitterons les frontières nauséabondes de cet univers toxique.

Épilogue

Tout cela est encore possible.
Vous en avez le pouvoir.
La preuve ?
Après des années de dérive, je venais de le faire.
J'avais trente-cinq ans et, pour la seconde fois, je venais de naître.

Plano, 20 décembre 2006.

Bibliographie

Sur le contenu de nos assiettes

Jean Michel Cohen et Patrick Serog, *Savoir Manger, le guide des aliments 2006-2007*, Flammarion, 2006.

Marion Neslte, *What to eat*, North Point Press, 2006.

Kelly Hayford, *If it's not food... Don't eat it !*, Delphic Corner Press, 2005.

Kelly D. Brownell, *Food Fight*, McGraw Hill, 2004.

Carol Simontacchi, *The Crazy Makers*, Penguin Putnam, 2000.

Janet Starr Hull, *Sweet Poison*, New Horizon Press, 1999.

Buck Levin, *Environmental Nutrition*, HingePin, 1999.

Sur l'industrie agroalimentaire

Michele Simon, *Appetite for profit*, Nation Books, 2006.

William Reymond, *Coca-Cola, l'enquête interdite*, Flammarion, 2006.

Marion Nestle, *Food Politics*, University of California Press, 2002.

347

Sur l'agriculture moderne et l'élevage industriel

Michael Pollan, *The Omnivore's Dilemma*, The Penguin Press, 2006.

Peter Singer et Jim Mason, *The way we eat, why our food choices matter*, Rodale, 2006.

George Pyle, *Raising less corn, more hell*, Public Affairs, 2005.

Richard Manning, *Against the grain*, North Point Press, 2004.

John Robbins, *The Food revolution*, Conari Press, 2001.

Howard F. Lyman et Glen Merzer, *Mad Cowboy*, Touchstone, 1998.

Sur les fast-foods

Eric Schlosser et Charles Wilson, *Chew on this*, Houghton Mifflin, 2006.

Morgan Spurlock, *Don't eat this book*, Berkley, 2005.

Eric Schlosser, *Fast-food Nation*, Harper Perennial, 2004.

Greg Crister, *Fat Land*, Houghton Mifflin Company, 2003.

Sur la nourriture issue de l'agriculture biologique

Samuel Fromartz, *Organic inc.*, Harcourt, 2006.

Luddene Perry et Dan Schultz, *Buying organic*, Bantam Books, 2005.

Sur le futur des aliments

Mae-Wan Ho et Lim Li Ching, *GMO Free*, Vital Health, 2004.

Ronnie Cummins et Ben Lilliston, *Genetically engineered food, a self-defense guide for consumers*, Marlowe & Company, 2000.

Remerciements

Merci d'abord à Jessica, Thomas et Cody. Ce livre est devenu une aventure commune grâce à vous. Vous avez été les premiers à partager mes découvertes et à adopter avec enthousiasme un mode alimentaire plus sain et plus juste.

Jessica, une nouvelle fois, ce livre n'aurait jamais vu le jour sans ton amour, ton soutien et ton extraordinaire faculté à m'offrir du temps.

Thomas, te voir promouvoir les conclusions de *Toxic* jusqu'aux tables de la cantine de ton école, est la plus belle des récompenses. D'autant plus que j'ai écrit ce livre pour ton frère et toi.

Cody, je ne sais pas s'il existe beaucoup d'enfants de quatre ans capables d'écouter une conversation sur les dangers du *trans fat* et d'en retenir la leçon. Merci de m'avoir donné l'impression que mon travail portera un jour ses fruits.

Bien évidemment, je souhaite rendre hommage aux scientifiques, chercheurs, journalistes, dirigeants, commerçants, activistes, syndicalistes, fonctionnaires, médecins qui ont très généreusement partagé leurs travaux avec moi. Je pense ici plus particulièrement aux victimes de la toxicité de notre alimentation et à leurs proches. Le courage existe, je l'ai rencontré.

Bien sûr, impossible d'évoquer la visite sur les routes du Texas sans repenser à vous, Guy et Maman. On the road again ?

En France, je tiens à remercier Michel Despratx pour sa solide amitié et la justesse de ses remarques. Je pense aussi à Bernard Nicolas, Arnaud Bedat, Paul Moreira, Luc Hermann, Christian Moguerou, Marc Dolisi et Arnaud Müller.

À Dallas, mes premières pensées vont à Ashley Hodge, Amy et Hudson. Nos conversations et nos multiples courriers électroniques ont été une aide précieuse. Quant aux heures passées sur le parquet de Lifetime, elles resteront à jamais comme des grands moments de sincère camaraderie.

Je pense aussi à l'ensemble de la famille Sandoval qui, en adoptant les conclusions de ce livre, m'a prouvé l'importance de son message.

Merci aussi pour l'intérêt porté à mon travail et les longues nuits à jouer au poker à James Webb, Robert Porter, James Thal, Fahad Zahid, Donovan Royal, Scott Smith, Mike Brosler et Jim Ellis.

Merci à Geoff et Grant Gunn pour la soirée aux Mavericks, pause bienvenue entre deux chapitres.

Paul Cuington (lifeisaworkout@hotmail.com) préparateur physique de talent, a une nouvelle fois permis à mon organisme de traverser l'épreuve des mots sans aucun dommage. Et, grâce à son talent et son travail, a été l'extraordinaire architecte de ma version 2.0. Thanks a lot, Big Paul !

Merci également à Erick Land et Deron Williams pour nous avoir offerts le rêve. Go Jazz !

Le williamreymond.com ne serait rien sans le temps et la passion de Carole Albouy, Jean-François Hesse, Xavier Jobert et Bertrand Maury. Bien évidemment, j'englobe ici l'ensemble des membres du forum, une des communautés les plus dynamiques, éclectiques et sympathiques du Net. Et comme d'habitude, j'essaierai d'être un petit peu plus présent.

Remerciements

Côté musique, et sans surprise, Bruce Springsteen a montré le chemin. James McMurtry, Steve Earle, Hans Zimmer, Ennio Morricone et Howard Shore ont complété le parcours.

En janvier 1997, les éditions Flammarion publiaient ma première enquête. Dix ans plus tard, je continue à être un auteur heureux. À l'occasion de cette étape, je tiens à remercier l'ensemble des personnes qui ont contribué à l'aventure. Bien entendu, je me dois de commencer par Thierry Billard qui depuis les premières lignes de *Dominici non coupable* continue à guider mes pas et à s'enthousiasmer pour mes idées.

De son côté Gilles Haeri a su créer les conditions idéales à mes enquêtes internationales. Avec Teresa Cremisi, il appartient à la rare catégorie des éditeurs courageux. Merci.

Merci à Soizic Molkhou pour sa passion à défendre mes livres. Et puis, au delà, pour être là à chaque fois que cela a été nécessaire, y compris très tard après un enregistrement d'une émission télé.

Merci également à Patricia Stansfield dont le talent permet désormais à mon travail de connaître encore moins de frontières.

Merci encore à Charles-Étienne Barrault, Alain-Napoléon Moffat, Frédéric Ouzana, Fabienne Panisse-Bainier, Antoine du Payrat, Valérie Rateau, Guillaume Robert, Martine Thiebault et Nicolas Wiel.

Enfin, je tiens à sincèrement remercier toutes celles et ceux qui, chez Flammarion depuis dix ans grâce à leur talent et leur énergie, ont rendu tout cela possible. J'espère que ce livre continuera à justifier la confiance que tous m'ont exprimée depuis le premier jour. À bientôt.

William Reymond
william@williamreymond.com
www.myspace.com/williamreymond

TABLE

Table

Cet ouvrage a été imprimé par la
SOCIÉTÉ NOUVELLE FIRMIN-DIDOT
Mesnil-sur-l'Estrée
pour le compte des Éditions Flammarion
en février 2007

Composition et mise en page

Imprimé en France
Dépôt légal : février 2007
N° d'édition : L01ELKN000121N001 – N° d'impression : 83649